The Creativity Code

Marcus du Sautoy

レンブラントの身震い

マーカス・デュ・ソートイ
冨永星 訳

CREST BOOKS
Shinchosha

知的で創造力にあふれ、
愛を持ってわたしを支えてくれた、
シャニへ。

Cover Painting (top left) by courtesy of "The Next Rembrandt"

Special thanks to

CLIENT	ING
CAMPAIGN TITLE	The Next Rembrandt
PRODUCT	Brand campaign
LAUNCH CAMPAIGN	April 5th 2016
ASSETS	Painting, Website, Video, Social
URL	www.nextrembrandt.com
CONCEPT	Bas Korsten, Robert Nelk, Mark Peeters
CREATIVE ART	Guney Soykan
CREATIVE COPY	Bas Korsten, Kasia Haupt
HEAD OF TECHNOLOGY	Emanuel Flores
DESIGN	Vinesh Gayadin
PROJECT DIRECTOR	Jesse Houweling
STRATEGY	Agustin Soriano
DEVELOPER	Morris Franken, Ben Haanstra
3D ARTIST	Andre Ferwerda

ING

DIRECTOR OF COMMUNICATIONS	Johan van der Zanden
HEAD OF SPONSORING	Tjitske Benedictus
TEAMLEAD INTERNAL & EXTERNAL COMMUNICATION	Marc Smulders
SR. MARKETINGCOMMUNICATIONS MANAGER	Mirjam Smit
SPONSORMANAGER CULTURE	Eline Overkleeft
EVENT MANAGER	Marleen Hasselo
SOCIAL MEDIA SPECIALIST	Thijs Jaski

MICROSOFT

DIRECTOR SMALL AND MIDMARKET SOLUTIONS	Ron Augustus
MICROSOFT AZURE LEAD	Erik-Jan van Vuuren
PRODUCT MARKETING MANAGER	Niels Lohuis
CORPORATE COMMUNICATION MANAGER	Yvette Lansbergen
MARCOM MANAGER	Eva de Vries
SOLUTION ARCHITECT	Thijs Jaski

J. WALTER THOMPSON AMSTERDAM

EXECUTIVE CREATIVE DIRECTOR	Bas Korsten
EDITOR	Tim Arnold
PHOTOGRAPHER	Robert Harrison
PR DIRECTOR	Jessica Hartley
BRAND MANAGER	Elisah Boektje
SCREEN PRODUCER	Frederique van der Hoeven, Mariska Fransen
PRINT PRODUCER	Chariva Geurtsen
ANIMATIONS	Kreukvrij (Olaf Gremie)
WEBSITE PRODUCTION	Superhero Cheesecake
SPECIAL ADVISOR	David Navarro, Jeroen van der Most, Ferran Lopez
FILM PRODUCTION	New Amsterdam Film Company
DIRECTOR	Juliette Stevens
EXECUTIVE PRODUCER	Sander Verdonk
SOUND STUDIO	Studio Alfred Klaassen

Cover Painting (bottom right) by Rembrandt van Rijn

Diagrams redrawn by Martin Brown

Design by Shinchosha Book Design Division

レンブラントの身震い　目次

レンブラントの身震い

第一章　ラブレイス・テスト

芸術作品がきまりを作るのであって、
きまりが芸術作品を作るのではない。
クロード・ドビュッシー

その機械はじつに美しかった。まるで歯車でできたいくつもの塔のようだった。番号を打たれた歯が棒に固定されていて、ハンドルを回すとそれらの棒が動く。すっかり目を奪われた一七歳のエイダ・バイロンは、チャールズ・バベッジが作った機械のハンドルを試しに回してみた。機械が数をわしわしと食らっては、その二乗、三乗、そして平方根の値を計算していくのを見守る。いつだって、エイダは機械が大好きだった。母があてがってくれた家庭教師たちに、すっかり好奇心を煽られていたのである。

数年後、既にラブレイス伯爵に嫁いでいたエイダは、バベッジの解析機関製造計画について調べるうちに、それが単に数を計算するだけの機械でないことに気がついた。そして、その機械にできそうなことをメモしはじめた。「解析機関は、単なる『計算機』と同じ土俵に立つものではなく、まったく独自の地位を占めている。この機関は、本質的にもっと興味深い考えを提示しているのだ」

今日エイダ・ラブレイスのこれらのメモは、符号化、すなわちコードの創造へと踏み込んだ最初の記録とされている。そこに記された考えの核はやがて花開き、アラン・チューリングやマービン・ミンスキーやドナルド・ミッキーなどの先駆者の業績によって推し進められて、今では世界を席巻する人工知能革命となった。とはいえ、機械にできることを巡るエイダの見方はかなり慎重だった。「解析機関の能力を巡って誇張された考えが生じる可能性に対しては、用心するに如《し》くはない。解析機関には、オリジナルなものを作り出す力はない。わたしたちが行えと命じたことは、何でも行えるにしても」けっきょくのところエイダは、機械には限界があると考えていた。人間が打ち込んだ以上のものは、出てこない。

このような考え方は、長年計算機科学の真理を示すもの、マントラとされてきた。なぜならこの考えが、うっかり手に負えないもののスイッチを入れてしまうかもしれない、という恐れから自分達を守ってくれるからで、なかには、機械でプログラムを走らせて人工知能を実現するには、まず人間の知能を知らなくては、という者もいた。

人間の頭のなかで何が進行しているのかは今もわかっていないが、コンピュータのコードについては、近年新しい考え方が姿を現している。従来のトップダウンのプログラミングをやめて、ボトムアップでコンピュータ自身に己の進むべき道を計画させようというのである。これなら、知性の問題を解決できていなくても、まったく問題ない。アルゴリズムにデジタル環境を好きなように彷徨《さまよ》わせて、子どもたちと同じように、アルゴリズムがそこから学ぶのを待てばよい。機械学習によって生み出される今日のコードは、びっくりするほど洞察力に富む動きをして、医療画像から従来見つかっていなかった特徴を拾ってきたり、株式市場で抜け目ない投資を行ったりする。この世代のプログラマたちは、最終的にエイダ・ラブレイスが間違っていたことを証明できると思っている。自分たちがプログラムに打ち込んだ以上のものが出てくるはずなのだ。

とはいえ人間の活動領域のなかにひとつだけ、決して機械には立ち入れないと信じられている部分があって、そこには創造性が絡んでくる。人間には、想像力を働かせ、新しいことをはじめ、芸術作品を生み出すことができる、たぐいまれなる力が備わっているのだ。そしてそれらの作品は、人間が人間であることの意味を深め、広げ、変えていく。芸術作品は、コンピュータを動かす「コード」との対比でわたしが「人間のコード」、ヒューマン・コードと呼んでいるものの、発露なのである。

このコードは、人間に固有のものである。なぜならそこに、人間であることの意味が反映されているからだ。モーツァルトのレクイエムはわたしたちに、己の死すべき運命を深く考えさせる。舞台上で演じられる「オセロー」はわたしたちに、自分自身の愛や嫉妬といった感情が織りなす風景を探る機会を与えてくれる。レンブラントの肖像画は、モデルの外見にとどまらず、はるかに多くのものを捉えているように見える。はたして機械には、モーツァルトやシェイクスピアやレンブラントに太刀打ちすること、取って代わることができるのか。

ここでまず、これから見て行くのが、西洋の芸術作品が優勢な分野であることをお断りしておくべきだろう。わたしが知っているのは西洋絵画であり、子ども時代から触れてきたのは西洋の音楽であり、読む本の大半は西洋の文学だった。西洋以外の文化に由来する芸術作品のほうが西洋の芸術作品よりも機械で捉えやすいということが明らかになったなら、それはそれでじつに興味深いことだが、しかしそこには、文化の境界を越えた普遍的な難しい問題があるはずだ。というわけで、ここでの焦点がどうしても西洋に合ってしまうことはご容赦いただくとして、それでもコンピュータというデジタルなライバルたちの創造性の計測に適したベンチマークは得られると思う。

もちろん人間の創造性は、芸術に限られるものではない。ミシュランで星を取っているシェフ、ヘストン・ブルメンタールの分子ガストロノミー（調理を科学の観点から研究する学問分野であり、それに基づいた調理法）、オランダのシュートが得意なサッカー選手ヨハン・クライフの美技、建築家ザハ・ハディドの優美な曲線を描く建物、ハンガリー人ルビク・エルネーが発明したルービック・キューブなども、創造性の発露といえる。さらに、マインクラフト（レゴのようなブロックを組み合せて物を作る要素とアドベンチャー、サバイバルの要素を併せ持つゲーム。二〇一九年に「世界でもっとも売れたゲーム」になった）のようなゲームのコードを作り出すことも、創造性に裏打ちされた優れた行為と見るべきなのだろう。

さらに意外なことに、創造性はこのわたしが属する数学世界の重要な一部でもある。わたしが何時間も机に向かって式をひねり出したり証明を作ったりするのは、新しいものを作り出すことに夢中だからでもあるのだ。わたしにとって最大の創造の瞬間、今も繰り返し立ち戻るあの瞬間が訪れたのは、対称性《シンメトリー》を持つ新たな対象を思いついた時だった（その経緯は、『シンメトリーの地図帳』に詳しい）。それまで誰も、そのような対象が存在しうることを知らなかった。ところが長い間懸命に作業をした結果、強烈な霊感のひらめきとともに、お気に入りの黄色いメモ用紙にこの新たな図形の青写真を描くことができた。あの純粋で熱狂的な興奮が、創造の魅力なのである。

それにしても、創造というこの変幻自在な言葉は、いったい何を意味しているのか。その正体を突き止めようとすると、普通は三つの概念のまわりをグルグル回ることになる。創造力とは、新しく、人を驚かせる、価値あるものを生み出そうとする力なのだ。

新しいものを作ること自体は簡単だ。コンピュータを使えば、新しいシンメトリーな対象を際限なく作り出させることができる。難しいのは、あっと言うようなもの、価値あるものを生み出すことだ。今述べたシンメトリーな対象の場合には、わたし自身が自分の考えついたものに心底びっくりしたし、ほかの数学者たちも驚いた。しかもわたしは、そのシンメトリーな対象と、それとはまったく無関係な数論のテーマとの間に誰一人予想しなかった奇妙なつながりがあることに気がついた。そのようなシンメトリーな対象が存在するからには、数学のなかの未解決の問題がゴロゴロしている分野、数論という分野を理解する新たな方法が見つかるはずだった。だからこそ、その対象自体が価値あるものになったのだ。

わたしたちは皆、思考のパターンにはまりこむ。そして、自分には物語がどう進行するかわかっている、と思いこんでいたところが、突然新しい方向に連れて行かれる。そのような驚きがあるからこそ、その対象に注目するのだ。だから、何か創造的な行為に出くわすと、自分のしたことであろうと、他人がしたことであろうと、心地よくなる。

それにしても、いったい何が価値を与えるのだろう。値段が問題なのか。ほかの人々に認められなければならないのか。たとえわたしが自作の詩や絵画に価値があると思ったとしても、ほかの人たちが同感するとは考えにくい。筋書きにたくさんのひねりがあって人をあっと言わせる小説が、たいして評価されないこともあるだろう。だが、物語や建築や音楽への驚くべき新たなアプローチがあったとして、それがほかの人々にも受け入れられ、そのおかげでものの見方や受け止め方が変わったとすると、概してそのアプローチの価値は認められることになる。これが、カントのいう「範例的で独創的な」行為、ほかの人々に霊感を与えるオリジナルな行為なのだ。このような創造性は、長い間、人類だけのものと思われてきた。

そうはいっても、これらの創造性の発露は、すべてある程度まではニューロンや化学的活性が生み出したものといえる。これが、何百万年もの進化によって脳の中で磨きをかけられてきた人間の遺伝暗号《ヒューマン・コード》なのである。人類の創造性の発露をひもといていくと、創造というプロセスの真ん中にいくつかの規則があることがわかってくる。ということは、わたしたちの創造性もしょせん規則に則った、アルゴリズム的なものでしかないのか、そんなことは認めたくないのだが……。

この本では、新しいＡＩの最先端に迫って、ＡＩがヒューマン・コードの偉業に匹敵することを行えるのか、あるいは凌駕できるのかを考えていく。機械にも絵が描けて、音楽が作れて、小説が書けるのか。モーツァルトやシェイクスピアやピカソには太刀打ちできなくても、お話を書いたり絵を描いたりする子ども程度の創造力なら持てるのか。機械も、私たちの心を動かす芸術とのやり取りを通して、創造性豊かな芸術が陳腐で月並みな作品とどう違うのかを理解し、創造力を身につけることができるのか。機械自体が創造性を身につけるだけでなく、わたしたちの創造力を押し広げ、これまで見落としていたチャンスを拾えるようにしてくれるのか。

創造性というのはつかみどころのない言葉で、状況によって理解の仕方が変わってくる。この本では、主として芸術における創造性に焦点を当てるが、だからといって、それだけが創造性だと言い張るつもりはない。わたしの娘たちは創造力を発揮して、レゴでお城を作る。息子がサッカーチームを勝利に導けば、創造力に富むミッドフィルダーだといわれる。わたしたちは日々の問題を創造的に解決し、組織を創造的に運営することができる。さらに後で見るように、数学では、ほとんどの人が考えている以上に独創性が必要で、創造的な芸術に通じるところがたくさんある。

創造へと向う衝動は、人間にはあってほかの動物にはない重要な要素だが、わたしたちは往々にしてその衝動を内側に淀ませたままで、お決まりの生活や日々のルーティンの奴隷に成り下がる。創造性を発揮するには、日々自分たちがなぞっている滑らかな道から飛び出すための衝撃が必要なのである。そこに、機械が介入する余地が生まれるのかもしれない。機械がわたしたちに衝動を与え、新たな提案を示し、わたしたちが単調な日々を繰り返そうとするのを止めてくれるのだ。わたしたち人間は最終的に、機械の手を借りて、より人間らしく、機械的でなく振る舞えるようになるのだろう。

なぜ数学者であるわたしがみなさんをこんな旅にお誘いするのか、みなさんは不思議に思われるかもしれない。しかしその答えは簡単で、AI、機械学習、アルゴリズム、符号化《コード》、すべての核に数学があるからだ。アルゴリズムが現代社会をなぜ、どのようにコントロールしているのかを理解するには、それを支えている数学の規則を理解する必要がある。さもないと、機械に振り回されてしまう。

AIはわたしたちの核へと切り込みつつある。機械に人間の仕事がどれくらい——より上手ではなくとも人間並みに——できるのかが明らかになってきているのだ。しかしここでは、自動運転自動車やコンピュータ支援医療の未来ではなく、これらのアルゴリズムが、人間を動かしているヒューマン・コードの偉力と意義深い形で渡り合えるかどうかを見て行く。はたしてコンピュータは、創造的であり得るのか。創造的であるとはどういうことなのか。芸術に対するわたしたちの感情的な反応のうちのどこまでが、パターンや構造に対する脳の反応によるものなのか。そういったことを探っていきたいと思う。

とはいえこれは、単なる興味深い知的難問ではない。人間が生み出した芸術作品から、脳を機能させている複雑なヒューマン・コードについての知見が得られるように、コンピュータが芸術を生み出す様子から、コンピュータ・コードの機能を理解するためのきわめて強力な方法が得られるのだ。じつは往々にしてこれらのボトムアップの手法で形成されたコードには、プログラマにも最終的なコードの働き方がわからない、という問題がある。コンピュータはなぜそのような決断をするのか。コンピュータが生み出した芸術が強力なレンズとなって、この新たなコードの意識下の決定を探ることができるようになるかもしれない。そしてまた、自分たちが理解しきれないコードを作り出すことにつきものの危険や限界が明らかになるかもしれない。

この旅に出ようと思ったのには、じつはもう一つ、もっと個人的な理由がある。今わたしは、きわめて大きな実存の危機の渦中にある。というのも、ＡＩが猛烈な勢いで新たな方向へと展開していくなかで、人間は数十年後もあいかわらず数学者という仕事をしていられるのだろうか、という疑問を持ちはじめている自分に気づいたのだ。数学という分野では、数と論理を扱う。でもそれは、コンピュータがもっとも得意とするものなのでは？

　コンピュータが数学科の扉を叩いて、同じテーブルに着かせろと求めたとしても、数学は数と論理を扱うだけでなく、きわめて創造性が高く、美や美学も関わっている、といって撃退することができるはずだ。わたしはここで、自分たちがセミナーや雑誌を通じて共有する数学が、人間がただ機械のハンドルを回した結果ではないということを主張したい。直観や芸術的な感受性は、よき数学者になるうえで重要な資質なのだ。こういった性質を機械にプログラムすることなど金輪際できないはずだ。それとも……プログラムできるんだろうか。

　だからこそ、数学者であるわたしは、新たなＡＩが世界中の美術館やコンサートホールや出版社にどれくらい食い込んでいくのかを、注視しているのである。偉大なるドイツの数学者カール・ワイエルシュトラスはかつて次のように述べている。「ちょっとした詩人でない数学者は、本物の数学者になれない」エイダ・ラブレイスを見てもわかる通り、機械に強いバベッジの要素だけでなく、詩人であるバイロンの要素が必要なのだ。（エイダはバイロンの一人娘）エイダは機械には限界があると考えていたが、それでも、さまざまな歯車で動くこれらの機械に芸術的なものを表現する力があることに気がついていた。

　この機械は、数ではないものにも働きかけられるだろう……たとえば、楽曲や和声学における音の高さの基本的な関係をそのような形で表現しそこに働きかけることができれば、科学的で精巧な楽曲、いくらでも複雑で長い楽曲ができるはずだ。

それでもエイダは、創造的な活動はすべてプログラマが行うもので、機械には創造性はないと考えていた。ではこのような責任分担を、もっとコード側に寄せることは可能なのか。今の世代のプログラマたちは、可能だと考えている。

アラン・チューリングがＡＩの黎明期にコンピュータの知性を測るテストを提案したことは有名だが、ここでわたしは新たなテストを提案したい。名付けてラブレイス・テスト。アルゴリズムがこのテストに合格するには、創造的な作品——再現可能な過程（つまり、ハードウェアのエラーの結果ではない過程）によって生み出されたにもかかわらず、プログラマにはどうやってその出力が作られたのかが説明できない作品——を生み出す必要がある。何か新しくて、人を驚かせる、価値あるものを作り出すこと、それが機械に課された問題なのである。機械が真に創造的であると判断するには、さらにもう一つのステップが必要になる。コンピュータは、プログラマやそのデータセットを組み立てた人々の創造力の表現を超えるものを生み出す必要がある。エイダは、機械にはこのような課題は克服できないと考えていたのだ。

第二章　創造性を作り出す

創造性の主たる敵は、分別である。
パブロ・ピカソ

現代社会では創造性が高く評価されており、さまざまな思索家や著述家が、創造性の正体をはっきりさせようとしてきた。どうすれば創造性を刺激できるのか、なぜここまで重要なのか。わたしがはじめて認知科学者マーガレット・ボーデンの理論を知ったのは、機械学習が今後数十年間で社会に及ぼす影響を評価するロイヤル・ソサエティーの委員会の席でのことだった。そしてその瞬間に、ボーデンの創造性の捉え方が、機械の創造性を記述したり評価するのにうってつけだと思った。

ボーデンは独創的な思索家で、きわめて多彩な学問領域を何十年もかけてみごとに融合させてきた。哲学者であり、心理学者であり、医師であり、AIの専門家であり、認知科学者でもあって、八〇代にさしかかった今も、飛び散る火花のような白髪と常に活発な脳を保ち、好んで「ブリキ缶」と呼ぶコンピュータに何ができるのかを見通すべく、研究に没頭している。そしてそのなかで、人間には三種類の創造性があることを確認した。

探索的な創造性では、すでに存在するものを取り込んでその外縁を探り、規則で縛られた範囲に留まりつつ、可能性の限界を広げていく。バッハの音楽は、バロックの作曲家たちが始めた旅、異なる声部を編み上げて調性を作り出す旅の頂点だった。バッハのプレリュードやフーガは、それまで可能とされていたものの限界を押し広げ、このジャンルを解放して、結局はモーツァルトやベートーベンなどの古典派の時代へとつながっていった。ルノアールやピサロは、自然や自分の周囲の世界を視覚化する方法を捉え直したが、その限界をほんとうの意味で押し広げたのは、クロード・モネだった。モネは繰り返し睡蓮を描き、その光の点はついに溶け出して、新たな抽象の形になったのだ。

　数学は、この種の創造性にどっぷりとつかっている。有限単純群の分類は、探索的な創造性の偉業である。数学者たちはシンメトリー群――群とは、四つの単純な公理で定義される構造である――の簡単な定義から始めて、一五〇年の月日をかけて存在しうるシンメトリーの構成要素すべての一覧を作った。そしてそのクライマックスとなったのが、モンスターと呼ばれる単純群の発見だった。この群は、地球上の原子の数を凌ぐ個数のシンメトリーを持ちながら、ほかの群のどのパターンにも当てはまらない。数学におけるこの種の創造では、ゲームの規則に従いながら限界を押し広げていく。ちょうど、未知の世界に突き進みながらも、この地球という限界の内側に留まる探検家のようなものなのだ。

　ボーデンは、人間の創造性の九七パーセントが探索的だと考えている。この種の創造性はコンピュータが得意とするところで、あるパターンや一連の規則をとことん突き詰める作業は、人間の脳よりはるかに多くの計算を行える計算装置にうってつけだ。それにしても、それだけでよいのだろうか？　真に独創性に富む創造といわれて思い浮かべるのは、ふつうはもっとはるかに意外なものなのだが。

　二番目の創造性は、組み合わせと関係がある。今、画家がまったく異なる二つのものを持ってきて、それらを組み合わせるところを考えていただきたい。このとき、片方の分野を支配する規則が、もう片方の分野にとっては新しく面白い枠組みになる場合がよくある。数学における創造でも、組み合わせはきわめて強力なツールになる。この宇宙が取り得る形を巡るポアンカレ予想の最終的な解にたどり着くには、曲面上の流れを理解するためのそれまでとはまったく異なるツールを使う必要があった。グリゴリー・ペレルマンが創造力に富む天才だったからこそ、曲面上の流体の流れ方を使えば曲面の候補を分類できる、という意外な事実に気がついたのだ。

わたし自身も研究のなかで、素数を理解するための数論のツールを用いてシンメトリー候補を分類したりする。シンメトリーは幾何学的な対象であって、数とは一見似ても似つかないが、素数の謎に取り組むための言語を使って素数をシンメトリーな対象と置き換えてみたところ、シンメトリー理論に関する新たな驚くべき知見が得られたのだ。

芸術もまた、このような異種交配の恩恵をおおいに被ってきた。現代音楽のフィリップ・グラスは、ラヴィ・シャンカール（インドのシタール奏者。インド音楽の外でも幅広く活躍）との仕事で学んだ概念を用いて、自身のミニマル・ミュージックの核となる加法的過程を作り出した。ザハ・ハディドは、建築の知識とロシアの画家カジミール・マレーヴィチの純粋な形状への愛を組み合わせて、唯一無二の曲線的な建築物を作り出した。料理の世界でも、創造性に富む一流のシェフは、地球の反対側の料理を融合させる。

このタイプの創造性もまたAIの世界にうってつけであることを示す、いくつかの面白い兆候が見られる。ブルースを演奏するアルゴリズムを持ってきて、それをピエール・ブーレーズの楽曲と組み合わせると、そこから新たな音の世界の種となりそうな奇妙な合成物が得られるのだ。むろん、無様な不協和音で終わる可能性もあって、プログラマとしては、アルゴリズムを用いて面白い形で融合させることができそうな二つのジャンルを見付けなくてはならない。

ボーデンのいう三番目の創造は、これまでの二つより謎めいていてつかみ所がない。それは、ゲームが完璧に変わるめったにない瞬間を捉えた、変形による創造であって、芸術のすべての分野にこのようなギア・シフトが存在する。ピカソとキュービズム、シェーンベルクと無調様式、ジョイスとモダニズムについて考えてみていただきたい。これはつまり、それまで液体だった水が突然気体になる相転移のようなものなのだ。この相転移のイメージは、『若きウェルテルの悩み』の書き方を巡って二年間苦闘したゲーテが、偶然の出来事が唐突な触媒として作用した顛末を描写しようとして思いついたものでもある。「その瞬間、ウェルテルのプランが見つかった。あらゆる方向からあらゆるものが飛んできて、確固たる塊になった。ちょうど、花瓶のなかの凝固点にある水が、ごくわずかな衝撃で氷に変わるように」

このような変形の瞬間は、ゲームの規則を変更したり、それまで仕事の前提とみなされていた思い込みを捨てることによって生まれる場合が多い。数の二乗は常に正であるという前提、すべての分子が長い線状にはなっても鎖状にはならないという前提、音楽は調和する音階構造のなかで作られるべきだという前提、目は鼻の両側にあるという前提を取り去るのだ。このような急激で決定的な変化をプログラムするのは、一見難しそうだが、じつはこの種の創造性には、あるメタルールが存在する。まず、制約を外してみて、何が生じるかを見るのだ。その場合に、価値ある新たなものを生み出すために何を落とすか、何を新たな制約として課すべきかを決めることが、創造性を生み出すための勘所になる。

数学でのこの種の変形の瞬間は？　と尋ねられたら、わたしなら、一六世紀半ばの-1の平方根の創造を挙げる。当時は多くの数学者がそんな数は存在しないと信じており、実際に想像上の数（imaginary number、日本では虚数と訳される）と呼ばれたくらいだった。（この侮蔑的な呼び方をひねり出したのはデカルトで、むろん、そんなものは存在しないという意味である）それでも、そのような数はそれまでの数学と矛盾しなかった。いやむしろ、そのような数を締め出してきたのが誤りだったことが明らかになったのだ。ではコンピュータの場合には、二乗が負になる数は存在しないというデータしか与えられていないときに、どうすれば−1の平方根という概念を思いつくことができるのか。真の創造を行おうとすると、システムの外に踏み出して、新たな現実を作らねばならない場合がある。複雑なアルゴリズムに、そのようなことができるのか。

音楽におけるロマン派の登場は、多くの意味で規則破りの目録といっていい。シューベルトをはじめとする生意気な新参者たちは、古典派の作曲家のように近い調号の間を動くのではなく、わざと期待を裏切る形で調性を変えた。シューマンは、ハイドンやモーツァルトなら完璧に調和させたはずの和音を不協和音のままにしておいた。そしてショパンは、半音階を密に走らせ、異様に強弱が強いパッセージやねじ曲がったテンポを使って、聴き手が期待するリズムの裏をかく楽曲を作った。音楽におけるひとつのムーブメントから別のムーブメントへの動き、中世からバロック、古典派からロマン派、印象派、表現主義、そしてその先へという変化は、まさに規則破りの歴史なのだ。一つ前のムーブメントがあればこそ、そのムーブメントの創造性が実感できる。いうまでもなく、わたしたちが何かを新しいとするうえでは、歴史の流れが重要な役割を果たす。創造とは、絶対的ではなく相対的な活動なのだ。わたしたちはあくまでも自分たちの参照枠において、自分たちの文化において、創造的なのである。

コンピュータも、このような相転移を起こして人々を新たな音楽や数学の様相へと誘うことができるのだろうか。なんだか難しそうに思えるが……。アルゴリズムは、データとの相互作用に基づいて、行動の仕方を学ぶ。ということは、常に同じようなものを作り出すしかないのでは?

かつてピカソが述べたように、「創造性の主な敵は分別」である。この言葉は表向き、機械の精神とは正反対に見える。だが、システムが非合理的に振る舞うようにプログラムすることは可能だ。

機械に流れを変えるよう指示するメタルールは、作ることができる。これから見ていくように、じつはこれは、機械学習が得意とするところなのだ。

創造性を教えることは可能か

多くの芸術家が、自分に創造性をもたらしたのは外部の力だ、といって己の創造伝説を煽ろうとする。古代ギリシャの詩人たちは、詩神《ミューズ》にとりつかれていたとされている。ミューズが男たちの心に霊気を吹き込み、時には狂気をもたらすのだ。プラトンによると、「詩人は俗世からは切り離された存在で、霊気を与えられなければ詩を作ることができない。我を忘れており、もはや理性は存在しないのだ……なぜなら神からの力なしには、いかなる芸術も発することはできないのだから」。インドの偉大な数学者ラマヌジャンも、自分が素晴らしい洞察を得たのは、夢で一家の女神ナマギリから着想を与えられたからだとしている。となると、創造は一種の狂気であり、神からの贈り物なのだろうか。

わたしにとっての数学のヒーロー、カール・フリードリッヒ・ガウスは、自分の創造の軌跡を隠すのがじつに上手だった。近代の数論を作り出したとされるガウスは、一七九八年に数学史上もっとも偉大な著作である『ディスクィジティオネス・アリトメティカエ（算術研究）』をまとめた。ところが、一八〇一年に刊行されたこの著作のページを繰ってガウスの着想の出所を探ろうとした人々は、途方に暮れることになった。以来この著作は、七つの封印が施された本と呼ばれている。ガウスは、帽子からウサギを引っ張り出す手品師よろしく着想を宙から引っ張り出したらしく、それらの魔法の謎を解くヒントすら見つからなかった。後になって説明を求められたガウスは、建築家は家が完成した暁には足場を完全に取り払うものだ、と述べたという。ガウスもラマヌジャン同様、「神の恩寵」によりある覚醒を得たのであって、「自分がそれまで知っていたことと自分の成功を可能にしたものとを繋ぐ糸の正体を、言葉で表すことはできない」としている。

もっとも、芸術家自身がその着想の出所を言葉にできないからといって、何の規則にも従わなかったというわけではない。芸術は、人間の無意識の思考過程を構成する無数の論理ゲートを、知覚できるように表現したものなのだ。したがってガウスのさまざまな考えをつなぐ論理の糸も当然存在しており、単に何がどうなっているのかをガウス自身は言葉にしにくかったというだけの話なのだ。あるいは本人が、創造性に富む天才というイメージを強めるために謎のままにしておこうと思ったのか……。英国ロマン派の詩人コールリッジは、三大幻想詩の一つ『クブラ・カーン』をもたらしたのはドラッグだと言い切っているが、実はこの作品の準備段階での素材が残っており、それを見ると、コールリッジの主張とは異なり、運命のあの日にポーロックからの来訪者によって詩作の作業が中断されるまで、ずっと詩人がこの着想と取り組んでいたことがわかる。むろんこれは、面白い話にしようとしてのことなのだろう。わたしが創造について語るとしたら、やはり準備作業に費やした長い年月ではなく、一瞬のインスピレーションに焦点を当てるはずだ。

わたしたちには、創造的な天才をややもするとロマンチックに脚色したがるという悪癖がある。たった一人で仕事をする孤独な芸術家というのは、はっきりいって伝説だ。一足飛びの変化のように見えるものも、じつは絶え間ない成長なのである。英国の音楽家ブライアン・イーノは、「天才《ジーニアス》」ではなく、創造的な知性が多く生まれるコミュニティーを表す「場才《シーニアス》」という概念について語っている。アメリカの作家ジョイス・キャロル・オーツもこれに同意して、「科学的な仕事と同じように、創造的な仕事も、共同体の努力の結果として迎え入れるべきだ。──多数の声を言葉にしようとする試み、それらの声を統合して調べて分析する一個人の試みとして」と述べている。

いったい何があれば、創造性が刺激されるのか。その刺激を機械にプログラムすることができるのか。創造的であるために、従うべき規則があるのか。いいかえると、創造性は習得しうる技能なのか。このような問いに対して、何かを教えたりプログラムするというのは、既に行われたことを真似るやり方を示すことであって、模倣や規則遵守は創造性と両立しない、と答える人もいるだろう。だがそれでも、わたしたちのまわりには、学んだり習得したりして自分の技能を高めてきた創造的な人が大勢いる。だとすれば、彼らの行動を学ぶことによって、彼らを模倣し、最後には創造性を持つことができるのではないか。

わたしは新しい学期が始まるたびに、今述べたようなことを自問している。数学の博士課程の学生たちが博士号を取るには、新たな数学的構造物を作り出さねばならない。かつて考えられたことのない何かを思いつく必要があり、どうすれば思いつけるのかを教えるのが、このわたしの仕事なのだ。むろん彼らは、既にある程度までその訓練を受けてきている。問題を解くには、たとえその答えが既に知られていたとしても、その人にとっての創造性が欠かせないのだ。

未知に向かって飛ぶには、そのための訓練が必須となる。ほかの人々がどうやって大発見に至ったのか、それを復習《さら》うことによって、できれば自身の創造性を培える環境を作りたい。だからといって、それで飛躍が保証されるわけではない。通りすがりの人を誰彼かまわず引っ張ってきて、創造性あふれる数学者に仕立て上げることなど、できるはずがない。一〇年間訓練すれば、数学者にはなれるかもしれないが、全員が数学的な創造力を発揮できるようになるとは思えない。なかには、ある分野でなら創造力を発揮できそうだが、ほかの分野では無理という場合もあるだろう。しかしそれにしても、チェスのチャンピオンの脳とノーベル文学賞受賞者の脳の、どこがどう違うのかを理解するのは難しい。

マーガレット・ボーデンによると、創造はシェイクスピアやアインシュタインだけのものではない。さらにボーデンは、「心理的な創造性」と「歴史的な創造性」を区別する。わたしたちの多くが個人的な創造力を発揮するが、その行為は自分にとっては新しくても、歴史のうえでは古い。ボーデンはこれを、心理的な創造の瞬間と呼んでいる。個人的な創造力を繰り返し発揮することで、最後にはほかの人にとっても価値があって新しいと認められる何かを作れるかもしれない。歴史的な創造力はめったにないが、心理的な創造力を後押しすれば、このような創造力が生まれる可能性はある。

わたし自身は学生たちの創造性を引き出すために、ボーデンが確認した創造性の三つの形態に沿った処方を行っている。探索は、たぶんいちばん明確な道だろう。まず、自分たちがどのようにして現在の位置に至ったかを理解し、次に限界をほんの少しだけ押し広げようとしてみる。それには、それまでに自分たちが作り出してきたものにどっぷり浸る必要がある。すでに存在するものへの深い理解のなかから、かつてないものが立ち現れるのだ。さらに、何かを創造したとたんに銅鑼の大きな音が響き渡ることはめったにない、ということを学生たちに印象づけることが往々にして重要になる。創造は徐々に進む。ヴァン・ゴッホが記したように、「偉大なことは一つの衝動によってではなく、たくさんの細かいことが一つにまとまることでなされる」のだ。

ボーデンの第二の戦略である組み合わせによる創造は、新たな着想を刺激するための強力な武器となる。わたしはよく学生に、自分が取り組んでいる問題と関係がなさそうなセミナーに出たり論文を読んだりするよう勧める。数学宇宙の本質的にまったく異なる部分から来た考えの筋道が手元の問題と響きあって、新たな着想を刺激する可能性があるからだ。今や科学のもっとも創造的な成果の一部は、学問分野が交差する場所で生まれている。自分たちの貯蔵庫に閉じこもるのをやめて、自分たちの考えや問題を外の人々と分かち合うことで、創造性が増すらしい。そのような場所には、もぎ取りやすい果物がたくさんあるのだ。

変形的な創造性は、一見、戦略として使いこなすのが難しそうに思える。だがここでも、従来あった制約をいくつか落とし、現状を吟味することが目標になる。従来その分野を織りなす糸として受け入れられてきた基本的な規則のどれかを変えて、いったい何が起きるかを見てみるのだ。これは危険な瞬間で、ひょっとするとシステム全体が崩れてしまうかもしれない。だがそれによって、創造性を育むのに欠かせないもっとも重要な能力がもたらされる。失敗を受け入れられるようになるのである。

失敗する覚悟がなければ、リスクを取る気にはなれない。しかるに、リスクを取ったときにはじめて、殻を打ち破り、新たなものを作り出すことができる。このため、現在の教育システムやビジネス環境——いずれも失敗を忌み嫌う——は創造性を育むには最悪のものとなる場合が多い。学生たちの失敗を、成功と同じくらい褒めることが重要だ。たしかに、失敗を博士論文にまとめるのは無理だが、失敗からはじつに多くのことが学べる。わたしは学生たちと顔を合わせると、何度でもサミュエル・ベケットの呼びかけを繰り返す。「失敗しろ、もう一度失敗しろ、よりよく失敗しろ」

では、これらの戦略をコードで書くことは可能なのだろうか。これまではプログラミングのアプローチがトップダウンだったので、コードの出力に創造性が生じることはほぼ望めなかった。プログラマが、自分の作ったアルゴリズムが生み出したものにびっくり仰天することはなかったのだ。実験や失敗の余地はなかった。ところが最近になって、すべてが変わった。なぜなら、自身の失敗から学ぶコードに基づくアルゴリズムが、それを作り出した人々をもあっと言わせるとほうもないことをなし遂げたからだ。そのアルゴリズムは、多くの人が機械にはとうていマスターできないと思っていたゲーム、創造性を必要とするゲームで勝利を収めた。

そして、この急展開のニュースを知ったわたしは、数学者としての実存の危機に陥ったのだった。

第三章　位置《レディー》について、用意《ステディー》、碁《ゴー》！

わたしたちは構築し、さらに構築する、
でも、直観はよいものだ。
（〈それなしでもかなりのことができるが、すべてはできない〉と続く）
パウル・クレー

数学は、チェスにたとえられることが多い。確かにこの二つには関係があるが、一九九七年にディープ・ブルーが人類最強といわれたチェスのマスターを打ち負かしたからといって、大学の数学科が閉鎖されたわけではなかった。チェスには証明を構築する際の形式的性質とよく似たところがあるが、数学者によれば、創造性や直観の点で彼らにははるかに近いのは、これとは別のゲームだという。中国発祥の囲碁である。

わたしが囲碁というゲームの存在をはじめて知ったのは、オクスフォードの学部生としてケンブリッジの数学科を訪れたときのことだった。ケンブリッジにはシンメトリーの周期表ともいうべき有限単純群の分類の完成に多大な貢献をした素晴らしい集団がいたので、そこで自分の博士論文をまとめられればと考えて、見学にいったのだ。有限単純群の分類という偉大なプロジェクトの発案者であるジョン・コンウェイやサイモン・ノートンと数学の未来について語り合っているあいだじゅう、わたしは隣のテーブルの学生たちの動きが気になって仕方なかった。縦横一九本ずつの線を刻んだ木製の板のうえに、黒と白の石を猛烈な勢いでぴしゃりぴしゃりと置いている。

ついにわたしはコンウェイに、この人たちは何をしているのかと尋ねた。「囲碁だよ。今も行われているゲームとしては世界最古なんだ」そして、チェスは戦争に似たところがあるが、囲碁は陣取りゲームなんだ、といった。プレイヤーは、一九×一九本の線の交点に白と黒の石を交互に置いていく。対戦相手の石の塊を自分の石で囲めばそれらの石を取ることができて、ゲームが終わるまでにより多くの石を取ったほうが勝つ。かなり単純なゲームのようだった。コンウェイによると、相手の石を囲もうと努めながらも、自分自身の石が囲まれないようにする必要があって、そこがかなり微妙だという。

「ちょっと数学に似たところがあってね。単純な規則から複雑で美しいものが生まれるんだ」コンウェイは、二人の熟練者が談話室でコーヒーを飲みながら戦いを展開するのを見ているうちに、終盤の展開が新しいタイプの数のような動きになっていることに気づいた。コンウェイが「超現実数」と名付けた数である。

わたしは昔からゲームが大好きだった。海外に出ると、決まって地元の人が好むゲームを習って持ち帰る。だから、熱のこもったケンブリッジ遠征から戻ってオクスフォードの心安らぐ自宅に落ち着くと、地元のおもちゃ屋で囲碁を買うことにした。何があの学生たちを虜にしていたのかを知りたかった。オクスフォードで学生仲間の一人とそのゲームをやってみるとすぐに、じつに精妙なゲームであることがわかった。これなら勝てる、という戦術を判別することが難しい。しかも、盤上の石が増えるにしたがって、ゲームはどんどん複雑になるように見える。一方チェスはといえば、駒が次第に取られていくから、ゲームはどんどん単純になる。

全米囲碁協会によると、囲碁が規則通りに行われる場合、そのゲーム展開の総数は三〇〇桁の数になるという。いっぽうチェスの場合は、計算機科学者のクロード・シャノンによると（今ではシャノン数と呼ばれている）一二〇桁の数で十分だという。どちらも決して小さな数ではないが、それにしても、どれくらいの場合があり得るか、その数の多さはおわかりいただけるだろう。

子どもの頃、わたしはさかんにチェスをした。駒の動きが論理的にどのような結果をもたらすのか、それを追うのが好きだったのだ。チェスというゲームは、わたしの内側に育まれつつあった数学者にアピールした。チェスの駒の可能な動きを表したツリーは、あるコントロールされたやり方で枝分かれしているので、異なる枝を追っていったときにどうなるかは、コンピュータでも、さらにいえば人間でも、分析できる。これに対して囲碁は、この先の一手がいかなる結果をもたらすかを、とうてい論理的に分析できそうにない。石の置き方の候補を示したツリーが、すぐに追えなくなるのだ。だからといって、棋士は次の動きの論理的な結果を追っていないわけではないのだが、どうやらそれだけでなく、試合のパターンに関するもっと直観的な感覚を組み合わせているらしい。人間の脳は、視覚的なイメージの構造やパターンにすぐに気づけるように、鋭く研ぎ澄まされている。石の配置を見た棋士は、このような脳のパターン抽出力を発揮して、次の手を練る。コンピュータは昔から、視覚の扱いで苦戦してきた。エンジニアたちが何十年も格闘を続けてきた大きなハードルの一つが、視覚なのだ。

視覚的な構造を巡る人間の脳の感覚は、きわめて高度に発達している。何百万年もの時間をかけて研ぎ澄まされた視覚は、わたしたちが生き残る上での鍵となってきた。どんな動物でも、自然が自分たちに突きつけるごちゃごちゃした風景のなかから何らかの構造を取り出せるかどうかが生存の一つの決め手になる。混沌としたジャングルのなかに何らかのパターンがあれば、それは別の動物がいる証拠かもしれず、だとすればその動物がこちらを食らう（か、こちらがその動物を食らえる）可能性があるから、よく見ておいたほうがよい。人間を動かしているヒューマン・コードは、パターンを読み取り、それがどう展開するかを解釈して的確に対応することがきわめて得意だ。これは人間の重要な資産の一つであって、だからわたしたちは音楽や芸術におけるパターンを高く評価するのだ。

数学者たるわたしも、数学のなかの未開のジャングルに足を踏み入れると、まずこのパターン認識を行う。自分が居るあたりの環境をちまちまと論理的に分析しているだけではあまり遠くに行けず、論理的な分析を、その先にありそうなものについての直観と組み合わせる必要がある。ちなみにその直観は、既知の空間を時間をかけて調べるなかで培われていく。それでいて、そこに探るべき興味深い領域があると感じる理由を論理的に言葉で表すことは、往々にして難しい。数学での仮説は、仮説と呼ばれているからにはまだ証明されていないのだが、仮説を立てた数学者自身の内側には、その言明に何らかの真理が含まれているという感じがある。観察と直観が相まってはじめて、わたしたち数学者は藪をかき分け、新たな踏み跡を見いだすことができるのだ。

優れた予想を作れる数学者のほうが、論理の点と点を集めて予想が真であることを明らかにする数学者よりも尊敬される場合が多い。囲碁のゲームでいうと、勝利した場合の終盤の石の位置が「予想」であって、対局そのものは、その予想を証明するための論理的な動きとなる。ただし、対局している最中は、パターンを捉えることがきわめて難しい。

かくして、数学のいくつかの側面を説明するにはチェスが便利だが、自分の仕事に取り組む数学者の心の有り様にはるかに近いのは囲碁だとされてきた。したがって、ディープ・ブルーが人類最強のチェスのマスターに勝っても、数学者たちはあまり心配しなかった。真の難問は、囲碁なのだ。何十年ものあいだ、コンピュータには絶対に囲碁はできないといわれてきた。優れた「絶対的規則」の常で、この仮説を知った創造力豊かなプログラマたちは、さっそくそれを検証することにした。とはいえ駆出しの棋士ですらもっとも複雑なアルゴリズムに勝てるといった有様だったから、数学者たちは囲碁が提供する幕の後ろで安穏としていられた。コンピュータには囲碁もできないのだから、さらに精妙でさらに歴史の古い数学ゲームをできるなどということはあり得なかった。

　ところが、最後には中国の万里の長城に穴が開いたように、わたしたちのこの防御壁も、最近になって派手に崩れ落ちたのだった。

非凡なるゲームボーイ

二〇一六年初頭に、開発者が自信を持って人類最強の棋士と互角だと断言できる囲碁のプログラムが開発された、という発表があった。だが世界中の棋士たちは、まったく信じようとしなかった。なぜなら、それまでの努力がすべて失敗に終わっていたからだ。そこで件《くだん》のプログラムを開発した会社は、ある挑戦状を叩きつけた。莫大な賞金をかけた公的なコンテストの場を設けておいて、世界一といわれる棋士にこの挑戦を受けて立つよう求めたのだ。この挑戦を受けて立ったのが、韓国出身の国際チャンピオン李世乭《イ・セドル》（이세돌）だった。勝負は全五局で、勝ったほうが一〇〇万ドルの賞金を得る。李世乭に挑戦するのは、「アルファ碁」だった。

　このアルゴリズムは、デミス・ハサビスの頭脳の産物である。ハサビスは一九七六年にロンドンで、ギリシャ系キプロス人の父とシンガポール出身の母の間に生まれた。両親は教師で、ハサビスによると、自由奔放で科学技術恐怖症だった。妹も弟も創造的な進路を選び、一人は作曲家に、もう一人は物書きになった。だから、自分のオタク的な科学好きが何に由来するのかはよくわからない、というのが本人の弁。とはいえ、幼い頃から才能のある子どもとしてすぐに人目を引く存在で、とくにゲームに強かった。実際チェスの腕前は、一一歳にしてその年齢の世界第二位にランクされるくらいだった。

ところがその年にリヒテンシュタインで行われた国際試合で、ハサビスはある啓示を得た。この連中は、一体全体何をやっているんだ？　大きなホールは、この偉大なゲームの複雑な論理を探ろうとするすばらしい頭脳の持ち主でいっぱいだった。ところがハサビスは突然、このようなプロジェクトがまるで無駄だということに気がついた。BBCのラジオのインタビューで本人も認めているように、「ぼくたちは脳を無駄に使っている。癌を治すといったもっと有益なことに脳の力を使ったらどうなるんだろう」と考えたのだ。

そのトーナメント（オランダの大人のワールドチャンピオンと接戦を八時間繰り広げた末に、惜敗した）が終わったところで、両親はかなりのショックを受けることになった。ハサビスが、チェスの試合にはもう出ない、と宣言したのだ。ハサビスはチェスを生業にするだろう、と誰もが考えていたのに。そうはいっても、チェスに明け暮れた年月も決して無駄ではなかった。まず、その数年前にアメリカ人の対戦相手アレックス・チャンに勝って獲得した二〇〇ポンドの賞金で、最初のコンピュータを買っていた。シンクレア社のZXスペクトラムである。そしてこのコンピュータが、自分の代わりに機械に考えさせる、というハサビスの妄想に火をつけた。

ハサビスはじきにコンピュータをグレードアップし、コモドール社のアミガを使うようになった。アミガなら、自分の好きなゲームをするようにプログラムできる。チェスはまだ複雑すぎたが、オセロゲームならさせられる。オセロは一見囲碁と似たゲームで、表裏が白黒になった石を使って、相手の色にはさまれると、その石がくるりと裏返る。このゲームにはグランドマスターはいないので、ハサビスは自分のプログラムを弟で試してみた。すると連戦連勝だった。

これは、「もし……なら……せよ」という古典的なプログラミングで、敵のそれぞれの動きに対するこちらの対応を人力でコード化する必要があった。つまり、「相手がこの動きをしたら、そのときはこの動きで対応せよ」と命じるのだ。このプログラムの創造性は、すべてハサビス自身――どう反応すればゲームに勝てるかを見抜くハサビスの能力――に由来していた。とはいえ少しは謎めいた感じもした。なにしろ魔法使いの弟子のように、正しい呪文をコードにしさえすれば、コンピュータがゲームで勝ちにいくのだから。

学校制度をさっさと駆け抜けたハサビスは、一六歳のときに、ケンブリッジから計算機科学を研究しないかと誘いを受けた。『生命の物語』というドラマでジェフ・ゴールドブラムが演じるDNAの分子構造の共同発見者ジェームズ・ワトソンを見てからというもの、ハサビスは是非ケンブリッジに行ってみたいと思っていた。「ケンブリッジではほんとうにこんなことが起きているのかなあ、と思ったんだ。パブでDNAを発明するんだ！　すごいなあ！　ってね」

ケンブリッジでは、一六歳から学位取得の準備をすることは許されていなかったので、一年待たねばならなかった。その間にハサビスは、「アミガ・パワー」誌が主催するコンテストで二等になり、あるゲーム開発会社のポストを勝ち取った。そしてその会社で「テーマパーク」というゲームを作った。プレイヤーが自分でテーマパークを作って運営するこのゲームは、何百万本の大ヒットとなり、その年の最高のコンピュータゲームを表彰するゴールデン・ジョイスティック・アワードを受賞した。こうして大学で何年か過ごせるだけの資金を稼いだハサビスは、いよいよケンブリッジに向かった。

大学の講義で出会ったのは、AI革命の偉人たちだった。アラン・チューリングと知性に関するチューリング・テスト、アーサー・サミュエルとチェッカーをするプログラム、人工知能という言葉を作ったジョン・マッカーシー、フランク・ローゼンブラットと世界初のニューラル・ネットワークの実験。自分もこの人たちの肩の上に立ちたい、とハサビスは思った。ケンブリッジの講義では、教授たちが「コンピュータには決して囲碁はできない、なぜならこのゲームは創造的で直観的だから」とさんざん繰り返すのを聞かされた。そしてこれが、若者の闘志に火をつけた。かくしてハサビスは、教授たちの間違いを証明しようという固い決意を胸に、ケンブリッジを後にしたのだった。

直接囲碁を打つプログラムを作るのではなく、囲碁を打つプログラムを書けるようなメタプログラムを作ろう、とハサビスは考えた。突飛なアイデアのように聞こえるが、そのメタプログラムが書いた囲碁プログラムは、どんどん対戦を重ねてその間違いから学ぶことができる、というのがポイントだった。

ハサビスはその時点で、人工知能研究者ドナルド・ミッキーが一九六〇年代にこれと同じような考えを実践していたのを知っていた。ミッキーは、ゼロから始めて三目並べの最良の戦略を学ぶことができる"MENACE"つまり「脅威」というアルゴリズムを作っていた。(MENACEは、Machine Educable Noughts And Crosses Engine(機械学習可能な三目並べ機関)の略である)ミッキーはそのアルゴリズムを実証するために、三〇四個のマッチ箱を組み立てて、三目並べで起こりうる石の配置すべてを表した。各マッチ箱にはあり得る動きを表すさまざまな色のボールが詰まっていて、負けた場合はそこからMENACEが選んだ手に相当するボールを取り、勝てばボールを追加するという形で賞罰を与える。すると、そのアルゴリズムがゲームを繰り返すうちに、ボールの配置がけっきょくはほぼ完璧な戦術になっていく。ハサビスは、自分の間違いから学ぶというこの着想を用いて、囲碁を打つアルゴリズムを訓練することにした。

この戦略の基になる優れたモデルの目星もついていた。新生児の脳には、人生を生き延びるという作業に対処するためのプログラムがあらかじめ仕込まれているわけではない。環境と相互に作用しながら学んでいくように、プログラムされているのだ。

脳が問題解決を学習する方法をモデルにするのなら、脳の機能の仕方を知っておいたほうがいい。きっと、囲碁を打つプログラムの作成という夢の実現に役立つはずだ。そこでハサビスは、ユニバーシティー・カレッジ・ロンドンで神経科学の博士号を取ることにした。そして、実験室でコーヒーを飲みながら一服しているときに、神経科学者のシェーン・レッグと起業を検討し始めた。自分で会社を立ち上げて、このアイデアを実際に試してみようと思うんだが。ほんの一〇年前ですらAIの地位は低かったので、二人にすれば、AIに生涯を捧げるという夢を教授たちに話すつもりはなかった。それでも、自分たちが何か大きなことを始めようとしているような気はした。そして二人は二〇一〇年九月に、ハサビスの幼なじみのムスタファ・シュリーマンとともに会社を設立することを決めた。ディープマインド社の誕生である。

会社には資金が必要だが、当初はなにしろ資金が集まらなかった。ゲームをするためのプラットホームに投資して知性の問題を解くという話を持ちかけてみても、ほとんどの投資家がまともに取り合おうとしなかった。それでも何人かは、展望を描くことができた。この会社の発足当初から資金をつぎ込んだ人のなかに、イーロン・マスクとピーター・ティールがいた。ティールはシリコンバレーの中にしか投資したことがなかったので、西海岸に移るようハサビスを説得した。だが生まれも育ちもロンドン子のハサビスは一歩も引かず、ロンドンにはまだまだ活用できる才能が埋もれていると言い張った。ハサビスは今も、ティールの弁護士と交わした突拍子もない会話をはっきり覚えている。「ロンドンには知的財産権に関する法律がありますか」女性弁護士はしれっとそう尋ねたという。「連中は、わたしたちが未開の地から出て来たと思っていたんだ！」創立者たちは、投資家に膨大な量の株を差し出さなければならなかったが、ＡＩという問題の解決への試みを始めるための資金はどうにか集まった。

囲碁の打ち方を学習する機械を作る挑戦は、あい変わらず遠い夢のように思われた。そこでまず、脳とはあまり関係がなさそうなものに目をつけた。一九八〇年代のアタリ社のゲームができる機械を作ろうというのだ。一九七〇年代から一九八〇年代初頭にかけて多くの大学生が単位を取り損なったのは、どうやらアタリ社のせいだったらしい。わたし自身もはっきり覚えているが、友達が持っているアタリ２６００で、卓球ゲームの「ポン」、「スペースインベーダー」、「アステロイド」といったゲームをやって、膨大な時間を無駄にしたものだった。あのゲーム機は、複数のゲームをカートリッジでロードできる最古のハードウェアの一つで、いろいろなゲームが次々に開発されていった。それまでのゲーム機は、ハードウェアのなかに物理的にプログラムされたゲームしかできなかったのだ。

わたしのお気に入りのゲームの一つに、アタリ社の「ブレイクアウト（ブロックくずし）」がある。スクリーンの上の方に色付きの煉瓦の壁があって、ジョイスティックを使って画面一番下のラケットを左右に動かすことができる。ボールはラケットに当たって跳ね返ると煉瓦に向かい、ボールが当たった煉瓦は消える。目標は、煉瓦を一掃することにあって、壁の一番下の黄色い煉瓦を消すと一点、一番上の赤い煉瓦を消すと七点になる。ブロックをクリアするにつれてラケットは小さくなり、ボールのスピードも速くなって、ゲームは難しくなる。

ある日の午後、わたしたちはこのゲームで勝つうまい方法を発見して、大喜びした。スクリーンの端の煉瓦を狙っていって、壁にトンネルを掘ることさえできれば、あとは、トンネルのてっぺんに達したボールがスクリーンの上端と高得点の煉瓦の間を行ったり来たりして、少しずつ壁をクリアしていく。だからこちらはゆったり腰を落ち着けて、やがてボールが壁を抜けて戻ってくるのを待っていればよい。そしてボールがまた戻ってきたら、ラケットで打つ準備をすればよいのだ。じつに満足のいく戦略だった！

ハサビスとそのチームの面々も、若い頃はさんざんコンピュータゲームに時間を費やしていた。ゲームに費やした時間や労力が無駄にならなかったと知って、彼らの両親もさぞ喜んだことだろう。ブレイクアウトは、ディープマインドのチームがコンピュータをプログラムしてゲームのやり方を学ばせられるか否かを検証するのにうってつけのゲームだということがわかった。個々のゲームをするためのプログラムを作るだけならわりと簡単な作業なのだが、ハサビスとチームの面々は、はるかに大きな難題に取り組もうとしていた。

彼らが作りたかったのは、スクリーンの画素の状態と現在のスコアを入力として、スコアを最大にするという目標に向けてプレイするプログラムだった。このプログラムにはゲームの規則を教えないので、コンピュータはブレイクアウトの場合はラケットの動かし方を、スペースインベーダーの場合は上から降りてくる異星人に向けたレーザー砲の撃ち方をランダムに試す必要がある。そのうえで動作を一つ行うごとに、その動きでスコアが増えたか増えなかったかを評価する。

それは、一九九〇年代に始まった強化学習と呼ばれる着想を実現するコードだった。強化学習では、報酬関数やスコアへの影響に基づいて、行動の確率を更新することが目標となる。たとえばブレイクアウトの場合は、一番下にあるラケットを左に動かすか右に動かすかだけを決める。すると最初は左右の選択が半々になるが、ラケットをでたらめに動かしてボールに当たると、すぐにスコアが上がる。そこでアルゴリズムのコードは、この新たな情報に基づいて左右を選ぶ確率を調整する。ラケットがボールの向かってくる方向に動く確率を上げるのだ。この学習を、画素の状態を評価してどの特徴がスコアの増加と相関するかを判断するニューラル・ネットワークと組み合わせる、というのがこのコードの新たな特徴だった。

はじめのうち、コンピュータはとにかくランダムに動いてみるだけなので、スコアはまったく上がらず、まるでひどい状況だった。しかしランダムな動きをしてみて、スコアが上がるたびにその動きを記憶するので、その後はその動きを使う傾向が強まる。こうして次第にランダムな動きは姿を消し、情報に基づく動き、プログラムが実験を通してどうやらスコアを押し上げるらしいと察知した動きが姿を現しはじめる。

ディープマインドのチームが最終的に発表した論文の補足ビデオは、まさに一見の価値がある。そこにはプログラムがブレイクアウトのやり方を学んでいく様子が示されているのだが、はじめのうちは、何が起こるかを見るために、ラケットをでたらめに左右に動かしている。そしてついにラケットがボールに当たり、跳ね返ったボールが煉瓦に当たってスコアが上がると、プログラムが自身を書き換え始める。ボールの画素とラケットの画素が繋がるのはどうやらよいことらしい、というのである。ゲームを四〇〇回もこなす頃には、上手にゲームをするようになって、ラケットが絶えず往復してボールを打ち返してゆく。

わたしにとってショックだったのは、六〇〇回ほどゲームをしたところで、このプログラムがある発見をしたことだった。わたしたちのあのコツを見つけたのだ！　若かったわたしたちがこの技を見つけるまでにどれくらいゲームをしなければならなかったのかは定かでないが、友達とともに無駄に費やした時間からいって、六〇〇回ではきかなかったはずだ。ところがご覧の通り。件のプログラムはラケットを操って、画面の端に上に向かうトンネルを作り、ボールが壁の上端とスクリーンの上端の間にはまり込むようにした。こうなれば、コンピュータはたいしたことをしなくても、スコアは急速に伸びていく。わたしは、この技を発見したときに友達とハイタッチをして喜んだことを、今もはっきり覚えている。機械は何も感じなかったのだろうが……。

二〇一四年、つまりディープマインド社が創設された四年後には、このプログラムは、検証を行った計四九個のアタリ社のゲームのうちの二九個のゲームで人間より良いスコアを出せるようになっていた。二〇一五年初頭には、このチームの成果を詳細に述べた論文が「ネイチャー」誌に発表された。「ネイチャー」に載ることは、科学者のキャリアにおけるハイライトの一つなのだが、彼らの論文は、その号のカバーストーリーになるという、さらに大きな栄冠を勝ち取った。人工知能にとってこれが途方もない瞬間であることを、「ネイチャー」誌が認めたのだ。

これがプログラミングのすばらしい偉業だということは、何度念押ししても、し足りない。画面の画素の状態と常に変わるスコアという二つの生データだけに基づいて、プログラムが自分自身を、ブレイクアウトでいえばラケットをランダムに左右に動かすところから、トップスコアを出すには画面の端にトンネルを掘ればよいというコツを習得するところまで変えていったのだ。とはいえアタリのゲームは、古い歴史を持つ囲碁のゲームとは比べものにならなかった。それでもディープマインド社のハサビスとそのチームは、囲碁の打ち方を習得する新たなプログラムを作る準備が整ったと判断した。

さらにハサビスは、このタイミングで自分たちの会社をグーグルに売ることにした。「そういう計画は無かったんだが、三年間、資金調達に集中するしかなくて、自分の時間の一割しか研究に使えなかったんだ」ハサビスは当時「ワイアード」のインタビューでそう述べている。「一生かかっても、グーグルのような大規模な会社を作ることと、ＡＩの問題の解決とを両立させることはできないということに気がついた。自分の人生を振り返ったときに、何十億ドル規模のビジネスを作ったことと、知能の問題を解明する助けをしたことのどちらが満足いくか。選ぶのは簡単だった」この売買のおかげで、指一本でグーグルの目的遂行能力を活用できるようになり、囲碁を……ひいては知性を解明するという目的を実現するコードを生み出す余裕ができたのだった。

序盤の優勢

従来の囲碁を打つコンピュータ・プログラムは、そこそこ上手なアマチュアにすら太刀打ちできなかった。このため大方の専門家は、囲碁の世界チャンピオンに迫れるコードを作る、というディープマインドの夢にきわめて懐疑的だった。あいかわらずほとんどの人が、一九九七年にディープ・ブルーがチェスの勝負に勝ったときに天体物理学者のピート・ハットが「ニューヨーク・タイムズ」紙で述べた見解に賛成していたのだ。曰く、「コンピュータが囲碁で人間に勝つまでには一〇〇年、いやもっとかかるだろう。かなり知的な人物が囲碁の打ち方を習えば、数ヶ月で今あるすべてのコンピュータ・プログラムを打ち負かすことができる。別に、チェスのチャンピオンのカスパロフでなくてもかまわない」。

一〇〇年ではなくほんの二〇年で問題は解決できる、とディープマインドのチームは考えていた。アルゴリズムに学習させて適応させる戦略はうまくいっているようだったが、そうやってできあがったアルゴリズムにどのくらいの力があるのかは、はっきりしなかった。そこで二〇一五年の一〇月に自分たちのプログラムの力を試すために、当時のヨーロッパチャンピオンで中国生まれのファン・フイ（樊麾）と秘密の対戦を行うことにした。

アルファ碁は、五対〇でファン・フイを破った。だが、ヨーロッパの棋士と極東の棋士との差はとほうもなく大きかった。ヨーロッパのトップ・プレイヤーといえども、全地球規模のランクでは六〇〇番台。だから、これはたしかに印象的なことではあったが、それでも自動運転車がシルヴァーストーン・サーキットの周回コースで人間が運転するフォード・フィエスタに勝ったから、お次はF1グランプリ・レースでルイス・ハミルトンに挑戦するぞ、というようなものだった。

案の定極東のマスコミは、ファン・フイが負けたことを知ると、そんな勝利はアルファ碁にとってまるで無意味だ、と容赦なく退けた。じつはファン・フイの妻はこのニュースが流れた後でロンドンにいた本人に連絡を入れて、どうかインターネットを見ないでくれと懇願したという。むろんファン・フイは、誘惑に勝てなかった。自分にはアルファ碁への挑戦者たる資格が無い、という故国の評論家たちのコメントを目にするのは、決して心地よいことではなかったのだが……。

ファン・フイ本人は、アルファ碁と対戦したことで、囲碁の戦い方に関する新たな知見が得られたとしている。実際、その後数ヶ月で、彼のランクは六三三位から三〇〇番台に上がっている。だが、学んだのはファン・フイだけではなかった。アルファ碁の一つ一つの対戦がコードに影響を及ぼして、次の試合でうまく戦えるような変更が加わっていくのである。

ここにきてディープマインドのチームは、一八回世界一となった恐るべき棋士、韓国の李世乭に挑戦状を突きつけられるだけの力が付いたと判断した。

ソウルのフォーシーズンズ・ホテルで二〇一六年三月九日から一五日にかけて、五つの対局からなる勝負が行われ、インターネットでライブ配信される。そして、勝者が一〇〇万ドルの賞金を獲得する。ホテルという公の場でありながら、ホテルのどこで対局が行われるのか、正確な場所は伏せられて、雑音も遮断された。別に、マスコミの無駄話や好奇心の強い傍観者のささやきでアルファ碁の気が散るからではない。アルファ碁はどこに置かれても、禅のような完璧な集中状態にあるはずだった。

対戦相手がファン・フイを打ち負かしたという話を聞いても、李世乭は慌てたりしなかった。ファン・フイの敗北を知ると、次のように宣言した。「アルファ碁のレベルについて知り得ていることからして……わたしが地すべり的な勝利を収めると思います」

対戦相手の機械が学習して進化するということを知っても、不安にはならなかった。だが対局が近づくにつれて、本人のこの見方に疑問が忍び込んできたことは、李世乭自身の言葉からもわかった。けっきょくのところ、囲碁でもＡＩが強くなりすぎて、人間は勝てなくなるのかもしれない。李世乭は二月に次のように述べている。「ディープマインドのＡＩはびっくりするほど強く、さらに強くなりつつあるという話ですが、自分が勝てるという自信はあります……少なくとも今回は」

ほとんどの人が、プログラミングに大きな進展があったのは事実だが、それにしてもＡＩが囲碁のチャンピオンになるのは遠い日だと考えていた。当時それなりに高い水準の囲碁を打つただ一つのプログラム、クレイジー・ストーンを作ったレミ・クーロンは、コンピュータが世界一の人間の棋士に勝つにはまだあと一〇年はかかるだろうと述べていた。

対局の日時が迫るにつれて、ディープマインド社のチームは、実際に誰かと対戦させてアルファ碁をめいっぱい働かせ、弱点があるかどうかチェックしなければ、と思い始めた。そこで対局まで後数週間というときに、ファン・フイを招いて機械と勝負をしてもらった。コンピュータに五対〇で負けて中国のマスコミに辱められたにもかかわらず、ファン・フイは熱心に協力した。ひょっとすると心の片隅に、自分が手を貸すことでアルファ碁が強くなって李世乭に勝てば、自分の敗北もそれほど屈辱的でなくなる、という思いがあったのかもしれない。

アルファ碁と対局したファン・フイは、ある領域では相手が途方もなく強いことを実感したものの、チームの面々が見落としていた弱点を暴くことに成功した。ある種の配石では、どちらが対局をコントロールしているのかを完璧に読み間違えて、相手が勝っているのに自分が勝っていると判断することが多いのだ。もしも李世乭にこの弱点を突かれたら、アルファ碁は単に負けるだけでなく、まったくの間抜けに見えてしまう。

ディープマインド社のチームは、時間の迫るなかでなんとかこの弱点を直そうと頑張ったが、けっきょくはそのままにするしかなかった。使用しているラップトップをソウルに向けて発送する日が来たのだ。

興味深い決闘のための舞台がしつらえられて、三月九日には二人の、というか少なくとも一人の棋士が、第一局を戦うために盤に向かった。

「美しい。美しい。じつに美しい」

わたしは実存の不安を抱えつつ、李世乭とアルファ碁の対戦を配信するユーチューブのチャンネルに入り、人間と機械の対戦を見守る二億八〇〇〇万人の視聴者の一人になった。長年数学を作り出すことを囲碁に例えてきた人間にすれば、この試合に多くがかかっていた。

李世乭は黒の石を取って盤のうえに置くと、相手の手を待った。アルファ碁の石は、ディープマインド・チームの一員である黄士傑《ファン・アジャ》が動かすことになっていた。けっきょくのところ、これはロボティクスのテストではなく、人工知能のテストなのだから。黄はアルファ碁のスクリーンをじっと眺め、李世乭の布石に対する反応を待った。ところが何も起きなかった。

わたしたちすべての視聴者が、プログラムがクラッシュしたんだろうかと思いながら、自分のコンピュータの画面を眺めていた。ディープマインドのチームも、どうしたんだろうといぶかり始めた。通常初手は、形式的なものでしかない。第二手でこれほど長く考え込む人間はいないだろう。けっきょくのところ、実際にはまだ何も始まっていないのだから。いったいどうしたんだ？　すると、コンピュータの画面に白い石が現れた。アルファ碁が一手打ったのだ。ディープマインド・チームは、ほうっと大きな吐息を漏らした。始まった！　それから二時間、盤面には次々に石が置かれていった。

試合を見ているわたしにすれば、どの時点でもどちらが優勢なのかがよくわからない、というのが問題だった。しかしそれは囲碁の経験が浅いせいだということがわかった。それが、このゲームの特徴なのだ。というよりも、一つにはそのせいで、囲碁を打つコンピュータをプログラムするのは難しい。現時点でのゲームの状況を、誰がどれくらいリードしているかを示すしっかりしたスコア・システムに変換する簡単な方法が存在しないのだ。

一方チェスの場合は、試合の最中でも、はるかに簡単にスコアを数えられる。一つ一つの駒は異なる数値に対応しており、それらを使えば簡単な一次近似で誰が優勢かがわかるのだ。チェスはいわば消去するゲームで、駒は一つずつ取り去られ、ゲームの進行とともに盤面の状況は単純になっていく。ところが囲碁は、試合が進むにつれて複雑になっていく。つまり構築的なのである。コメンテーターたちはじっくりと観察し続けていたが、それでも対局が終わるその瞬間まで、どちらが優勢かを判断するのは難しかった。

コメンテーターたちはすぐに、序盤の李世乭の戦略に気がついた。アルファ碁が過去の試合から学んでいるのなら、李世乭としては、従来のレパートリーに含まれない動きをしてコンピュータに蓄積されている予想を覆したほうが有利になるので、その原理で石を置くことになる。ただしやっかいなことに、こうなると李世乭自身が従来とは異なる碁、自分自身の碁とは異なる碁を打たされる。

着想としてはよかったが、うまくいかなかった。序盤の打ち方として認められている手のデータベースに基づいてプログラムされている従来の機械なら、どう対応してよいかがわからなくなって、ゲーム全体の流れに重大な結果をもたらす誤った動きをする可能性が大きい。ところがアルファ碁は、従来の機械と違っていた。李世乭の新たな動きを評価して、さんざん対局をするなかで学んできたことに基づいて、よい手を決めていく。アルファ碁の主任プログラマであるデヴィッド・シルヴァーがこの試合の準備段階で説明していたように、「アルファ碁は、新しい戦術を勝手に発見する術を身につけた。複数のニューラル・ネットワークの間で自分自身と何百万もの対局を行うことで、次第に向上していけるんだ」。李世乭は、自分の碁ではない形に持ち込むことで、むしろ自分を不利にしてしまったのだ。

試合を見ていたわたしは、李世乭に同情せずにはいられなかった。自分が不利になりつつあることがわかりはじめ、明らかに自信が失せていっている。アルファ碁の代理として石を置いているディープマインド・チームの代表、黄のほうに繰り返し目を走らせているが、その顔からは何も読み取れない。アルファ碁が第一八六手を打つ頃には、アルファ碁が盤上に築いた優勢をひっくり返す手は一つもない、ということを認めるしかなくなっていた。李世乭は、投了の印として碁盤の横に石をひとつ置いた。

一日目が終わった時点で、アルファ碁一勝対人間〇勝。李世乭はその日の記者会見で、「負けるとは思っておらず、ひじょうに驚いている」ことを認めた。

しかし、李世乭だけでなくすべての人間の棋士にとってほんとうにショックだったのは、第二局だった。初戦では専門家たちも、アルファ碁の手を追っていって、なぜそのような手を打つのかを評価することができた。すべて、人間のチャンピオンが打ちそうな手だったからだ。ところが我が家のラップトップ・コンピュータで第二試合を観戦していると、ひどく奇妙なことが起きた。李世乭は三六手を打つと、たばこ休憩を取ってホテルの屋上に向かった。アルファ碁は対戦相手がいない間に、三七手として黒の石を盤面の縁から五本内側の所に置くよう、代理人の黄に指示した。これには誰もがショックを受けた。

囲碁には、ゲームの序盤では盤の縁から四本目までの線に石を置くことをよしとする伝統がある。三列目に石を置けば、盤の縁に短期的に強い陣地を作ることができ、四列目の線に石を置けば、後々盤の中央で戦う際に強さを維持できるからで、昔から棋士たちは、三列目での戦いと四列目での戦いに微妙なバランスがあることを知っていた。これに対して五列目は、常に次善の策と見なされてきた。なぜなら五列目に石を置くと、対戦相手に短期的にも長期的にも影響力のある領域を作るチャンスを与えてしまうことになるからだ。

アルファ碁は、何百年もの戦いを通じて作られてきたこの正統とされる慣行を破った。コメンテーターのなかには、これは明らかなミスだと断言する者もいたが、ほかの人々はもっと慎重だった。たばこ休憩から戻った李世乭が次にどのような手を打つのか、誰もが興味津々だった。席に着いて盤上の新たな石を見た李世乭が、文字通りたじろぐのがわかった。わたしたち同様、その手にショックを受けたことは間違いなかった。そして、十二分以上考え続けた。チェスと同じで、このゲームにも時間制限がある。持ち時間を十二分も使ってしまうと、後々ひどく高くつく。李世乭がこれだけ長考したことからも、アルファ碁の第三七手がいかに驚くべきものだったのかがわかる。李世乭には、相手のしていることが理解できなかった。このプログラムはなぜ、目下自分たちがせめぎ合っている領域を捨てたのだろう。

これは、アルファ碁のミスだったのか。それともアルファ碁はこのゲームの奥深くの何かを見通していて、人間はそれを見逃していたのか。審判の一人だったファン・フイは盤面を見て、はじめはみんなと同じようにショックを受けた。それからはたと気がついた。「これは人間が打つ手ではない。このような手を打つ人間を見たことがない」とファン・フイはいった。「美しい。美しい。じつに美しい」

その手は美しく、しかも決定的であることが明らかになった。ミスどころか、途方もなく洞察に富んだ手だったのだ。それから五〇手ほど進み、黒と白の石が盤面の左下の角で陣取り合戦を繰り広げているときに、対戦者たちは、自分たちが黒の三七手目ににじり寄っていることに気がついた。そして、その石と繋がることによってアルファ碁は優位に立ち、二つ目の勝利を手にしたのだった。アルファ碁の二勝対人間の〇勝。

試合後の記者会見における李世乭の雰囲気は、明らかに前の日と違っていた。「昨日は、びっくりしました。ですが今日は、言葉もありません……ショックです。正直いって……第三局は容易なものではないでしょう」この対戦では、五局を戦うことになっていた。アルファ碁の勝利宣言を阻止するには、次の対局で李世乭が勝つ必要があった。

人間からの反撃

体力を回復するために、李世乭は中休みを取ることになった。第三局は一日おいた三月一二日土曜日。機械と違って、人間には休息が必要だ。第一局を極度に緊張した状態で三時間にわたって戦い、二つ目の勝負も四時間続いた。二戦連敗したことが気持ちのうえで大きな負担になっていることは、誰が見ても明らかだった。

ところが李世乭は休む代わりに、仲間の棋士たちと翌朝の六時までかけて、自分が負けた二つの対局を振り返った。アルファ碁に、何かつけ込めそうな弱点はないのか。学習し、進化するのは機械だけではない。李世乭は、自分も敗北から何かを学べそうだと感じていた。

三局目の序盤では、李世乭がひじょうに強く出てアルファ碁を追い込んだ。自分の影響が及ぶ範囲になんとか石の集まりを作るしかない、という状況を作りあげたのだ。コメンテーターたちは興奮し、李世乭がアルファ碁の弱点を見つけたらしい、という声が上がった。ところがそこから、あるコメンテーターの投稿によると、「恐ろしげな様相を呈してきた。ゲームの展開とともに何が起きているのかがわかるにつれて、吐き気を催しそうになった」。

李世乭はアルファ碁を極限まで押していった。ところがそれによって、プログラムの秘めた力が明らかになったのだ。アルファ碁はゲームが進むにつれて、コメンテーター曰く「緩んだ動き」をしはじめた。配石を確認して自分の勝利が確実だと判断すると、安全な手を打ち始めたのだ。たとえ半ポイント差であろうとも、とにかく勝てばよい。緩んだ手を打つなど、李世乭を侮辱するようなものだったが、別に、アルファ碁に悪意があるわけではなかった。アルファ碁の目的はただひとつ、対局に勝つことだった。李世乭はあれこれ反撃を試み、易々と負けるものかと頑張った。緩い手のなかにひとつでもミスがあれば、そこにつけ込めるはずだった。

けっきょく李世乭は一七六手で負けを認め、投了した。アルファ碁の三勝対人間の〇勝。アルファ碁は人間との対戦に勝ったのだ。裏方のディープマインド・チームは、奇妙な感じに襲われていた。勝負には勝ったものの、この負けが李世乭に及ぼした破壊的な影響を目の当たりにしては、大喜びするのもどうかと思われた。一〇〇万ドルの賞金はチームのものだった。彼らは既に、勝利の暁にはその賞金を囲碁と科学の促進を目的とするいくつかのチャリティーおよびユニセフに寄付することを決めていた。それでも、彼らにヒューマン・コードがあったればこそ、李世乭の苦しみに共感することになったのだった。

アルファ碁は勝っても、いっさい感情的な反応を見せなかった。微電流が流れるでもなく、「やった!」という大げさなコードを吐き出すでもなく……。反応がないからこそ、人は希望を持つことができ、同時に恐いと思うのだろう。なぜ希望を持てるかというと、このような感情的な反応が、創造しよう、未知の世界へと踏み出そうという動きの推進力になっているからだ。アルファ碁に「勝つ」という目標をプログラムしたのは、けっきょくのところ人間なのだ。そしてなぜ恐ろしいかというと、機械自体はその目標がプログラマの意図と一致していなくても、まったく意に介さないからだ。

李世乭は打ちのめされていた。記者会見の場では、まず謝った。

今日は、話をどう切り出したらよいのか、何をお話ししたらよいのかわかりません。でも、まず謝りたいと思います。もっとよい成果、よい結果、対局としてもよい内容をお見せすべきだった。それに、多くの人々の期待に応えることができなかったことも、申し訳なく思っています。自分が無力だと感じています。

それでも李世乭は、残る二つの試合もぜひ見守ってほしいといった。今や李世乭にとっての目標は、少なくとも一つの試合で人間が勝利をもぎ取ることだった。

勝負全体としての負けが決まったので、李世乭は第四局をはるかに自由な形で始めた。期待という重荷を下ろし、ゲームを楽しんでいるかのように。慎重で用心深いといってもいいくらいの第三試合の打ち手とは対照的に、もっと極端な〝アマシ〟という戦略（あまして打つ、とは、相手に部分的な満足感を味わわせながら、大局的に勝利に持って行く打ち方）を取った。あるコメンテーターはこれを評して、時間をかけて小さな儲けをちまちま集めるのではなく、手元にある金を一度にすべて注ぎこむシティの投資家のようだ、と述べている。

李世乭とそのチームはすでに土曜日の夜に、徹夜でアルファ碁の対局における打ち手を分析し、再構成しようとしていた。どうやらこの機械は複雑な一手を打ってその結果に賭けるのではなく、じょじょに勝つ確率が増えるような手を打つという原則に従っているようだった。なぜ李世乭がこの傾向に気づいたのかというと、第三局でアルファ碁が好んで緩い動きをしたからだ。そこで李世乭陣営は、この手堅いやり方をリスキーな単独の動きで攪乱する、という戦術に出た。一か八かの戦術に対しては、アルファ碁もそう簡単には勝てまい。

アルファ碁は、この路線に沿った攻撃にもまったく動じないようだった。コメンテーターたちは、早くも七〇手あたりでまたしてもアルファ碁が優位に立っていることに気がついた。その証拠に、アルファ碁は自分がリードしている時によく見せる保守的な手を繰り出してくる。李世乭が再び勢いを得るには、何か特別な手を打たなければならなかった。

第二局の第三七手が、アルファ碁の創造的天分を一瞬だけ垣間見せたとすれば、第四戦の第七八手は、李世乭による鋭い反撃だった。李世乭は三〇分にわたって盤面をにらみつけ、負けを覚悟で、突然異様な場所に白い石を置いた。アルファ碁の二つの黒石の間に置いたのだ。ユーチューブのチャンネルで英語解説をしていたプロ棋士のマイケル・レドモンドが、みんなに向かっていった。「いやあ、びっくりしました。たいていの対戦相手が驚くはずです。アルファ碁も、虚を突かれたんじゃないでしょうか」

確かに、虚を突かれたようだった。アルファ碁はその手を完全に無視したようで、妙な手を打ってきた。さらに何手か打ったところで、アルファ碁にも自分が負けようとしているのがわかってきた。舞台裏のディープマインド・チームはスクリーンをじっと見つめ、自分たちの創造物が自滅するのを見守った。まるで、白の七八手目によってプログラムがショートしたかのようだった。そのためアルファ碁はメルトダウンを起こしたらしく、次々に破滅的な手を打っていく。どうやらこれも囲碁を打つアルゴリズムのプログラムの特徴であるらしく、いったん負けるとわかると、とんでもない手を打ちはじめる。

主任プログラマのシルヴァーは、アルファ碁が示した次の一手を見て顔をしかめた。「連中、大笑いするんじゃないかな」案の定、韓国のコメンテーターたちは、アルファ碁が打とうとしている手に気がつくと、クツクツと笑い崩れた。チューリング・テストでも撥ねられそうな手だった。少しでも戦略的なセンスがある人間なら、決してそんな手は打たない。ゲームは一八〇手まで続き、そこでアルファ碁がスクリーンに投了のメッセージを送ってきた。記者会見場では、自然に拍手が沸き起こった。

人間が一つ星を取り戻した。アルファ碁の三勝対人間の一勝。その晩の記者会見での李世乭の笑顔が、すべてを物語っていた。「この勝利はたいへん貴重なものです。この世の何にも代えがたい」

記者たちは激しく喝采した。「これも、みなさんがわたくしに示してくださった声援と励ましのおかげです」

中国で解説を行っていた古力《グ・リ》は、李世乭の第七八手は「神の手」だと言い切った。これは囲碁の従来の打ち方にはない手で、だからこそ激しい衝撃を引き起こした。しかしそれが、真の創造性の特徴なのだ。これはボーデンのいう「変形による創造性」のよい例で、このタイプの創造では、システムの外に出ることで新たな知見を得ることができる。

記者会見に臨んだハサビスとシルヴァーは、アルファ碁がなぜ負けたのかを説明できなかった。李世乭の第七八手に対してなぜこんなにひどい手を打ったのか、戻って分析する必要があった。そしてその結果アルファ碁が、人間との対戦経験に基づき、このような手はまったく考慮に値せずということで完全に無視するようになっていたことがわかった。つまり、打たれる確率が一万に一つの手だと評価したのである。こんな手への対処は、学ぶ気にもならなかったらしい。なぜならもっと確率の高い、つまり対処する価値がある手のほうが優先順位が高かったから。

ひょっとすると李世乭は、対戦相手を知りさえすればよかったのかもしれない。長期にわたって対局を続けていけば、形勢を逆転できたのだろう。はたして李世乭は最後の勝負、五つ目の試合でも勢いを保つことができるのか。三対二で負けるのと四対一で負けるのとは、かなり違う。最後の対局も行うだけのことはあった。もう一勝できれば、ほんとうにアルファ碁のほうが強いのだろうか、という疑問の種を蒔くことができる。

だが、アルファ碁は第四局の負けから何か重要なことを学んでいた。李世乭がアルゴリズムに対して一万に一つの手を使った以上、それをなかったことにはできない。これがこの種のアルゴリズムの力で、失敗からも学ぶことができる。

だからといって、新たな間違いをしないとも限らない。第五局のかなり早い段階で、アルファ碁が、形を見せつつあった特殊な布石に対する標準的な手を完全に打ち損ねたと思われる瞬間があった。ハサビスは舞台裏から「#アルファ碁がゲームの早い段階でまずいミスをした。（アルファ碁はよく知られている手筋を知らなかった）でも、今必死に取り返そうとしている……ハラハラドキドキ」とツイートした。

この段階では李世乭がリードしていたが、対局が進むにつれて、じょじょにアルファ碁が挽回していった。だがディープマインド・チームは最後の最後まで、自分たちの機械が勝つかどうか確信が持てなかった。そしてついに五時間の戦いの末に、二八一手で李世乭が投了した。今回は舞台裏で歓声が上がり、ハサビスが拳を空に振り上げた。チームの面々は、抱き合ったりハイタッチをしたりした。李世乭がアルファ碁からもぎとった第四局の勝利が、再び彼らの競争心に火をつけたのだ。チームにすれば、この最終戦で負けないことが重要だった。

多くの人が、対戦を振り返ってみて、これがじつに素晴らしい瞬間だったことを認めている。すぐに、AIにとっての変曲点（曲線の凹凸が変わる点のこと。この場合は、変化の様子が劇的に変わる点）である、というコメントが出た。この機械は確かにボードゲームしかできないが、それにしても、それを見守っていた人々にすれば、この機械の学習し適応する能力はまったく新しいものだった。ハサビスは最初の勝負に勝った直後のツイートで、その成果を次のように要約している。「#アルファ碁が　勝った!!!!　ついにわたしたちはアルファ碁を月に着陸させたんだ」これは、なかなか良い比喩だった。月面に着陸したからといって、宇宙に関するとんでもなく新しい知見がもたらされたわけではない。だがその偉業を成し遂げるために開発された技術は、数々の素晴らしい知見をもたらしてきた。最終戦が終わると、韓国囲碁協会はアルファ碁を、棋士にとって最高の栄誉である名誉九段に認定した。

丘のてっぺんから山の頂へ

第二局の三七手は、じつに創造的な動きだった。紛れもなく新しい手で、人々をあっといわせ、対局が進むにつれて、その価値が裏付けられた。あの一手は探索的創造性の発露であって、対局の限界をとことん押し広げた。

囲碁の重要なポイントの一つに、奇抜な動きに価値があるか否かを確認する客観的な方法が存在する、という事実がある。一見創造的な新しい手を思いつくことは、誰にでもできる。難しくもあり手腕が問われるのは、何らかの価値がある新たな手を生み出すことなのだ。ではその価値は、どのようにして評価すればよいのか。価値判断はきわめて主観的になり得るし、時代によっても変わる可能性がある。発表当時は酷評されたのに、何十年も経ってから変形による創造的行為であると認められる場合があるのだ。一九世紀の聴衆たちはベートーベンの交響曲第五番をどう捉えたらよいのかわからなかったが、この曲は今やオーケストラのレパートリーの核となっている。ヴァン・ゴッホは、生きている間は絵がほとんど売れず、絵を食べ物や画材と物々交換していたが、今では何百万、何千万もの値がついている。ところが囲碁の場合は、価値を計るためのもっと直接的で明確な基準がある。その手が対局の勝利に寄与するか否か、という基準だ。第二局の第三七手はアルファ碁に勝利をもたらした。したがって、この新たな動きを評価するための客観的な尺度があったことになる。

アルファ碁は世界中の人々に、古くからあるこのゲームの新たな戦い方を示してみせた。この対局後の分析から、いくつもの新たな戦術が得られている。実際に、今では序盤から五列目が使われるようになっている。なぜならそれが、終盤に大きな意味を持つかもしれないということがわかったからだ。アルファ碁はさらに前進し、より革新的な戦略を見つけている。二〇一七年初頭にディープマインド社は、最新版のアルファ碁が二つの偽名を使ってさまざまなトップランクのプロとオンラインで対戦したことを明らかにした。仮の名はマスターとマジスターで、対戦相手は誰も機械と戦っていることに気づかなかった。そして数週間かけて計六〇試合を行った結果、すべての試合に勝利したという。

だが、本当の意味で洞察に富んでいたのは、それらの対局の分析だった。これらの対局は、今や新たな着想の宝庫とされている。アルファ碁はいくつかの対局で、初心者が打ったら師に手首を叩いてたしなめられそうな手を打っていた。従来、三行三列が交わる点、三々《さんさん》に早くから石を置くものではないとされていた。ところがアルファ碁は、この手をうまく使って勝っていたのだ。

ハサビスの説明によると、囲碁は、数学者がよくいうところの局所最大問題と強く結び付いている。次のページにあるような風景のなかで、みなさんはAという頂にいるとする。この状況では、そこからさらに上に登ることはできない。これを局所最大という。もしも周囲が霧に閉ざされていたなら、みなさんは自分が一番高いところにいると思うだろう。谷の向こうにもっと高い頂があるのだが、それは、霧が晴れなければわからない。いったん頂から降りて谷を渡り、より高い頂に登る必要があるのだ。

近代の囲碁には問題があって、伝統的に、頂Aに確実に至る方法が確立されてきた。ところがアルファ碁はこのような伝統を破ることで垂れ込めていた霧を晴らし、より高い頂Bが存在することを示した。しかも、その差を測ることができる。伝統的な頂Aへと向かうやり方に従った棋士は、一般に、アルファ碁が発見した新たな戦略を使った棋士に二目の差で負ける。

それまでの囲碁の歴史においても、打ち方の伝統は幾度となく書き換えられてきた。直近の例としては、一九三〇年代に伝説の棋士、呉清源《ごせいげん》が紹介した革新的な戦法がある。呉清源は、布石と呼ばれる序盤の手を巡るさまざまな実験を行い、それにより、囲碁の打ち方は革命的に変わった。しかし今では棋士たちも、アルファ碁がさらに大きな革命を起こしたのかもしれないと考えている。

中国の囲碁のチャンピオン柯潔《コ・ジェ》によると、わたしたちは新しい時代に入ったのだ。「人類は何千年も囲碁を打ってきたが、それでもまだ、ＡＩが示しているように、わたしたちはその表面をかすってもいない。これからは、人間とコンピュータの棋士たちが肩を組んで、新たな時代を先導することになる」

これまた中国の棋士で、囲碁の世界タイトルのほぼすべてを手中に収めてきた古力は、次のように言い添えている。「人間とＡＩが力を合わせれば、じきにより深い囲碁の謎を明らかにすることができるだろう」

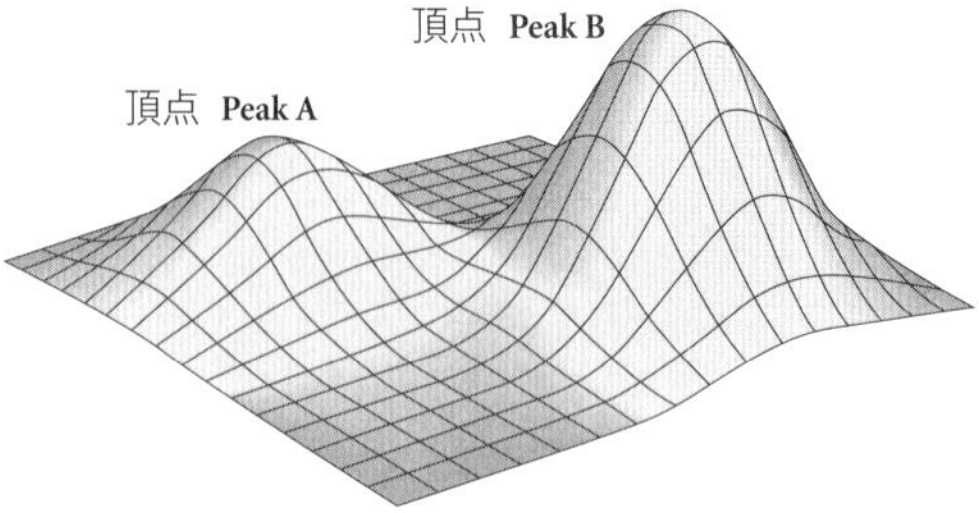

ハサビスはこのアルゴリズムをハッブル望遠鏡に例えているが、このことからも、多くの人が新たなＡＩをどのように捉えているのかがよくわかる。このＡＩは、世界をこれまでよりさらに深く、遠く、広く探索するためのツールなのだ。人間の創造性に取って代わるのではなく、創造性を高めるためのものなのである。

それでも、なぜかこの節目はわたしの気持ちをひどく沈ませる。自分が決して勝てない機械が存在するとわかっていながら、囲碁の世界チャンピオンになりたいと思うなんて、そんなのはほとんど無意味では？　プロの棋士たちはそれでも平静を装い、コンピュータが独自の戦い方を通して解き放ったさらなる創造性について論じている。でも、今や自分たちが機械に次ぐ二番手だということがわかってしまうなんて、かなり気が滅入る話だ。確かに機械をプログラムしたのは人間だが、それで気が晴れるとも思えない。

アルファ碁はすでに、囲碁の対局から引退している。ディープマインド社の囲碁チームは解散した。ハサビスは、ケンブリッジの講師が間違っていたことを証明した。ディープマインド社は現在、医療、気候変動、エネルギー効率、言語認識、言語生成、コンピュータ・ビジョンなどの目標に狙いを定めている。ディープマインドは、きわめて真剣なのだ。

これまでずっと、囲碁こそが数学へのコンピュータの侵入に対するわたしの盾だったことを思うと、わたし自身の学問分野がディープマインドの照準線をかすっているかどうかが非常に気になる。この新たなAIの可能性を真の意味で判断するには、その機能をより細かく見て、その内部を探る必要がある。ことともあろうにわたしを失職させかねないプログラムを作る際にディープマインド社が使ったのは、数学者たちが何百年もかけて作り出してきたツールなのだ。この数学界のフランケンシュタインが作りだした怪物は、創造主に刃向かおうとしているのだろうか。

第四章　現代生活の秘密、それはアルゴリズム

解析機関は、代数的なパターンを織り上げます。
ちょうど、ジャカード織機が花や葉を織り上げるように。
エイダ・ラブレイス

わたしたちの生活のすべてが、アルゴリズムに支配されている。インターネットで何かを探すとき、GPSを使って旅行を計画するとき、ネットフリックスのお勧めのなかから映画を選ぶとき、オンラインで日時を選ぶとき、わたしたちはアルゴリズムに導かれている。アルゴリズムに舵を任せて、デジタル時代を進んでいる。それなのに、アルゴリズムがコンピュータの何千年も前に登場したもので、それ自体が数学の正体の核心に迫る存在であることに気づいている人は、ほとんどいない。

数学は、ある最古のアルゴリズムが展開するのと時を同じくして、古代ギリシャで誕生した。ユークリッドの『原論』をひもとくと、素数が無限に存在するという証明とともにある手順が載っており、その手順通りに一歩一歩前進すると、「二つの数が与えられたときに、その二つを割りきる最大の数を見つけよ」という問いを解くことができる。

この問題を、目に見える形にしてみよう。今、台所の床の寸法が三六フィート×一五フィートだとする。このとき、タイルそのものは切らずに台所の床全体にタイルを敷き詰めるとしたら、最大

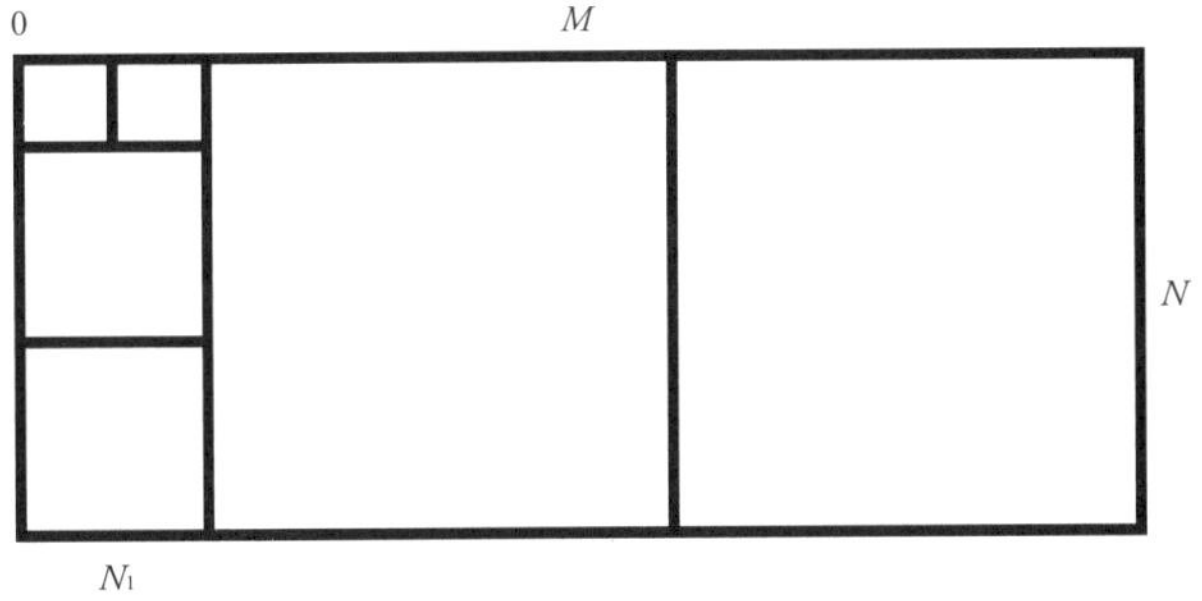

でどの寸法のタイルを使えるかが知りたい。さてどうしよう。二〇〇〇年前にこの問題を解くためにできたアルゴリズムは、次のようなものだった。

今、二つの数MとNがあるとする（NのほうがMよりも小さいとする）。まず、MをNで割って、その余りをN_1とする。もしもN_1がゼロならNが二つの数をともに割りきる最大の数になる。もしもN_1がゼロでなければ、NをN_1で割って、その余りをN_2とする。もしもN_2がゼロなら、N_1がMとNを割り切る最大の数になる。もしもN_2がゼロでなければ、再び同じことを行う。つまり、N_1をN_2で割って、その余りをN_3とするのだ。このとき余りはどんどん小さくなり、しかもすべて整数だ。したがってどこかの時点でゼロになる。余りがゼロになったとき、このアルゴリズムは、その前の余りがMとNを割り切る最大の数であることを保証する。ちなみにこの数は、最大公約数と呼ばれている。

さてここで、先ほどの台所の床にタイルを敷き詰める問題に戻ってみよう。まず、元々の台所の床にはまる正方形のタイルのなかで最大のものを探す。それから次に、余った部分にはまる最大のタイルを探す、以下同様にこの手順を繰り返すと、残りの部分をすべて均等に覆う正方形のタイルに行き着く。そのときそのタイルが、切らずに床全体を覆える最大の正方形のタイルになるのだ。

もしも$M = 36$、$N = 15$だとすると、NでMを割ると余り$N_1 = 6$となる。N_1でNを割ると、余りは$N_2 = 3$となる。ところが、N_2でN_1を割ると余りは出ない。したがって、3が36と15を割り切る最大の数だとわかる。

この手順には、「もし……なら、……となる」という表現がたくさん登場する。これは、アルゴリズムにはよくあることで、だからこそアルゴリズムはプログラミングやコンピュータにうってつけなのだ。古代のユークリッドのレシピは、理想のアルゴリズムに求められる四つの重要な性質の核心を突いている。

1 アルゴリズムは正確に述べられ、いっさい曖昧さのない一連の指示で構成されていなければならない。
2 その手順は、入れる数の如何を問わず、必ず終わらなければならない。(無限ループに入ってはならない!)
3 アルゴリズムは、どのような値の入力に対しても、答えを与えなくてはならない。
4 理想をいえば、迅速でなければならない。

ユークリッドのアルゴリズムの場合、どのステップにもいっさい曖昧なところがない。一ステップごとに余りは小さくなるので、有限回繰り返すと余りは必ずゼロになる。そしてその時点でアルゴリズムは停止して、答えを吐き出す。数が大きくなればなるほどアルゴリズムは長くなるが、それでも相対的には速い。(好奇心を刺激された方のためにいっておくと、ステップの総数は、最大でも二つの数のうちの小さいほうの桁数の五倍ですむ)

最古のアルゴリズムがすでに二〇〇〇年前には存在していたというのに、どうして九世紀ペルシャの数学者にちなんだ名前がつけられているのだろう。ムハンマド・アル＝フワーリズミーは、バグダッドに「知恵の館」が作られてすぐに館長を務めた人物で、古代ギリシャの数学の文書をアラビア語に翻訳する際の責任者だった。「アルゴリズム」とはアル＝フワーリズミーの名前のラテン語読みなのだ。ユークリッドのアルゴリズムの指示はすべて『原論』に載っているものの、ユークリッドが使っている言葉はひどくぎこちない。古代ギリシャの人々の思考はきわめて幾何学的で、そのため数は線の長さで表され、証明は図で構成されていて、わたしたちの台所の床の敷き詰めの例と少し似ている。しかし図は、数学を行う厳密な方法ではない。数学を厳密に行うには代数の言葉が必要で、その場合は文字がさまざまな数の代わりをする。そしてこのやり方を発明したのが、アル＝フワーリズミーだった。

アルゴリズムの働きを明確に表現するには、問題の数が具体的に何なのかを特定することなくその数について語れる言語が必要だ。これは、ユークリッドのアルゴリズムの働きを説明するなかでも見てきたことで、あのときは、分析すべき数にN、Mという名前をつけたが、これらの変数はどんな数でも表すことができる。この数学の新たな言語のおかげで、数学者たちも数の働きを支える文法を理解することができるようになった。問題の手法が使える具体的な例について語らなくてもすむようになったのだ。この新たな代数の言語のおかげで、数の振る舞いの裏に潜むパターンを説明できるようになった。代数の言語にはプログラムを走らせるためのコードと少し似たところがあって、なぜその事実がどの数でも成り立つのかを示すことができる。つまり、先ほどの優れたアルゴリズムの三番目の条件を満たすのだ。

わたしたちの時代にアルゴリズムが広く流布するようになったのは、コンピュータにとって完璧な素材だからだ。アルゴリズムは、わたしたちが問題を解決する際の手法の裏に潜むパターンを用いて、わたしたちを解に導く。コンピュータには考える必要がない。アルゴリズムとしてコード化された指示に繰り返し従うだけで、たちどころにこちらの求める答えを吐き出せるのだ。

孤島のアルゴリズム

現代の並外れたアルゴリズムの一つに、日々何百万もの人々がインターネットの世界で舵取りをするのを助けるものがある。もしも絶海の孤島に連れ去られ、アルゴリズムをひとつしか持っていけないとなったら、わたしはたぶんグーグルを動かしているアルゴリズムを選ぶだろう。（役に立ちそうだからではない。だって、インターネットには接続できそうにないから）

インターネットの初期（つまり、一九九〇年代初頭）には、存在するすべてのウェブサイトをリストアップしたディレクトリがあった。一九九四年の時点で、ウェブサイトはたったの三〇〇〇しかなかったのだ。インターネットはまだまだ小さく、ざっと目を通すだけで、わりと簡単に探しているものが見つかった。しかし、あれから状況はかなり変わった。このパラグラフを書き始めた時点で、インターネット上には生きているウェブサイトが一、二六七、〇八四、一三一個あったが、ここまで書いているあいだに、その数は一、二六七、〇八五、四四〇個に増えている。（現在の状況を確認したい方は、https://www.internetlivestats.com/ でチェックされたい）

グーグルはいったいどうやって、何十億ものウェブサイトのなかからお勧めすべき一つを割り出すのだろう。マンチェスター近郊のウィガンに住む八六歳のおばあちゃん、メアリー・アッシュウッドは、何かをリクエストするときには礼儀正しく「お願いですから」「よろしく」と言い添えるように気をつけていた。たぶんインターネットの向こうの端に大勢の勤勉なインターンがいて、無数のリクエストを捌いていると思っていたのだろう。祖母のラップトップを開いて、「お願いですから、このmcmxcviiというローマ数字を翻訳してください。よろしく」というリクエストを見つけた孫のベンは、思わず祖母の勘違いを世界中にツイートした。ところが驚いたことに、グーグルの誰かが次のようなツイートを寄越したのだ。

親愛なるベンのおばあちゃんへ。
お元気ですか。
何十億もの検索の世界で、あなたの検索には思わずにっこりしてしまいました。
あっそれと、mcmxcviiは一九九八です。
ありがとう。

この場合は、ベンのおばあちゃんがグーグルの中の人を引っ張り出したわけだが、グーグルが受けている一五秒あたり一〇〇万もの検索に入力で答えられる会社など、存在するはずもない。では、グーグルの魔法の妖精たちがインターネットを調べ回っていないとすると、グーグルはいったいどうやってこちらの望む答えのありかを突き止めているのか。

すべてを可能にしたのは、ラリー・ペイジとセルゲイ・ブリンが一九九六年にスタンフォードの寮の相部屋でひねり出した、美しくも強力なアルゴリズムだった。二人は最初、その新しいアルゴリズムを“Backrub《バックラブ》（「背中のマッサージ」の意味）”と呼ぶつもりだったが、けっきょく一の後に〇が一〇〇個続くgoogol（グーゴル）という数値にヒントを得て、“Google”に落ち着いた。インターネットのページをランク付けして、人が増えつつあるデータベースの海をこぎ渡るのを助ける方法を見つけること、それが自分たちの使命である。だったら巨大な数のほうがかっこいいだろう、と考えたのだ。

同じような目的で使われているアルゴリズムがほかにもないわけではなかった。しかしそれらは、概念としてはかなり単純だった。かりに「丁寧なおばあちゃんとグーグル」についてさらに知りたいとして、既存のアルゴリズムはこれらの言葉が載っているページをすべて網羅したうえで、検索対象になっている言葉がもっとも多く登場するウェブサイトが一番上になるようにそれらを並べていく。

確かにそれでもかまわないが、これでは簡単に結果をゆがめることができる。ウェブページのメタデータに「母の日の花」という言葉を一〇〇〇回埋め込んでおけば、息子や娘が検索をかけるたびに、その花屋がトップに出ることになる。こちらとしては、物知りなウェブデザイナーに簡単に振り回されない検索エンジンがほしいところだ。では、ウェブサイトの重要性を示す偏りのない尺度を作るにはどうすれば良いのか。さらに、どうすれば無視してもかまわないサイトを判別できるのか。

ペイジとブリンは、あるウェブサイトに向かうリンクがたくさんあるということは、リンク元のサイトにとってそのサイトは訪れるに値するものなのだ、というなかなか気のきいた着想にたどりついた。つまり、どのサイトが重要だと思うかをほかのウェブサイトに投票させることで、ウェブサイトの価値評価を民主化しようというのだ。しかしそれでも、ハッキングされる可能性は残っている。人工的なウェブサイトを何千も作って、それを自分の花屋のウェブサイトに繋げば、自分の花屋をリストのトップに押し上げることができる。そこでこのような事態を防ぐために、それ自体が尊敬されているウェブサイトからの投票に重みをつけることにした。

だがそれでもまだ、問題は残った。どうすれば、そのサイトが他のサイトより重要だというランクをつけられるのか。ここでは（左ページ冒頭の）ごく小さなネットワークで考えてみる。

はじめは、各サイトに同じ重みをつけておく。ここではウェブサイトをかごのようなものと考えて、各サイトに、どれも同じランクなので、八個ずつボールを入れる。今、これらのウェブサイトは、自分がリンクしている先のサイトにボールをあげなければならない。複数のサイトにリンクしている場合は、ボールを均等に分ける。ウェブサイトAはBとCにリンクして、たとえば、両方のサイトに四つずつボールを与える。ところがBはCのサイトだけとリンクすることにして、八つのボールをすべてCのかごに入れる。（六七ページを参照）

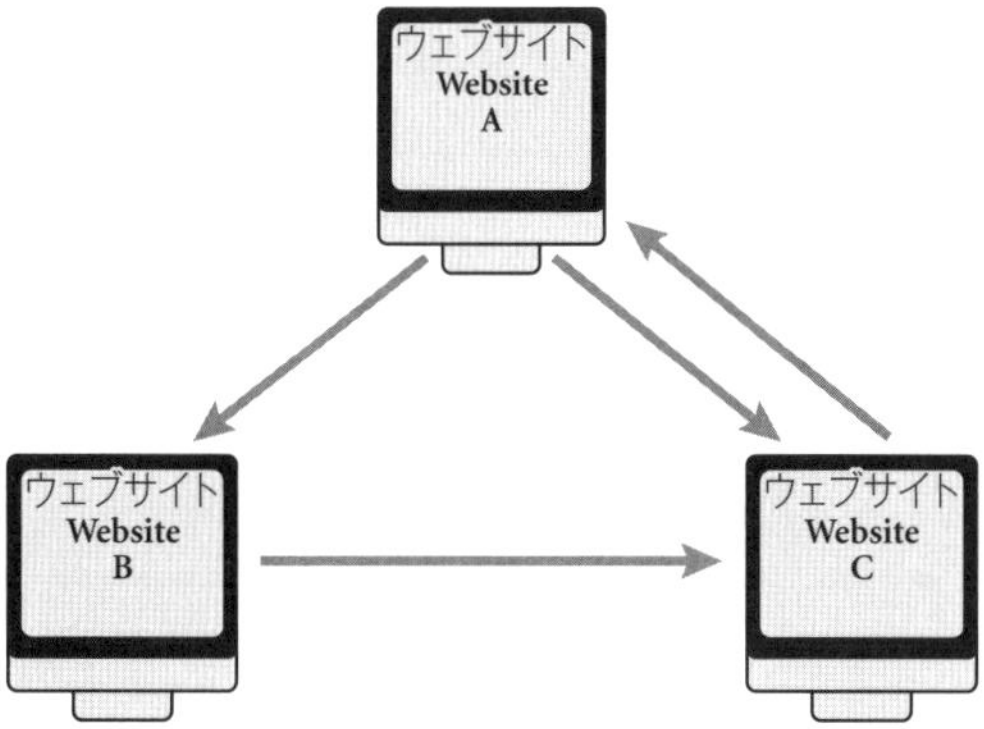

最初の配分が終わった時点で、Cはひじょうに強く見える。だが、このプロセスをさらに繰り返す必要がある。なぜならランクが高くなったCからリンクされているために、Aが押し上げられるからだ。次ページの表にあるのは、この手順を繰り返したときのボールの動きである。

この時点では、これが特に優れたアルゴリズムだとは思えない。安定しているように見えないし、効率も悪そうで、理想のアルゴリズムの基準のうちの二つを満たしていないのだ。ここでペイジとブリンは、すばらしい洞察力を発揮した。ネットワークの接続に着目してボールを割り当てる方法を見つける必要がある、ということに気づいたのだ。じつは二人は、正しい分配を一発ではじき出す賢い技を、すでに大学の数学の講座で学んでいた。

そのためにまず、ウェブサイト間でのボールの再配分を記

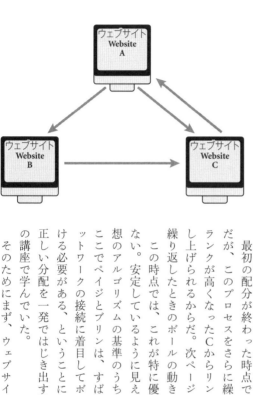

	1巡目	2巡目	3巡目	4巡目	5巡目	6巡目	7巡目	8巡目	9巡目
A	8	8	12	8	10	10	9	10	9.5
B	8	4	4	6	4	5	5	4.5	5
C	8	12	8	10	10	9	10	9.5	9.5

録する行列を作る。行列の一列目にはAから他のウェブサイトに行く割合が並ぶ。この場合、0・5がBに行き、0・5がCに行くとすると、再配分の行列は、次のようになる。

$$\begin{pmatrix} 0 & 0 & 1 \\ 0.5 & 0 & 0 \\ 0.5 & 1 & 0 \end{pmatrix}$$

このとき、この行列（固有値は1）の固有ベクトルなるものを求めなくてはならない。つまり、この行列をかけても変わらない列ベクトルを探すのだ。[*] 大学の学部生は、早い段階でこれらの固有ベクトル、つまり不動点の見つけ方を習う。このネットワークの場合、再配分行列に対して次のような列ベクトルが不動であることがわかる。

$$\begin{pmatrix} 0 & 0 & 1 \\ 0.5 & 0 & 0 \\ 0.5 & 1 & 0 \end{pmatrix}\begin{pmatrix} 2 \\ 1 \\ 2 \end{pmatrix}=\begin{pmatrix} 2 \\ 1 \\ 2 \end{pmatrix}$$

これはつまり、ボールを2：1：2で配分するとこの重み付けが安定する、ということだ。先ほどのやり方でボールを配分しても、サイトの配分はやはり2：1：2になる。

行列の固有ベクトルは、数学さらには広く科学において、途方もなく強力なツールとなっている。たとえば量子物理学では粒子のエネルギーレベルを探り出すときの鍵になっているし、自転する恒星のような回転する液体の安定性やウィルスの増殖率を教えてくれる。さらには、素数が数全体のなかにどのように分布しているのかを理解する際の鍵にもなりそうだ。

　ネットワーク接続の固有ベクトルを計算すると、ウェブサイトAとCを同等のランクにすべきであることがわかる。Aにリンクしているサイトは（Cだけで）ひとつしかないのに、Cが高く評価

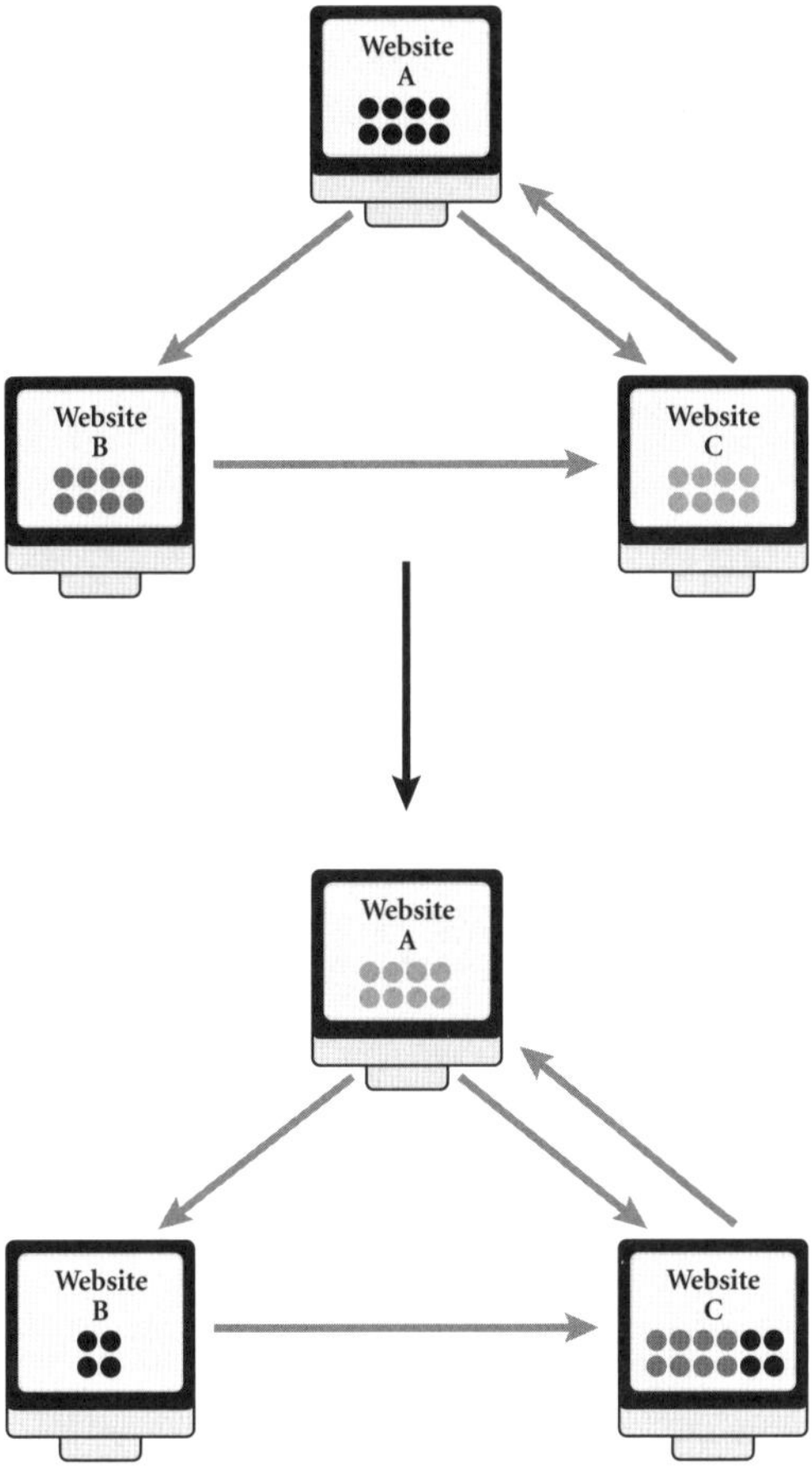

されていてAだけとリンクしているので、リンクを通じてAに高い価値を与えているのだ。

これが、このアルゴリズムの基本的な核なのだが、このアルゴリズムの力を存分に発揮させるには、さらにいくつかの細かい工夫が必要になる。たとえば、ほかのウェブサイトとまったくリンクしておらず、ボールを再配分したときに掃きだめになる例外的サイトも考えに入れなくてはならない。そうはいっても、アルゴリズムの核にあるのはこの単純な着想なのである。

基本となる構造はすっかり公にされているが、このアルゴリズムには秘密のパラメータがあって、それらが時とともに変わっていく。そのおかげで、このアルゴリズムをハッキングすることは少し難しくなっている。それにしても、グーグルのアルゴリズムはびっくりするほど堅牢で、つけ込むことがきわめて難しい。ウェブサイトがランクを上げようと思っても、自分のサイトに細工をすることがきわめて困難なのだ。自分の地位を上げたければ、ほかのサイトに頼るしかない。グーグルのページランク・アルゴリズムで高得点を得ているウェブサイトを見ると、主要ニュースソースやオクスフォード、ハーバードといった大学のウェブサイトが含まれている。これは、多数の外部サイトが大学などのウェブサイトに掲載された発見や意見にリンクしているからで、それはつまり、わたしたちの行っている研究が世界中の多くの人々から高く評価されていることを意味する。

面白いことにこれは同時に、オクスフォードのネットワーク内のウェブサイトの誰かが外部サイトにリンクすれば、そのおかげで相手のウェブサイトのページランクが上がるということを意味している。なぜならそのサイトがオクスフォードの巨大な信望（貯蔵されているボール）の一端を分かち合うことになるからで、そのためわたしは、しょっちゅうオクスフォードの数学科の自分のウェブサイトから外部サイトにリンクしてほしいという依頼を受けている。それによって外部のサイトのランクが上がり、うまくいけばグーグルの検索の一ページ目に登場できるかもしれない（それは、すべてのウェブサイトにとって究極の聖杯である）というのである。

そうはいってもこのアルゴリズムは、数学の機能をよく知っている巧妙な攻撃に対しても完全に無傷でいられるわけではない。二〇一八年夏に短期間、グーグルの検索窓に“idiot（大馬鹿者）”といれると、最初にドナルド・トランプの写真が現れるようになった。これは、活動家《アクティヴィスト》たちが、インターネットにおけるレディット（Reddit、ウェブサイトへのリンクを集めて公開する英語圏のソーシャルブックマークサイト）の強い地位をうまく使ったからで、具体的には、レディットの“idiot”という言葉とトランプの写真をともに含んだ投稿に投票を集中させることによって、この二つの繋がりをグーグルランクのトップに押し上げたのだ。この急激な突出は、人の介入によってではなく、アルゴリズムによってじょじょに均されていった。グーグルに神の役割を果たす気はないが、長期的にはその数学の力を信じているのだ。

インターネットはむろんダイナミックな野獣であって、ナノセカンド毎に新たなウェブサイトが現れ、既存のサイトが閉じられたり更新されるたびに新しいリンクができる。これはつまり、ページランクも劇的に変わらざるをえないということだ。グーグルがインターネットのたゆみない進化に歩調を合わせるには、彼らが愛情を込めて「グーグル・スパイダー」と呼んでいるものを使ってネット中を定期的に浚い、サイト間のリンクのカウントを更新する必要がある。

技術中毒者《テック・ジャンキーズ》やスポーツのコーチは、このネットワークのノードの評価法をほかのネットワークに

＊行列のかけ算の規則は次の通り。

$$\begin{pmatrix} a & b & c \\ d & e & f \\ g & h & i \end{pmatrix} \begin{pmatrix} x \\ y \\ z \end{pmatrix} = \begin{pmatrix} ax + by + cz \\ dx + ey + fz \\ gx + hy + iz \end{pmatrix}$$

応用できるということに気がついた。インターネット外でのもっとも魅力的な応用の一つとして、ヨーロッパでフットボールと呼ばれているもの（アメリカではサッカーと呼ばれている）における選手の評価がある。対戦相手の強さを評価する場合に、誰がチームの動きをコントロールしているのか、誰が主軸としてすべてのプレイにかかわっているのかを特定することがポイントになる可能性がある。そのような選手を特定して、ゲームの序盤でその人物を押え込めれば、敵の戦略を効果的に崩せるはずだ。

ロンドン在住の数学者でともに熱狂的なサッカーファンであるハビエル・ロペス・ペーニャとヒューゴー・トゥーシェットは、ワールドカップの準備期間に入ったチームの分析に、グーグルのアルゴリズムを使えるかどうか調べてみた。各選手をウェブサイトと見なして、ある選手から他の選手へのパスをリンクと見なすと、ゲームの流れにおけるパスはネットワークに対応する。チームメイトへのパスは、相手への信頼の証なのだ。選手たちは一般に、簡単にボールを取られそうな弱いチームメイトにはパスをしないでおこうとする。パスに対応する構えがある選手にしか、パスは出さないのだ。動きの悪い選手は、まずもってパスに対応できない。

二人は二〇一〇年ワールドカップの間にFIFAが公表したパスのデータを用いて、どの選手がもっとも高く評価されているかを調べた。その結果はじつに見事なもので、イングランド・チームのプレイスタイルを分析すると、スティーヴン・ジェラードとフランク・ランパードの二人が際だって高いランクを得た。これはつまり、ボールがこの二人のミッドフィルダーを経由するケースがきわめて多いということだ。したがってこの二人を取り除くと、イングランド・チームのゲームは崩壊する。ちなみにイングランドは、その年のワールドカップであまりよい成績を上げられなかった。この二人が、古くからの強敵であるドイツに序盤で押え込まれたのである。

これとは対照的だったのが、最終的に勝者となったスペインだった。二人のアルゴリズムによると、スペイン・チームでは、全体に均等にランクが分配されていた。つまり、ゲームにおける明確な主軸が存在しないのだ。これは、大きな成功を収めた「トータル・サッカー」あるいは「ティキ・タカ」と呼ばれるスペインのプレイスタイルを反映する結果である。この場合は選手が絶えずボールをパスし合っており、最終的にスペインが勝利したのは、この戦術のおかげだった。

アメリカにおける多くのスポーツがデータを糧としているのと違って、ヨーロッパのサッカー界が試合の陰で煮えたぎっている数学や統計の力を活かすには、少々時間が必要だった。それでもロシアで開催された二〇一八年のワールドカップでは、多くのチームが科学者を招集した。数字をばりばりかみ砕き、各チームのネットワークの振る舞いを調べて対戦相手の強みや弱みを知ろうとしたのだ。

ネットワーク分析は、文学にも応用されている。アンドリュー・ベヴァリッジとジー・シャンは、ジョージ・R・R・マーティンの大作『氷と炎の歌』(別名『ゲーム・オブ・スローンズ』)を分析してみた。この物語を知っている人なら誰でも、次の巻はもちろんのこと、次の章まで生き残る人物を予測するのがきわめて難しいことに気づいているはずだ。なぜなら著者は、自分が作り出したもっとも優れた人物ですら情け容赦なく殺してしまうから。

ベヴァリッジとシャンは、この作品の登場人物のネットワークを作ることにして、ネットワークのノードとなる一〇七人の主要人物を特定した。そしてそれらの人物を、関係の強さに応じて重み付けしたエッジで繋いだ。それにしても、つながりの重みはどうやって評価すればよいのか。二人のアルゴリズムでは、単に一五ワード以内に二つの名前がともに現れた回数を勘定するようになっていた。こうすると、友情に限らず、二人の間に存在するさまざまなやりとりや結びつきを測ることになる。

二人は、第三巻の『剣嵐の大地』を分析することにした。なぜならこのあたりまでくると物語がかなり落ち着いてくるからで、まずノード、つまりネットワークのなかの登場人物のページランク分析を行った。するとすぐに、筋書きにとって重要な三人の人物が浮かび上がってきた。ティリオン・ラニスター、ジョン・スノウ、サンサ・スタークである。この本を読んだりドラマを見た人にとっては、驚くようなことでないのだろうが、自分が何を読んでいるのかもわかっていないコンピュータ・アルゴリズムが人間と同じ結論にたどり着いたというのは驚くべきことだ。登場人物の名前が出てくる回数を数えただけではこんな結論には至らず、ほかの名前も出てきたはずで、より精妙なネットワークの分析があればこそ、真の主人公たちが明らかになったのだ。

この三人の登場人物は、第三巻でほかの何人かの主要人物を切り捨ててきたマーティンの容赦ないペン捌きにもかかわらず、今のところ死なずにすんでいる。これは良いアルゴリズムの印であって、良いアルゴリズムはさまざまな筋書きに適用できる。つまり、サッカーから『ゲーム・オブ・スローンズ』までのさまざまな状況で、何か有益なことを教えてくれるのだ。

幸せな結婚の秘訣、それは数学

セルゲイ・ブリンとラリー・ペイジは、インターネットの海をゆくみなさんを、自分が探していることにすら気づいていなかったウェブサイトに導く秘訣を見つけ出したわけだが、ではアルゴリズムは、自分と気の合う人《ソウルメイト》を見つけるといったごく個人的なことでも役に立つのだろうか。試しにOKCupid というサイトを訪れてみると、「数学を使って、あなたのデート相手を見つけます」という誇らしげなバナーに迎えられるのだが……。

これらのデート・サイトは、「マッチング・アルゴリズム」を用いてプロファイルを探索し、好みや嫌いなものや人柄に応じて人と人を引き合わせる。ちなみに、どうやらかなりの成果をあげているらしく、自分一人でお相手を探すよりもアルゴリズムを使ったほうがよいらしい。実際、最近「米国科学アカデミー紀要」に発表された研究によると、二〇〇五年から二〇一二年までに結婚した一万九〇〇〇人を対象に調査を行ったところ、オンラインで出会った人々のほうが幸せで安定した結婚生活を送っていたという。

「マッチング・アルゴリズム」は、作り手にノーベル賞をもたらした世界初のアルゴリズムで、これを最初に定式化したのは、デヴィッド・ゲールとロイド・シャープレーという数学者だった。一九六二年に、マッチングのためのアルゴリズムを用いて「安定結婚問題」なるものを解決したのである。二〇〇八年に死去したゲールはノーベル賞をもらいそこねたが、シャープレーは二〇一二年にエコノミストのアルヴィン・ロスと共同でノーベル賞を受賞した。ロスは、このアルゴリズムが人間関係の問題だけでなく医療サービスの配分や学生のポストの公正な割り振りといった社会問題にとっても重要であることを見抜いたのだ。

シャープレーはこの受賞をおもしろがって、「自分は数学者だと思っていたのに、経済学の賞を受賞するなんて」といった。委員会の決定には明らかに驚いていて、「生涯に一度も、たったの一度も経済学の講義を取ったことはないんだが」と述べている。だが、シャープレーがひねり出した数学は、経済学にとっても社会学にとっても深い意味を持っていた。

シャープレーがゲールといっしょに解決した「安定結婚問題」は、名前からして最先端の経済理論ではなく室内ゲームのように見える。この問題の性質を正確に理解するために、まず異性愛指向の男性が四人と異性愛指向の女性が四人いるとしよう。さらに全員が、異性の四人を好みの順に並べてくれといわれたとする。このとき問題のアルゴリズムにとっては、安定した結婚につながる形で全員をマッチさせることが目標になる。つまり、割り当てられたパートナーより別の人のほうがいい、という男女がいてはならないのだ。さもないと、そのうちにパートナーの元を去ってほかの人と駆け落ちしてしまう可能性が生じる。一見すると、たった四組ですら、そのような組み合わせを作れるとは思えない。

　そこでここからは具体的な例で、ゲールとシャープレーが、組織的でアルゴリズム的な手法で確実に安定したペアを作るために何をしたのかを見ていこう。四人の男性の代わりに一組のトランプのキングを使う。スペードのキングと、ハートのキングと、ダイヤのキングと、クラブのキング。四人の女性の代わりはクイーンで、それぞれのキングとクイーンが好みに従って異性に順位をつける。

　たとえば、キングの好みの順番は、

	K♠	K♥	K♦	K♣
1番目	Q♠	Q♦	Q♣	Q♦
2番目	Q♦	Q♣	Q♥	Q♥
3番目	Q♥	Q♠	Q♦	Q♠
4番目	Q♣	Q♥	Q♠	Q♣

クイーンの好みの順番は、

	1番目	2番目	3番目	4番目
Q♠	K♥	K♠	K♦	K♣
Q♥	K♣	K♠	K♥	K♦
Q♦	K♠	K♦	K♥	K♣
Q♣	K♥	K♦	K♠	K♣

だとする。

　このとき、まずそれぞれのキングを同じ印《スート》のクイーンと組み合わせるというプランから始めたとする。この組み合わせだとなぜ不安定になるのか。クラブのクイーンは、クラブのキングをもっとも好ましくないパートナーとしているので、正直いってほかのどのキングでも、そのほうがましだ。さらにハートのキングの好みを見ると、ハートのクイーンは最下位になっている。だからハートのキングにすれば、割り当てられた相手よりもクラブのクイーンのほうが確実に好ましい。そのためこの筋書きでは、クラブのクイーンとハートのキングが駆け落ちする可能性が出てくる。したがって同じ印のキングとクイーンを組み合わせると、不安定な結婚になってしまう。

　では、どのように組み合わせれば、駆け落ちを避けられるのか。ここで、ゲールとシャープレーがひねり出した手順の出番となる。その手順の通りにすると、クイーンがキングに何度かプロポーズした結果、安定した組ができる。このアルゴリズムでは、まず第一ラウンドで、すべてのクイーンが意中の人にプロポーズする。スペードのクイーンの意中の人は、ハートのキングである。ハートのクイーンの意中の人は、クラブのキング。ダイヤのクイーンはスペードのキングを選び、クラブのクイーンはハートのキングにプロポーズする。ということは、ハートのキングは二人からプロポーズされるわけで、憧れの的といえそうだ。そこでハートのキングは好ましいほうのクイーン、つまりクラブのクイーンを選び、スペードのクイーンのプロポーズを断る。これで仮婚約が三つと、お断り一つが成立したことになる。

第一ラウンドの状況

K♠	Q♦
K♥	Q♠ Q♣
K♦	
K♣	Q♥

断られたスペードのクイーンは第一位のキングを消して、次のラウンドで第二位、つまりスペードのキングにプロポーズする。ところがそうなると、スペードのキングは二人からプロポーズされることになる。最初のプロポーズは第一ラウンドのダイヤのクイーンで、さらに新しく、スペードのクイーンからもプロポーズされるわけだ。スペードのキングの好みを見ると、じつはスペードの

クイーンのほうが上だ。そこでスペードのキングは、無慈悲にもダイヤのクイーン（第一ラウンドでの仮の婚約相手）のプロポーズを断る。

第二ラウンドの状況

K♠	Q♦ Q♠
K♥	Q♣
K♦	
K♣	Q♥

そこでこれを受けて第三ラウンドが始まる。どのラウンドでも、プロポーズを断られたクイーンはその次の順位のキングに移り、いっぽうキングは常にもっとも良い申し出を受けるから、この第三ラウンドでは、プロポーズを断られたダイヤのクイーンがダイヤのキング（は、チームに入れてもらえない子どものように、脇に立っていた）にプロポーズする。ダイヤのキングの好みを見ると、ダイヤのクイーンはそれほど順位が高くないが、ほかに選択肢はない。なぜならほかの三人のクイーンはほかのキングが好きで、それらのキングはすでにプロポーズを受けているからだ。

第三ラウンドの状況

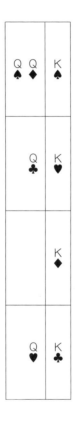

K♠	Q♠
K♥	Q♣
K♦	Q♦
K♣	Q♥

こうしてついに全員がペアとなり、どのペアも安定した結婚になる。ここでは問題のアルゴリズムをキングとクイーンが登場するほほえましい室内ゲームの例で説明したが、じつはこのアルゴリズムは、今や世界中で使われている。デンマークでは子どもとデイケアの場所をマッチさせるために、ハンガリーでは学生を学校とマッチさせるために、ニューヨークではラビをシナゴーグに配置するために、そして中国、ドイツ、スペインでは学生を大学とマッチさせるために。さらにイギリスでは、このアルゴリズムが国民保健サービス（ＮＨＳ）の患者と臓器移植をマッチさせるのに使われており、多くの命が救われている。

そして、ゲールとシャープレーが解いたこのパズルの上に立っているのが、デート仲介業が使っている現代的アルゴリズムなのだ。ただしデート・マッチングの場合は、情報が不完全なので、問題がさらに複雑になる。各自の好みは絶対的ではなく、日々関係のなかで変化していく。それでも、これらのアルゴリズムは本質的に、人々を嗜好に応じて引き合わせ、安定した幸せなペアにしようとする。しかも先ほどの証拠から見て、人間の直観よりもアルゴリズムのほうがこの仕事をうまくやってのけるらしい。

みなさんは、ゲールとシャープレーが練り上げたアルゴリズムに、じつは興味深い非対称性があることにお気づきかもしれない。先ほどの例では、クイーンがキングにプロポーズする形を取っていた。では、クイーンではなくキングからプロポーズする形だと、何かが違ってくるのだろうか。驚いたことに、実は違ってくる。先ほどのアルゴリズムをキングとクイーンを入れ替えて使うと、もう一つの安定したペアができるのだ。

その場合、ダイヤのクイーンはハートのキングと組み、クラブのクイーンはダイヤのキングと組むことになる。つまり二人のクイーンはパートナーを交換したことになるが、クイーン本人にすれば、これでは順位の低い相手と組むことになる。どちらのマッチングでも安定はするが、クイーンがキングにプロポーズすると、クイーンにとって最高の相手とペアになれる。これに対してキングがプロポーズすると、キングにとってよい結果になるのだ。

アメリカで研修先の病院を探していた医学生たちは、病院が自分たちの研修の場所を割り当てる際に、このアルゴリズムを病院側が提案を行う形で使っていることに気がついた。つまり、学生たちにとっては最善でなかったのだ。これでは不公平だというので、医学生たちはキャンペーンを張り、結局そのアルゴリズムは学生たちにとって最善の形で運用されることになった。

この一件からもわかるとおり、わたしたちは、自分たちの生活がしだいにアルゴリズムに振り回されはじめていることを、しっかりと心しなければならない。アルゴリズムがどのように機能するのか、何をしているのかを理解することが重要だ。なんとなれば、そのような理解なしではだまされる可能性があるのだから。

本屋の戦い

やっかいなことに、アルゴリズムは時として予期せぬ結果をもたらす場合がある。これが人間なら、何か変なことが起きている、と言い出すはずなのだが、アルゴリズムは、どんなに馬鹿げた結果が生じても、プログラム通り動き続ける。

わたしのお気に入りの例に、アルゴリズムを店の経営に取り入れている二軒の古本屋を巡る出来事がある。カリフォルニア大学バークレー校に在籍するあるポスドクが、ぜひピーター・ローレンス著『ハエの構造』を入手したいと思った。これは進化生物学者がよく使ういわば古典で、一九九二年に刊行されたのだが、二〇一一年の時点ではしばらく絶版が続いていた。そこで件のポスドクは、古本を探すことにした。

アマゾンで調べてみると、四〇ドルくらいで古本が多数売りに出ていた。ところが驚いたことに、一、七三〇、〇四五・九一ドルの値がついているものがあったのだ。しかも売り主のプロフナスによると、送料は別だという。そのうえさらに、もっと高い値で売りに出ている古書があることに気がついた！　そちらの売り主のボーディーブックは、なんとまあ二、一九八、一七七・九五ドル（プラス、当然送料の三・九九ドル）の売値をつけていた。

ポスドクからこの話を聞かされた指導教員のマイケル・アイゼンは、最初、学生にからかわれているのだと思った。ところがこれらの書店はどちらもひじょうに高い評価を受けており、きちんとした店であるようだった。プロフナスは過去一二ヶ月間に八〇〇〇のお勧めを受け、一方ボーディーブックは同時期に一二万五〇〇〇のお勧めを受けていたのだ。ということは、おそらく価格がいっとき変則的に急上昇したのだろう。

翌日、売値がもっと常識的なレベルに下がったかどうかアイゼンが確認してみると、むしろ価格は上がっていた。プロフナスは今や二、一九四、四四三・〇四ドルの値をつけ、いっぽうボーディーブックは二、七八八、二三三・〇〇ドルという途方もない値をつけている。ここでアイゼンは科

	プロフナス	ボーディーブック	プロフナス / ボーディーブック	ボーディーブック / プロフナス
4月8日	1,730,045.91 ドル	2,198,177.95 ドル		1.27059
4月9日	2,194,443.04	2,788,233.00	0.99830	1.27059
4月10日	2,783,494.00	3,536,675.57	0.99830	1.27059
4月11日	3,530,663.65	4,486,021.69	0.99830	1.27059
4月12日	4,478,395.76	5,690,199.43	0.99830	1.27059
4月13日	5,680,526.66	7,217,612.38	0.99830	1.27059

学的思考に切り替えて、これらのデータを分析することにした。まず、この奇妙な価格設定に潜むパターンを探るべく、数日にわたって価格の変化を追ってみた。

そしてついに、上昇する一方の価格の裏に潜む数学的な規則をつきとめた。プロフナスの価格をボーディーブックの前日の価格で割ると、常に0.99830になっており、ボーディーブックの価格を同日のプロフナスの価格で割ると、常に1.27059になっていた。この二つの書店は、自分のサイトで売る本の価格設定をアルゴリズムに行わせていたのだ。プロフナスのアルゴリズムは、毎日ボーディーブックの本の価格をチェックして、それに0.99830をかける。このアルゴリズムはじつに納得のいくものだった。なぜならプロフナスは、ボーディーブックとの競争で少しだけ安くなるように設定していたからだ。ところが面白いことに、ボーディーブックのアルゴリズムはライバル店の価格変動を探知すると、その新しい価格に1.27059をかけるように設定されていた。

この二つが組み合わさると、日々価格は0.99830×1.27059、すなわち1.26843倍になっていく。つまり、本の価格は指数的に上がっていくわけだ。かりにプロフナスがボーディーブックの価格より安く設定するために、もっと小さな因数をかけるようにプログラムを変えていれば、価格は時とともにうなぎ登りにはならず、逆に急激に下落していたはずだ。

プロフナスのアルゴリズムは明快に説明できそうだが、ではボーディーブックのアルゴリズムはなぜ高めの値段設定をするようになっていたのだろう。価格が高いほうの本を選ぶ人などいるはずもないのに。この店は、たぶん自分たちのほうが評判が高く、肯定的なお勧めが多いということを当てにしていたのだろう。だから、価格がほんの少し高い程度なら――はじめのうちはそうだったはずだ――お客はこちらに集まると踏んだのだ。アイゼンがブログに書いたように、「この設定にはかなりのリスクがあると思われる。売れるまでの間、棚の本は埃をかぶることになるわけだから。むろん、実はその本の在庫がないというのなら、話は別だが……」。

そこでアイゼンははたと膝を打った。そうだ、そうに決まっている。ボーディーブックにはその本の在庫がなかったのだ。そのアルゴリズムは、ほかの店にどんな本があるかをチェックして、同じ本を少しだけ高い値段で売るようにプログラムされていた。誰かが信頼できるボーディーブックのサイトでその本を見つけて買おうとしたら、ボーディーブックは別の店から現物を買ってきて売ればよい。ただしその費用をカバーするために、少しだけ高い値をつける必要がある。だからこのアルゴリズムでは、本の購入費用と送料に利益を少しだけ上乗せするために、価格を1.27059倍していたのだ。

対数を幾度か使って計算すると、四月八日のおそらく四五日前、問題の本が最初に売りに出されたときの売値は約四〇ドルだったことがわかる。このことからも、指数的な伸びの威力がよくわかる。なにしろたったの一ヶ月半で、価格が数百万ドルに届いたのだから！　四月一八日に二三、六

九八、六五五・九三ドル（＋送料の三・九九ドル）という最高値がついたところで、ついにプロフナス側の誰かが介入した。なにか妙なことが起きているということに気づいたのだ。そして問題の本の価格は一〇六・二三ドルに落ちた。すると案の定、ボーディーブックのアルゴリズムは同じ本に106.23×1.27059＝一三四・九七ドルの値をつけた。

『ハエの構造』の価格設定に問違いがあったからといって、誰かが甚大な被害を被ったわけではない。しかし、株式市場で値付けに使われているアルゴリズムが一瞬にして市場に大暴落を引き起こすといった深刻な事例もあって、アルゴリズムがもたらす想定外の結果は、高度な技術の存在に対する人々の恐怖の主な源の一つになっている。もしもある会社が、炭素を最大限収集することを目標とするアルゴリズムを作ったとして、そのアルゴリズムが工場で働いている人々も炭素を元にした有機体であることに気づき、工場じゅうの人間を炭素製品として収集し始めたとしたら？　誰がストップをかけるのか。

アルゴリズムの根っこには数学があり、どこかのレベルで数学が働いている。だが、アルゴリズムが数学という場を真の意味で創造的に広げるわけではない。数学の世界にいる人間は誰一人として、自分がアルゴリズムに脅かされていると感じてはいない。アルゴリズムがその創造主に刃向かい、自分たちの仕事を奪うとは、実は思っていないのだ。長年わたしは、これらのアルゴリズムは自分の仕事の日常的な部分をスピードアップするだけだと考えていた。バベッジの計算装置の高等版にすぎず、手でやれば何時間もかかる代数的な操作や数値の操作を命令一つで行わせることができるものであって、すべてをコントロールしているのは自分だ、と。だが、今やすべてが変わろうとしている。

数年前までは、アルゴリズムが何をどのようにしているのかが、人間にもわかると感じられていた。ラブレイスと同じで、実は自分が入れたものを超える何かが出てくることはない、と信じていた。ところがそこに、新たなタイプのアルゴリズムが登場してきた。データと相互に働きかけながら状況に適応し、変化していくアルゴリズムが出てきたのだ。しばらくすると、アルゴリズムを作ったプログラマ自身にも、なぜアルゴリズムがそのような選択をしたのかが理解できなくなった。そしてそれらのプログラムは、あっと驚くようなものを生みだしはじめていた。今度ばかりは、入れたものを超える何かが得られたのだ。アルゴリズムは、より創造的になろうとしていた。ディープマインドは、そのようなアルゴリズムを使って囲碁の対局で人間をたたきのめした。そしてそこから、機械学習の新時代が始まったのである。

第五章　トップダウンからボトムアップへ

機械は、しょっちゅうわたしを驚かせる。
アラン・チューリング

わたしがはじめてデミス・ハサビスに会ったのは、彼らが囲碁で大勝利を収める数年前のことだった。それは、イノベーションの未来に関するある会合の場で、さまざまな新しい会社が、ベンチャー・キャピタルや投資家による投資を求めて集まっていた。なかには未来を変えることになる会社もあるが、たいていは、一瞬きらめいてすぐに燃え尽きる。ベンチャーキャピタルや新規事業への資金提供を行うエンジェル投資家にすれば、勝者を見抜けるかどうかが腕の見せ所になる。ここで正直に言っておくと、わたしは、学習し適応して向上するコードに関するハサビスの話を即座に退けた。ゲームができるようなプログラムを作ったとして、どうすればそのプログラムがコードを書いた人間より先に進めるのかがわたしにはわからなかった。いったいどうすれば、自分が入力したものより多くを得ることができるんだ？　と疑問に思ったのは、わたしだけではなかった。ハサビス自身も、一〇年前は、投資家を説得してＡＩに資金を出させることがきわめて困難だったと認めている。

今となっては、傍らを駆け抜けようとしていたあの馬に飛び乗っていれば！　と心底思う。ハサビスが提案していたアイデアは、じつに斬新でインパクトに富んでいた。それが証拠に、最近開かれたAIについてのセッションのタイトルは、「機械学習は新しい42なのか（42とは、ダグラス・アダムスの『銀河ヒッチハイク・ガイド』という作品に登場する、生命、宇宙、そして万物に関する究極の問いの答えとなる数である。オタク系の出席者にすれば、これは馴染みのある引喩だったのだろう。なにしろ出席者の多くがSFをむさぼり読んで成長していたはずだから）」とされていた。では、いったい何が新たなAI革命の火付け役となったのか。

端的にいえば、答えはデータである。あきれたことに、世界中のデータの九〇パーセントが、過去五年間に作り出されてきた。インターネットでは日々1エクサバイト（一〇〇京バイト）、大まかにいうと、保存用のDVDが二億五〇〇〇万枚必要な量のデータが生み出されている。今や人間は二日間で、文明の夜明けから二〇〇三年までに生み出したのと同じ量のデータを作り出しているのである。

このようなデータの洪水が大きな刺激となって、新たな機械学習の時代が到来した。それまでは、アルゴリズムがうろつき回って学習できるような環境は存在しなかった。せっかく子どもが生まれたのに、その子の五感への入力を遮断しているようなものだった。子どもを屋内に閉じ込めておくと、言語や基本的な技能が発達しなくなることがわかっている。これは、脳の側では学ぶ準備がきちんと整っているのに、脳が発達できるだけの刺激や経験に出会えないからなのだ。

この新たな革命にとってデータがきわめて重要であることから、多くの人がデータのことを「新たな石油」と呼ぶようになった。データにアクセスできるということは、二一世紀の油田を押さえているということなのだ。したがって、フェイスブックやツイッターやグーグルやアマゾンは俄然有利になるわけで、わたしたちは、自分のところにある石油を彼らにただでくれてやっていることになる。まあ、彼らが提供するサービスと自分のデータを交換しているのであって、正確にはただだとはいえないが。渋滞情報などをシェアできるWazeというカーナビアプリを使って車を運転するということは、自分の位置情報を差し出して、その見返りに目的地までのもっとも効率的な経路を得る、という取引に乗ったということだ。ところがやっかいなことに、このようなやりとりに気づいている人はほとんどおらず、ほぼ見返りもなしに貴重なデータを差し出している。

機械学習の核には、自分が間違えたときに新たに発すべき問いを生み出せるアルゴリズムを作ることができる、という着想がある。アルゴリズムが間違いから学ぶのだ。間違いに基づいて方程式を微調整し、次回は別の動きをして同じ間違いを犯さないようにする。だからこそ、データへのアクセスが重要なのであって、訓練に使える例が多ければ多いほど、これらの賢いアルゴリズムは経験を積むことができ、微調整が重ねられ、どんどん向上していく。要するにプログラマは、出会ったデータに基づいて新たなアルゴリズムを作り出すメタ・アルゴリズムを作っているのである。

ＡＩの分野の人々は、この新たなアプローチが有効であるという事実にショックを受けた。なぜなら一つには、その裏にある技術がそれほど新しくなかったからだ。このタイプのアルゴリズムは、一つの結論に達するうえで役に立つ質問の層を積み重ねた形になっている。それらの層をニューラル・ネットワークと呼ぶことがあるのは、人間の脳の働きを真似ているからだ。脳の構造を見てみると、ニューロンは他のニューロンとシナプスで繋がっている。そしてそれらのニューロンの集まりが、感覚器官からのデータ入力（たとえば、焼きたてのパンの匂い）によって発火する。さらに、入力がある閾値《しきいち》を超えると、二次ニューロンが発火する（たとえば、パンを食べるという決定）。二次ニューロンは、入力データによってたとえば自分と繋がる一〇個のニューロンが発火すれば発火するが、それより少ないと発火しない。発火のきっかけは、ほかのニューロンから入ってくる信号の強さによっても左右される。

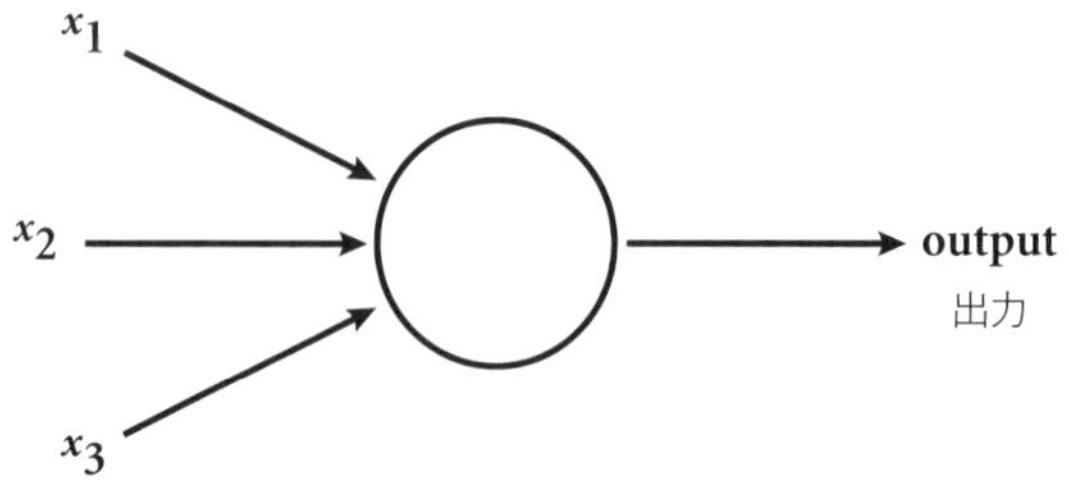

計算機科学者たちは一九五〇年代にはすでに人工的にこのような過程を作り出して、パーセプトロンと名付けていた。各ニューロンは入力を受ける論理ゲートのようなもので、計算に応じて発火するか否かを決めるというのだ。

今、パーセプトロンが三つの数を入力として受け取ったとする。このときパーセプトロンは、それぞれの数の重要性を計る。たとえば上の図で、x_1はx_2、x_3の三倍重要かもしれない。その場合、パーセプトロンは$3x_1+x_2+x_3$を計算して、その値がある閾値に達するかどうかで、ある出力を発するかどうかを決める。機械学習の決め手となるのは、答えが間違っていた場合の入力の測り直しで、たとえばその意志決定ではx_3のほうがx_2より重要なのかもしれず、そのときは、方程式を$3x_1+x_2+2x_3$に変える。あるいは活性化のレベルを微調整するだけですむかもしれず、その場合はパーセプトロンを発火させるための閾値を上げたり下げたりする。さらにまた、その関数が閾値をどれだけ超えたのか、超えた量に比例して発火するパーセプトロンを作ることもできる。そしてその出力を、データを評価する際の自信の尺度にすることもできるのだ。

ここで、みなさんが今晩出かけるか否かを決めるパーセプトロンを考えてみよう。そのパーセプトロンが発火するかどうかは、以下の三つによって決まる。（1）テレビで何か面白い番組があるかどうか、（2）友達が出かけるかどうか、（3）何曜日の夜なのか。自分の好みの程度を示すために、これらすべての変数に〇から一〇までの点数を付与する。たとえば、月曜日は一点、金曜日は

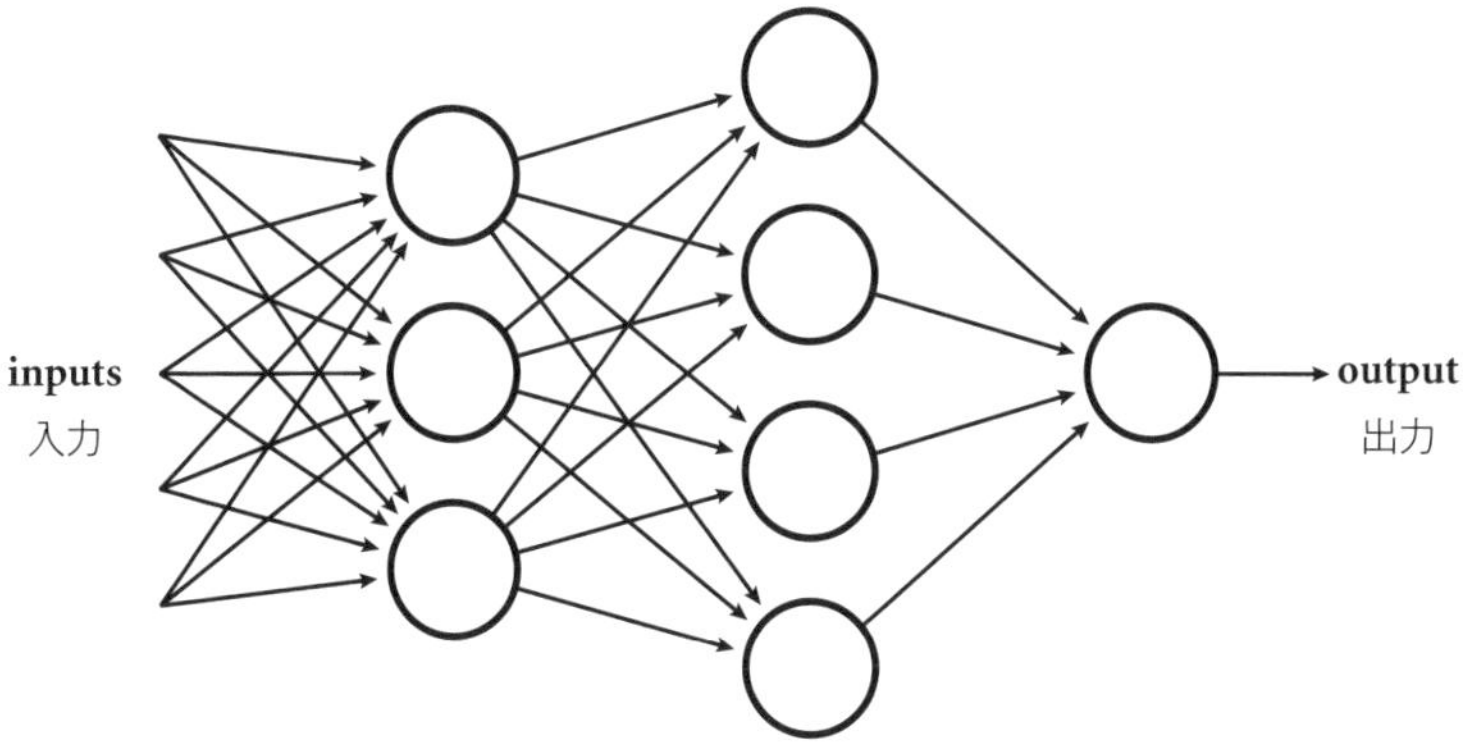

一〇点というふうに。その人の好みによっては、ほかの変数より比重が高いものがあるかもしれない。ひょっとするとみなさんはどちらかというと室内派で、テレビでそこそこの番組をやっていれば、そのまま家に留まろうとするかもしれない。これはつまり、x_1という変数の重みが大きいということだ。この方程式の場合には、重み付けと閾値の値をうまく調整して、みなさんの振る舞いを真似られるかどうかがポイントになる。

　脳がたくさんのニューロンの鎖で構成されているように、パーセプトロンの層も何枚も重ねることができて、ノードに何らかの誘因が加わるとネットワーク全体に徐々に連鎖反応《カスケード》が生じる。これを、ニューラル・ネットワークという。実際には、シグモイド・ニューロンと呼ばれる少し精妙なパーセプトロンがあって、それによってこれらのニューロンの振る舞いが滑らかになり、単なるオン・オフのスイッチではなくなるのである。

　計算機科学者たちが人工的にニューロンを作る方法をすでに理解していたにもかかわらず、どうしてそれらを効率よく機能させるのにこれほど時間がかかったのか。というわけで、わたしたちは再びデータに戻ることになる。パーセプトロンが学習して進化するにはデータが必要で、この二つがあってはじめて効率的なアルゴリズムを作り出すことができるのだ。

重みと閾値を割り振って、いつ出かけるべきかを決定するようにパーセプトロンをプログラムしようとすることまではできた。しかしそのパーセプトロンを正しく機能させるには、わたしたちの実際の振る舞いに基づく訓練が必要だった。このタイプのアルゴリズムは、わたしたちの振る舞いを予測し損ねるたびに、そこから学び、重み付けを変えていくのである。

見るか、見ないか

AIにとって、コンピュータ・ビジョン（コンピュータによる人間のような視覚データの解釈と理解）は常に大きなハードルの一つだった。五年前のコンピュータには、自分が何を見ているのかまるで理解できなかった。視覚による認識は、人間の脳がシリコン製のライバルを完全に凌駕する領域の一つなのだ。わたしたちは画像を素早くさっと見るだけで、それが何の画像なのかを述べられるし、その画像にどんな領域があるのかを分類できる。コンピュータは何百万もの画素を分析できたが、プログラマたちは、それらのデータをすべて取り込んで意味を与えるアルゴリズムを書くことがきわめて困難なのに気がついた。いったいどうすれば、猫を猫と判別できるトップダウン式のアルゴリズムを作ることができるのか。各画像の画素はまったく異なる配置になっているのに、それでも人間の脳にはすばらしい能力があって、これらのデータを合成して入力を統合し、「猫」という答えを出すことができる。

人間の脳のこのような画像認識の能力は、銀行のセキュリティをさらに厳重にする際に、あるいはみなさんがオンラインでチケットをかっさらうロボットでないことを確認する際に使われてきた。

早い話がみなさんは、逆チューリング・テストに合格しなければならないのだ。画像や奇妙な手書き文字を見せられたときに、人間は易々とその画像や文字が何なのかを指摘できるが、コンピュータはすべての変種に対処できなかった。ところが、機械学習がすべてを変えた。

今やこれらのアルゴリズムは、たくさんの猫の画像をデータとした訓練を通して、じょじょに問いの階層を構築し、それらの問いを用いて(高い精度で)その画像が猫だと判別する。ただしこのタイプのアルゴリズムは、前の章で見てきたアルゴリズムとは少し違って、優れたアルゴリズムの四つの条件のうちの一つに背いている。つまり、常に一〇〇パーセント機能するわけではないのだ。ただし、ほとんどの場合に機能する。ポイントは、この「ほとんど」を可能な限り大きくするところにある。間違いゼロの決定論的アルゴリズムから確率的なアルゴリズムへのこの動きは、業界で働く人々にとって、重要な精神のシフトだった。数学者の考え方から工学者の考え方への移行、といえるのかもしれない。

それはさておき、最新のコンサートのチケットを買おうとしたときに、なぜ自分が人間であることを証明するために画像の切れ端を確認せよといわれるのか、といぶかる方もおいでだろう。実はそのときみなさんは、アルゴリズムを訓練するためのデータ準備を助けている。みなさんが提供したデータはアルゴリズムに入力され、アルゴリズムはそれを使って、みなさん自身が苦もなくやってのけることを習得しようとする。アルゴリズムには、ラベルをつけられたデータが必要なのだ。つまりわたしたちは、実はアルゴリズムの視覚認識を訓練しているのである。

アルゴリズムはそれらの訓練用データを使って、猫と猫でないものを区別するために発すべきいちばん良いタイプの質問を学習する。間違えるたびにアルゴリズムが変わり、次は正しく答えられるようになる。つまり、現行のアルゴリズムのパラメータを変えたり、画像をより正確に判別するための新たな特徴を取り入れたりするのだ。プログラマがあらかじめすべての問いを考えておいて、トップダウンでこのように変化しろ、と伝えるわけではなく、アルゴリズム自体がさまざまなデータと相互に作用して、ボトムアップで自分を作っていく。

わたしがこのボトムアップの学習過程の進行を目の当たりにしたのは、ケンブリッジにあるマイクロソフトの研究所に立ち寄ったときのことだった。うちにあるXboxが、なぜ子どもたちがそのカメラの前で動き回りながら行っていることを確認できるのかが知りたかったのだ。そのアルゴリズムは、手と頭、足と肘を区別するように作られていた。Xboxにはキネクトという奥行きを探知するカメラが装着されていて、赤外線技術を使って障害物とカメラとの距離を測る。みなさんが居間でカメラの前に立つと、カメラはみなさんの体が部屋の後ろの壁より近くにあることを感知する。さらに、みなさんの体の輪郭を捉えることもできる。

そうはいっても人間は大きさも形もさまざまだし、特にXboxで遊ぶ人は奇妙な姿勢を取ることがある。コンピュータにすれば、計三一の人間の身体部位、たとえば左の膝と右の肩を区別するのは難しい。ところがマイクロソフトのアルゴリズムは、たった一枚の静止画像でこの二つを判別することができる。ということは、動き方で判断しているわけではないのだ。(動きを判断材料にするには、分析のための処理能力がさらに必要となり、ゲームのスピードが落ちる)

では、どうやって判別しているのか。コンピュータは各画像の各画素に対して、それが三一ある身体部位のいずれに属するのかを判断しなければならない。このときアルゴリズムは、本質的に「二〇の質問」というゲームを行う。実は、「二〇の質問」で必ず正解が得られるようなずるいアルゴリズムを書くことができるのだ。まず、「その言葉は辞書の前半分にありますか、後ろ半分にありますか」と尋ねる。それからさらに、「その言葉は、先ほどあなたが答えた半分のなかの前半分にありますか、後ろ半分にありますか」と尋ねて範囲を狭める。この戦略に従って二〇回質問をすると、辞書は2^{20}個に分割される。ここで明らかになるのが倍々の威力で、2の二〇乗は一〇〇万を超えて、オクスフォード英語辞典の項目数である約三〇万よりはるかに大きい。

それにしても、その画素がどの身体部位に属するかを判断するには、どのような問いを発すればよいのだろう。この問題を解こうとすると、昔はいくつもの賢い質問をひねり出さねばならなかった。だが、コンピュータ自身がよりよい質問を見つけるようにプログラムしたらどうだろう。データ、つまり画像とどんどん相互に作用することで、アルゴリズム自身がいちばんうまくいきそうないくつかの問いを見つける。これが、機械学習の機能なのだ。

それには、件の問題を解くための質問候補から出発する必要があるから、これはまったくの白紙からの学習ではない。学習の学習たるゆえんは、わたしたちの着想をさらに磨き上げて、効率的な戦略にしていくからなのだ。では、みなさんの腕と頭のてっぺんを区別するのに使えそうな問いとはどのような問いなのか。

今、自分たちが正体を突き止めようとしている画素をXと呼ぶことにしよう。コンピュータは、各画素の奥行きというか、その画素がカメラからどれくらい離れているのかを知っている。マイクロソフト社のチームがひねり出した賢い戦略によると、この場合は、その画素を取り巻く画素について問えばよい。たとえばXが頭のてっぺんの画素なら、画素Xの北側（ウェブ制作では、上下左右の方向を方位に対応させて表わす）の画素は体に載っておらず、より奥行きがある可能性が高い。Xの南隣の画素は顔の画素だから、同じくらいの奥行きであるはずだ。しかしその画素が腕の一部で、しかもその腕が伸ばされていると、その腕に沿った一本の軸があって、その軸に沿った奥行きはあまり変わらないが、その軸と九〇度をなす方向に進むと、すぐに体表をはみ出して、後ろの壁になってしまう。このように周りの画素の奥行きを尋ねていくと、その画素がどの身体部位に属するのかが少しずつわかってくる。

こうやって質問を積み重ねていく作業を、デシジョンツリーを作っていると見なすこともできて、一連の質問のひとつひとつが、ツリーのさらなる枝を作り出す。アルゴリズムはまず、適当にいくつかの進むべき方向を選び、奥行きの閾値も適当に選ぶ。たとえば北に向かうことにして、奥行きの差が閾値のyより小さければデシジョンツリーの左の枝に、大きければ右に行くことにする、といった具合だ。こちらとしては、新たな情報が得られるような質問を見つけたい。ランダムな質問の集合から始めて、それらの質問をラベリングされた一万の画像に適用すると、どこかに向かいはじめる。（たとえば、画像872のXという画素は肘であることがわかり、画像3339のXは左足の一部であることがわかる）あるいはそれぞれの枝、つまり各身体部位のひとつひとつが入れ物になっていると考えることもできる。こちらとしては、Xという画素が肘であるような画像がすべて確実に一つの入れ物に入るような質問がほしい。最初のランダムな質問の集合を使っても、そんなことは起こりそうにない。ところがアルゴリズムはだんだんに角度や奥行きの閾値を練り上げて、やがて各入れ物にうまく画素を振り分けられるようになる。

この手順を繰り返すことによって、画素をうまく判別できる方向に向かってさまざまな値を変えていく。ここでぜひ思い出してほしいのだが、わたしたちは完全を求めているわけではない。入れ物に入った一〇〇〇枚のうちの九九〇枚でXという画素が肘なら、アルゴリズムは九九パーセントの事例で正しい特徴を確認したことになる。

アルゴリズムが最適な質問を見つけるころには、アルゴリズムがどうやってその結論にたどり着いたのか、プログラマには皆目見当がつかなくなっている。ツリーのなかにはプログラマが見られない点は一つもなく、その前後の問いも見ることができるのだが、発せられる質問の数がツリー全体では一〇〇万を超えていて、しかもそれが少しずつ違っている。そのため、最終的にアルゴリズムがデシジョンツリーのこの時点でなぜこの質問をすることにしたのかを解明し、再構成することは難しい。

ここで、人間の手でこれと同じようなものをプログラムすることを考えてみよう。その場合、まず一〇〇万の質問をひねり出す必要がある。そう考えただけで、どんなに勇敢なプログラマでも心が折れるはずだ。ところがコンピュータは、このレベルの量を嬉々として処理していく。しかも呆れたことに、これが実にうまく機能する。プログラミング・チームにある程度の創造性があればこそ、近隣の画素の奥行きを問うだけで自分が見ているのがどの身体部位なのかを特定できる、というアイデアが生まれるわけだが、そこさえクリアできれば、その先は機械の創造性に任すことができるのだ。

機械学習の課題のひとつに、「過剰適合」がある。訓練用のデータを使ってある画像の識別をさせるのに十分な数の質問をひねり出すことは、常に可能である。だがこちらとしては、訓練用のデータに適応しすぎていないプログラムがほしい。そのデータから、さらに広く適用できることを学んでほしいのだ。たとえば、市民を確認するためにいくつかの質問を作ろうとしていて、一〇〇〇名の市民の名前とパスポート番号が与えられているとしよう。このときに、「あなたのパスポート番号は834765489ですか?」とたずねることもできる。「ということは、あなたはエイダ・ラブレイスですね」このやり方は明らかに、手元にあるデータには使えても、そのほかのすべての人で破綻する。なぜならその一〇〇〇人に含まれない市民のなかには、そのパスポート番号に該当する人物がいないから。

グラフ上に点が一〇個与えられたときに、これらすべての点を通る曲線を表す方程式を作ること

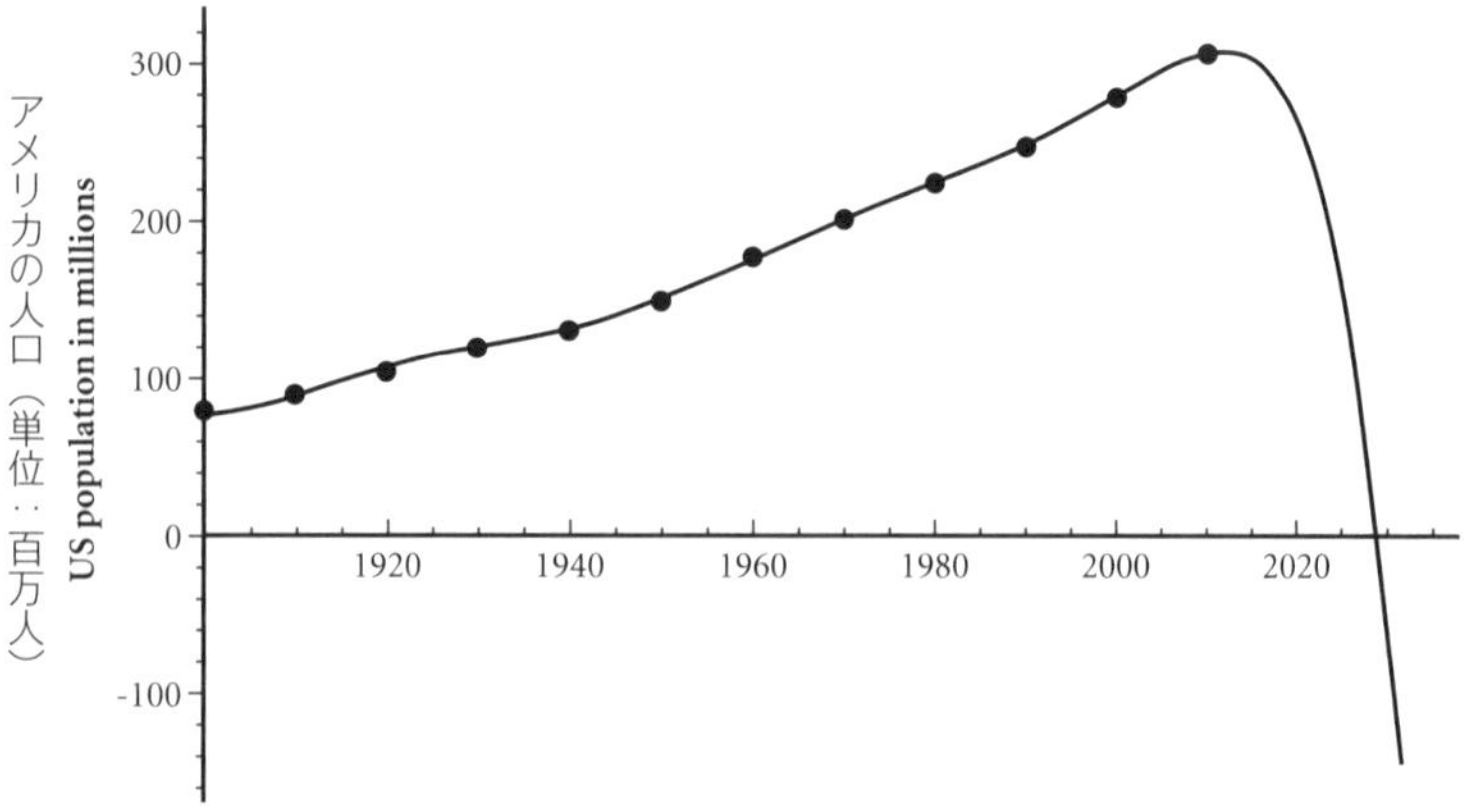

ができる。それには一〇の項からなる方程式があればよい。ところがこの場合も、それによってデータの裏に潜んでいるパターンが明らかになったとはいえず、新たなデータ点を理解する際の役には立たない。このような過剰適合を避けるためにも、もっと項が少ない方程式がほしい。

　過剰適合が起きると、モデルの細部が過度にモデル化されてしまい、結果として全体の流れが見えなくなって、奇妙な予測をすることになりかねない。上に示すのは、アメリカの二〇世紀初頭からの人口の値を記した一二個のデータ点のグラフである。ここに現れている人口の全体的な傾向は、二次方程式でもっともよく記述されるのだが、今、x^2ではなくもっと次数の高い方程式を使うとどうなるのか。実は、xの一一乗までの冪《べき》を含む方程式で、このデータにひじょうによく合致するものがある。ところがその方程式を未来に向かって延ばしていくと、人口が急激に減り始め、二〇二八年の一〇月中旬にはゼロになる、という予測が得られるのだ。それともひょっとすると数学は、わたしたちが知らない秘密を知っているのだろうか！

アルゴリズムの幻覚

ここ五年のコンピュータ・ビジョンの進展には、誰もがびっくりしている。しかもこの新たなアルゴリズムが対処できる対象は、人間の身体だけではない。人間の知性と互角に勝負できると主張するコンピュータにとって、視覚イメージを解読する人間の脳の力に太刀打ちすることは、これまでひじょうに高いハードルだった。デジタルカメラは、人間の脳の貯蔵能力をはるかに超える細かさで画像を捉えることができる。しかし、だからといって何百万もの画素をまとまった一つの物語に変えられるわけではない。脳がデータを処理統合して物語にする方法は、未だにわたしたちの理解を超えていて、ましてやわたしたちのシリコン製の友のなかにその様子を再現することは、とうてい不可能なのだ。

ひとはなぜ、感覚器官を通して入ってきた情報を受容して凝縮し、統合された経験にすることができるのか。わたしたちは、赤いサイコロの赤という色と四角という形を別々のものとして経験するわけではない。それらが融合して一つの経験になっているわけだが、この融合を再現することは、コンピュータに画像を解釈させる際の大きな問題の一つだった。画像を一画素ずつ読んでいったとしても、全体の図に関してわかることはあまりない。この事実をさらに直接的に説明するために、紙を一枚取ってきていただきたい。そこに小さな穴を開けて、A4版の顔の画像のうえに載せてみる。このとき、その穴をいくら動かしてみても、それが誰の顔なのかを言い当てることはまず不可能だ。

五年前の時点でも、この難題はあいかわらず解決不可能と考えられていた。だがそれも、機械学習が登場するまでのことだった。以前のコンピュータ・プログラマなら、視覚イメージを認識するトップダウン式のアルゴリズムを作ろうとしたはずだが、「もし……なら、……である」をたくさん集めてきて画像を特定させるという試みは、うまくいったためしがなかった。すべてを変えたのは、ボトムアップの戦略、アルゴリズム自体に訓練用データに基づく独自のデシジョンツリーを作らせるというやり方だった。そしてそれが可能になったのは、新たな素材――すなわちウェブ上のラベル付きの膨大な視覚データ――が登場したからだ。インスタグラムにアップされたコメント付きの画像、その一枚一枚がアルゴリズムの学習を加速するデータとなっている。

これらのアルゴリズムの力を試したい方は、グーグルのビジョン・ウェブサイト https://cloud.google.com/vision/ に画像をアップしてみていただきたい。去年、うちのクリスマス・ツリーの画像を一枚アップロードしたところ、九七パーセントの確かさで、今見ているのはクリスマス・ツリーの写真であるという答えが返ってきた。この程度のことは、べつに驚天動地でもなんでもないと思われるかもしれないが、じつはこれは、ひじょうに素晴らしいことなのだ。ただし、一〇〇パーセント確実とはいえない。興奮の第一波が去ると、今度は限界という名の揺り戻しがやってきた。たとえば現在ロンドン警視庁がオンラインの児童ポルノの画像を摘発するのに用いているアルゴリズムは、今のところ、砂漠の画像でひどく混乱する。

「砂漠の画像を見つけてきて、それが不謹慎なポルノだということがあります」デジタル電子機器科学捜査部のトップであるマーク・ストークスは、最近のインタビューでこの事実を認めている。「どういうわけか、スクリーンセイバーを砂漠の写真にしている人が多いのですが、それを肌の色だと思って拾ってくる」さらに砂丘の輪郭も、どうやらアルゴリズムが裸体の曲線的な部位と解釈する形と一致しているらしい。

コンピュータ・ビジョンをだまして、実は存在しないものを存在すると思わせる奇妙な方法が、さまざまな形で作られてきた。マサチューセッツ工科大学の院生と学部生からなる学生による独立AI研究グループ、ラブシックス（LabSix）は、視覚認識アルゴリズムを混乱させて、亀の三次元モデルがじつは銃だと思い込ませることに成功した。亀をどの角度で持とうと関係なく、亀がいるのが当然でとうてい銃があるとは思えない状況でも、結果は変わらなかった。

ラブシックスがアルゴリズムをどうやってだましたかというと、人間の目には亀の甲羅や皮膚にしか見えないが、実はライフルの画像から巧みに構成したテクスチャーを亀の画像にかぶせたのだ。ライフルの画像をじょじょに変化させて、最終的に人間の目ではライフルに見えないところまで持って行ったのだが、それでもコンピュータは、混乱しながらもやはりライフルに関する情報を認識し続けて、画像を分類させると、亀よりもその上にプリントされたライフルのほうを高く評価したのである。さらに、アルゴリズムをだまして、猫の画像をアボカドのペーストを使ったワカモーレという料理の一皿だと思わせることにも成功した。それにしても、どの角度の亀を見てもアルゴリズムが常にライフルだと思い込んだところが、このラブシックスの実験の成果といえよう。

このチームはもう一つ、犬の画像が一画素ずつ斜面にいる二人のスキーヤーに変わっていき、ついに犬が画面から完全に消えてしまっても、アルゴリズムは相変わらずその画像を犬に分類するということを示してみせた。この改竄は、その際に用いられたアルゴリズムがチームにとって完璧なブラックボックスだったために、さらに印象的だった。アルゴリズムの画像解読方法はまったくわからず、それでもアルゴリズムをだますことができたのだ。

グーグルの研究者たちはさらに一歩前進して、アルゴリズムの注意を極端に強く引きつける画像を作ってみせた。その画像を含んだ画面を示されると、アルゴリズムがその画面のほかのすべての要素を無視してしまうのだが、これには、アルゴリズムが画像を分類する際にまず重要と見なした画素を優先させる、という事実がうまく使われていた。たとえば、アルゴリズムが顔を認識しようとするときには、空や草や木といった背景の画素のほとんどが無視される。グーグルのチームはまた、アルゴリズムを完全に乗っ取るようなサイケデリックな色の断片を作りあげた。このサイケデリックなパッチが現れると、そのとたんに、ふだんはバナナの絵を認識しているアルゴリズムの視界から、バナナが消えてしまう。あるいはこれらのパッチを好き勝手な画像として――たとえばトースターの画像として――登録することができて、そうなるとそのアルゴリズムは、問題のパッチが示されたとたんに、それがどんな絵であろうと、自分はトースターを見ていると認識する。どことなく、ボールにすっかり気を取られた犬の意識から他のすべてが消えて、ボールしか見えなくなり、考えられなくなるのに似ているようでもある。従来のアルゴリズムへの攻撃のほとんどが、分類を間違えさせたい画像に関する事前情報を必要としていたのに対して、この新たなパッチには、邪魔したい画像のいかんにかかわらず機能するという利点がある。

人間はこのような改竄に引っかからないが、かといって、同じような現象に免疫があるともいいきれない。手品師は、視界に存在するもののせいで気が散って、並行して行われていることを見過ごす、という脳の傾向をうまく利用する。その古典的な例に、二つのバスケットボール・チームがパスをしている様子を撮影したビデオがある。ビデオを見ている最中に、片方のチームのパスの数を数えるよういわれて、ボールの動きに集中しはじめると、ほとんどの人は、胸を叩きながら選手の間を歩き回ってから立ち去るゴリラの着ぐるみを着た男の姿を完全に見落とす。これまでに紹介したコンピュータ・ビジョンへの攻撃は、単にアルゴリズムの盲点をあぶり出しているだけのことで、わたしたち人間にも盲点はたくさんある。

自動運転の車が視覚アルゴリズムを使って走ることを思えば、このような形でアルゴリズムを攻撃できるというのは明らかに大問題だ。サイケデリックなステッカーを貼った「停止」の表示や、銃を亀と思い込むアルゴリズムを用いたセキュリティ・システムを想像してみていただきたい。

わたし自身は、奇妙な姿勢を取って、キネクトのアルゴリズムを混乱させられるかどうか試してみた。ところが、相手はそう簡単にはだまされなかった。アルゴリズムの訓練用データに入っていなかった妙なヨガのポーズをしてみせても、かなりの精度で身体部位を特定することができる。キネクトの場合は、目の前にある身体はまずもって劇的に新しいことをしないので、アルゴリズムはほぼ停止状態となり、それ以上進化しない。本来の目的を効率的に果たしている以上、変わり続けなくてよいのだ。しかし、なかには新たな知見や環境の変化に絶えず適応し続けなければならないアルゴリズムもある。わたしたちが見たがりそうな映画や読みたがりそうな本、聴きたがりそうな音楽をお勧めするアルゴリズムは、わたしたちの好みの変遷やヒューマン・コードが生み出す新たな創造的出力の奔流に素早く対応する必要がある。

こうなると、学び続けて新たなデータに適合するように変化していくアルゴリズムの本領発揮となる。機械学習は、人間のように変化して成熟するアルゴリズムへの展望を開いたのだ。

第六章　アルゴリズムの進化

知識は真理だけでなく、
失敗にも支えられている。
カール・ユング

今日のアルゴリズムは、絶えず学習し続けている。これは特に、人が見たり読んだり聴いたりするものをお勧めするレコメンド・アルゴリズムについていえることで、これらのアルゴリズムは、新たなユーザーがアクセスして自分の好みを伝えるたびに、新たなデータを得てそこから学び、それに基づいて次のユーザーのためのお勧め《レコメンド》をさらに練り上げる。このタイプのアルゴリズムが自分の嗜好をどれくらい知りうるものなのか、ぜひ知りたいと思ったわたしは、ケンブリッジのマイクロソフト研究所でXboxに装備されているキネクトのアルゴリズムをチェックするついでに、ある同僚のところに立ち寄って、レコメンド・アルゴリズムが学習している様子をリアルタイムで見せてもらうことにした。

わたしが示されたグラフィック・インターフェースの画面には、約二〇〇の映画がランダムに配置されていた。そしてわたしは、好きな映画があったらスクリーンの右側にドラッグしてほしい、といわれた。たしかに、わたしの好きな映画がいくつかある。映画監督のウェス・アンダーソンの大ファンであるわたしは、「天才マックスの世界」を右のほうにドラッグした。するとすぐに、画面上の映画が勝手に位置を変え始めた。右に動いた映画が数本。つまりアルゴリズムは、それらの映画がわたしの気に入るだろう、と判断したわけだ。わたしが好きそうでない映画は左に移動する。映画を一本選んだくらいではたいしたことは起きず、ほとんどの映画は宙ぶらりんのままで真ん中あたりに留まっていた。

やがてわたしは、大嫌いな映画があるのに気がついた。「オースティン・パワーズ」はじつにうっとうしい映画だと思っていたので、それを左側のゴミに加えた。するとまたしてもプログラムが作動し、映画が左右に行ったり来たりしはじめた。どうやらアルゴリズムは、自分の助言に自信を持ち始めたようだった。ウディ・アレンの「マンハッタン」がわたし好みだと判断されていたので、さらにそれを追認してみたが、さして影響はなかった。ところがそこで、自分が「スパイナル・タップ」のファンだと思われていることに気がついた。この映画が、かなり右に寄っていたのだ。しかしわたしはその映画に我慢がならなかったので、それをスクリーンの右から左側のゴミの山に移した。

アルゴリズムにすれば「スパイナル・タップ」が好きだろうと思っていたのに、そうではないといわれたのだから、学ぶことはたくさんある。そこでこの新たな情報を考慮するために、スクリーン上の映画が激しく動き始めた。しかもその時点で、アルゴリズムの背後の仕組みにさらに微妙な何かが生じた。わたしが与えたデータから、何か新しいことを学んだのだ。その新しい知見に基づいて、レコメンド・モデルのパラメータが少しだけ変わった。わたしが「スパイナル・タップ」を好む確率を高く見積もり過ぎていたので、パラメータを変えてその確率を下げたのだ。すでにウェス・アンダーソンや「マンハッタン」のファンからの情報で、そういう人はこの映画も好む場合が多いということを学んでいたが、それが決して普遍的な事実でないことに気づいたのである。

このように人間と動的なアルゴリズムがやりとりすることによって、機械は絶えず学習し続け、こちらの好き嫌いに適合していく。このタイプのアルゴリズムは、映画から音楽、本からパートナー候補まで、わたしたちが日々の生活で行う無数の選択に関わっている。

「あなたがこれをお好きでしたら……」

映画のレコメンド・アルゴリズムの基本となっているアイデアは、ごく単純だ。誰かがA、B、Cという映画が好きで、他のユーザーもそれらが好きで、さらに彼らがDという映画を好きであれば、その誰かもDという映画を好きである可能性が高い。むろん実際のデータはもっとずっと複雑で、このような単純なマッチングにはならない。A、B、Cを好ましく思ったのは特定の俳優が出演していたからで、その人物がDには出演していないという場合もあるだろうし、他のユーザーがA、B、Cを好んだのは、すべてスパイもののスリラーだったからなのかもしれない。

アルゴリズムはデータを見て、その人がなぜ特定の映画を好むのかを理解できなければならない。そのうえで、その人の好みと同じ特徴を選んだユーザーとその人を引き比べる。ほぼすべての機械学習でいえることだが、この場合も大量の良いデータから始める必要がある。機械学習を成功させるための重要な要素として、人間がデータを分類して、コンピュータに自分が何を見ているのかがわかるようにしてやる必要があるのだ。そうやってデータを収集整理することであらかじめ場が整備されて、アルゴリズムがそこに潜むパターンを拾えるようになる。

映画のデータベースであれば、誰かに映画をざっと見てもらって、たとえばロマンチックコメディーやSFや、あるいは特定の俳優や監督の映画といった重要な特徴を拾ってもらうこともできる。

しかしこのようなやり方は、決して理想的とはいえない。そもそも時間がかかるし、分類する人の偏りが入り込む恐れがあって、けっきょくはコンピュータにすでに自分たちが知っていることを教えこむことになってしまい、その裏に潜む新しい流れを見つけることができなくなる。つまり、アルゴリズムに特定の人物のデータの見方を押しつけることになってしまうのだ。アルゴリズムが純粋な生データから自分でパターンを学習し、拾えるように訓練するのがいちばんよい。

二〇〇六年にネットフリックスがその名を冠した賞を立ち上げた狙いは、そこにあった。ユーザーを好みの映画に導く自前のアルゴリズムはすでに開発済みだったが、コンペという刺激を加味すれば、さらに優れたアルゴリズムが見つかるかもしれない、と考えたのだ。その時点で、ネットフリックスには膨大なデータが集まっていた。映画を見たユーザーたちが、一から五までの尺度でその映画を等級付けしていたのである。そこでネットフリックスは、四八〇、一八九人の匿名の顧客による一七、七七〇本の映画の評価、のべ一〇〇、四八〇、五〇七件の等級付けを公表することにした。ただし一七、七七〇本の映画のタイトルは伏せられて番号だけが振られていたので、課題はさらに難しくなった。2666番の映画が「ブレードランナー」なのか「アニーホール」なのか、まったくわからない。入手できるのは四八〇、一八九人いる顧客のうちの誰かがその番号の映画に与えた等級だけで、そもそも「ブレードランナー」が等級付けの対象になっているのかどうかもはっきりしなかった。

ネットフリックスの手元には、公にした約一億件の等級付けとは別に、非公開の二、八一七、一三一件の等級付けが残っていた。これら二、八一七、一三一件のレコメンドがどうなっているのかを予測し、その成績がネットフリックスの自前のアルゴリズムを一〇パーセント上回るようなアルゴリズムを作ること。これがコンペの課題だった。つまり、公開されたデータに基づいて、234

654番のユーザーが2666番の映画をどう等級付けするかを予測するのだ。この課題にさらに彩りを添えるために、最初に一〇パーセント上回ったチームのために、一〇〇万ドルの賞金が用意された。これにはさらに仕掛けがあって、勝ったチームはアルゴリズムを公開し、そのアルゴリズムを用いてユーザーに映画をレコメンドするための包括的なライセンスをネットフリックスに与えることになっていた。

一〇〇万ドルの賞金に至るまでに、いくつかの中間的な賞金が提供された。毎年、過去最高の成績を収めたチームが五万ドルの賞金を手にする。ただし、前年の中間勝者の結果を少なくとも一パーセントは上回っていなくてはならない。この場合も、賞金を請求するには自分のアルゴリズムの基になっているコードを明らかにする必要があった。

2666番の映画がSFか喜劇かもわからないのでは、データから情報を得ることはほとんど不可能だと思われるかもしれないが、生のデータはじつに多くのことを語ってくれる。まず、各ユーザーをひとつの映画につき一次元、計一七、七七〇次元の空間の点と考える。ただしこれらの点は、ユーザーがある映画を高く評価すると、ある特定の方向に移動する。しかし数学者ならいざ知らず、ユーザーを一七、七七〇次元の空間の点と考えるなんて、ひどく現実離れしているように思える。ところがこれは、ユーザーを三つの映画の等級付けに基づいてグラフで図示するやり方を延長したものでしかない。

今、1番の映画が「ライオン・キング」で、2番が「シャイニング」、3番が「マンハッタン」だとしよう。このとき、x軸の目盛りで1番の映画の好み、y軸の目盛りで2番の映画の好み、z軸の目盛りで3番の映画の好みを表すことにすると、たとえばこれら三つの映画を順に一つ星、四つ星、五つ星と評価したユーザーを、3次元格子の上の（1, 4, 5）という場所に置くことができる。

一七、七七〇次元の空間に位置するユーザーを図で表すことはできないが、数学を使えば、この空間にすべてのユーザーの位置をプロットすることもできる。同様に、一本の映画を四八〇、一八九次元空間の一点と見なすこともできる。ただしこの空間の点は、ユーザーがその映画を高く評価すると、それに応じてある方向に移動する。これだけでは、膨大な次元の空間に広がるすべての点からパターンを読み取るのは難しい。そこでアルゴリズムをうまく使ってその空間をつぶし、より小さな次元に持ち込んで、これらの点から何らかのパターンが浮かび出るようにする。

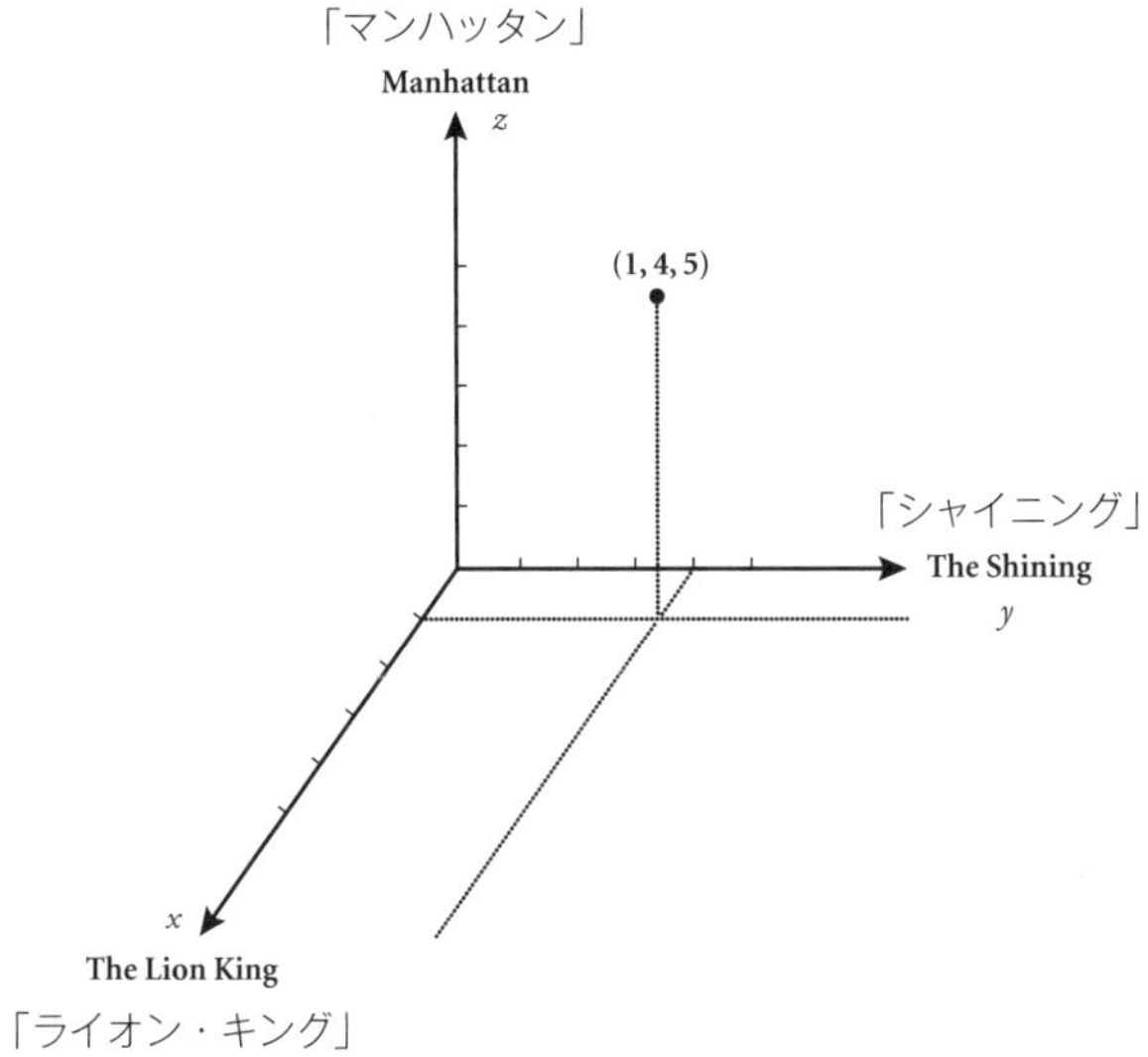

　これはちょうど、立体の影を見るようなもので、たとえば人の頭の影はさまざまな形になって、なかには本人に関する情報を特に多くもたらすものがある。実際、ヒッチコックの横顔の輪郭を見るとすぐに誰だかわかるが、真正面で輝くたいまつが作り出す影からは、ほとんど何もわからないといった違いがある。ここでは、いってみれば映画やユーザーを顔のうえの点と見なすわけで、そうすると、ある角度から光を当てたときの影ではこれらの点がずらりと整列するが、別の角度から光を

当てるとまったくパターンが見えなくなる。

ひょっとするとこれらの空間の二次元の影を上手に取りさえすれば、ユーザーと映画をその影にうまく落とし込むことができて、しかもユーザーとその人が好みそうな映画が隣り合わせになるようにできるかもしれない。それには、映画とユーザーの隠れた特徴を浮き彫りにする正しい影を見つける必要がある。左に示したのは、ネットフリックスのデータにある一〇〇名のユーザーと五〇〇本の映画から作られたそのような影の一例である。これがなぜ適切な影といえるかというと、測ろうとしている二つの特徴をはっきり識別できるからで、点が全体に散らばっていないことからも、それがわかる。この影は、データのなかのあるパターンをうまく拾っているのだ。

プロットされている映画を実際に見てみると、上の右四分の一にドラマが集まり、下の左にアクションものが寄っていて、この影がわたしたちが映画の違いとして認めそうな特徴をうまく拾っていることがわかる。

二〇〇九年に最終的にネットフリックス賞を勝ち取ったチームが用いたのも、じつはこのようなアプローチだった。早い話が、ユーザーの映画の好みを予測する際に役立ち、しかも互いに独立な計二〇個の「映画の特徴」に対応する二〇次元の影を特定しようとしたのだ。コンピュータの力をもってすれば、多種多様な影をすべて浚って、データ構造を明らかにするのに最適なものを拾うこともできるが、人間の脳と目には、とうていそんなことは望めない。

問題のモデルが拾った特徴のなかには、たとえばアクションものとかドラマなどはっきりと識別できるものもあったが、面白いことに、そのほかの特徴ははるかに微妙で、明確なラベルを付けることができなかった。それでもコンピュータは、データに潜むある流れを拾っていた。

たぶんこれが、このような新たなアルゴリズムの面白いところなのだろう。これらのアルゴリズ

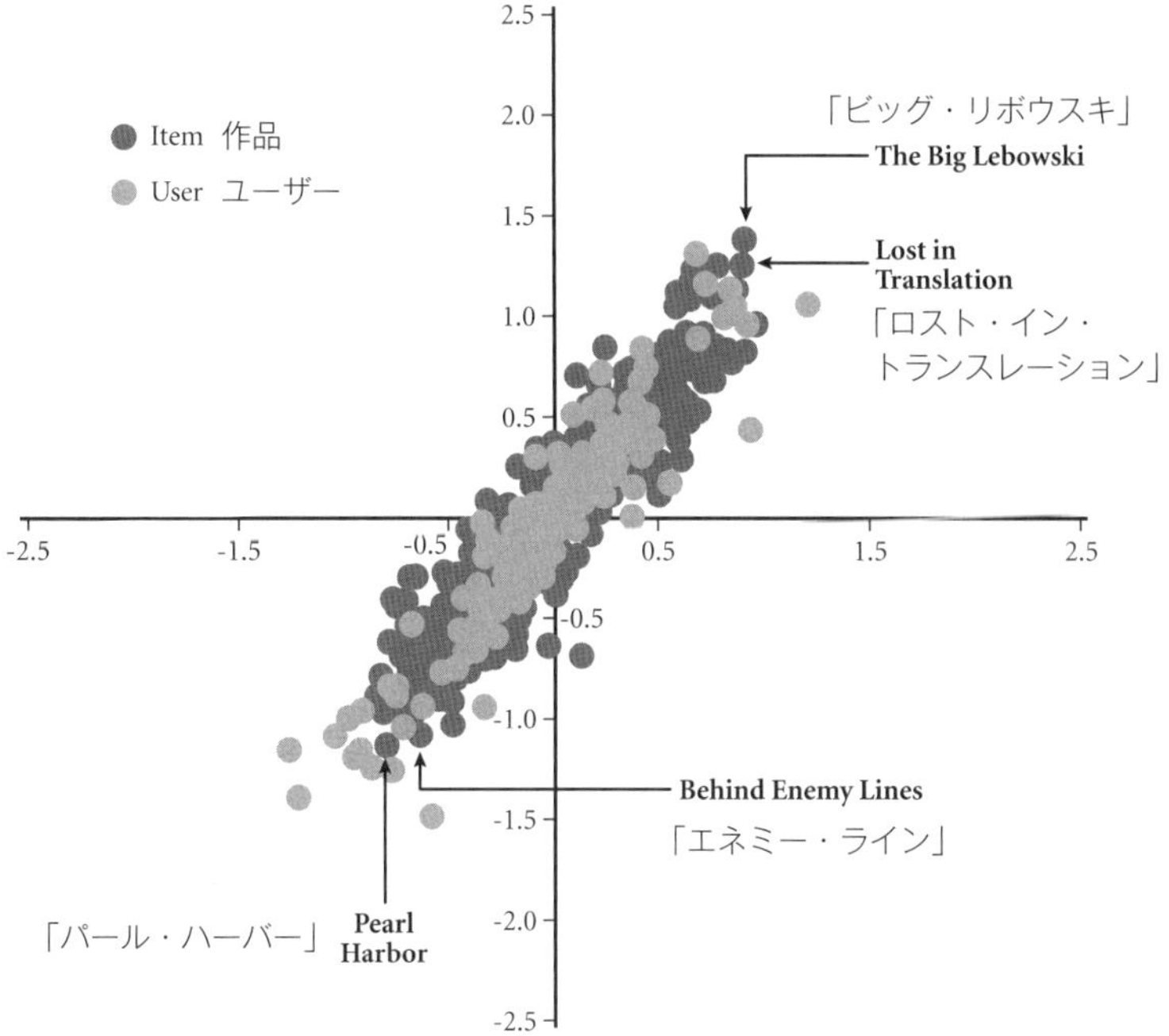

Item 作品
User ユーザー
「ビッグ・リボウスキ」
The Big Lebowski
Lost in Translation
「ロスト・イン・トランスレーション」
Behind Enemy Lines
「エネミー・ライン」
「パール・ハーバー」
Pearl Harbor
2.5
2.0
1.5
1.0
0.5
-0.5
-1.0
-1.5
-2.0
-2.5

ムが、わたしたち自身について何か新しいことを教えてくれる可能性があるのだ。ディープラーニングのアルゴリズムはある意味で、わたしたちを突き動かしているヒューマン・コードのなかの自分でもまだ言語化できていない特徴を拾っている。まるで、わたしたちには何色なのかがわからず、赤と青を区別する言葉すら持っていないのに、それでもアルゴリズムはわたしたちが表明する好き嫌いに基づいて、目の前のさまざまな対象を青と赤に対応する二つのグループに分けているようなものなのだ。ほんとうのところわたしたちには、なぜ自分がその映画を好むのかを表現することができない。なぜなら好みを決定するパラメータが多すぎるからで、人の好みを決めるヒューマン・コードは、隠れたままなのだ。コンピュータのコードは、わたしたちが直観はできても表現できない、それでいてわたしたちの好みに影響を与えている特徴を見極めているのである。

二〇〇九年六月二六日、「ベルコールズ・プラグマティック・カオス」というチームが、求められていた一〇パーセントという値を超えるアルゴリズムを提出した。スコアは一〇・〇五パーセント。ネットフリックスは秘密のデータを二等分していた。そのうちの片方は各チームのスコアを出すのに使い、残りの半分は最終的な勝者を判定するために取ってあった。一〇パーセントという値がクリアされた時点で、ほかのチームには、自分たちのスコアをさらに上げるために一ヶ月の猶予が与えられた。七月二五日に「アンサンブル」というチームが、スコアが一〇・〇九パーセントのアルゴリズムを提出した。ネットフリックスはその翌日に応募を締め切ったが、その時点で両チームはともに、アルゴリズムにさらに磨きをかけていた。ベルコールズ・プラグマティック・カオスのアルゴリズムは一〇・〇九パーセントまで伸びていたが、アンサンブルもじりじり前進して、一〇・一パーセントに達していた。賞は、残り半分のデータでベストスコアを出した者に贈られることになっていた。両チームのスコアはけっきょく同じだったが、ベルコールズ・プラグマティック・カオスのほうが二〇分早くアルゴリズムを提出していたので、一〇〇万ドルは彼らのものになった。

この最初の競争が成功したのを受けて、ネットフリックスはさらに革新的な着想を生み出すために、二回目のコンテストをしようとしたのだが、そこである問題にぶち当たった。使用されるデータは匿名であるはずで、実際ネットフリックスも、コンテストのサイトにデータのプライバシーに関する次のようなコメントを投稿していた。

顧客を特定できる情報はすべて取り除きました。残っているのは評価と日付だけです。これは、わたしたちのプライバシー・ポリシーに従った結果です。たとえみなさんがご自分自身の評価とその日付をすべてご存じだったとしても、公開されたデータから確信を持ってご自分を特定することはできないでしょう。なぜならそこにはごくわずかなサンプル（わたしたちの完全なデータセットの一〇分の一以下）しか含まれておらず、データはかき混ぜられているからです。むろん、みなさんはご自分の評価をすべてご存じなわけですから、じつはこれはプライバシーの問題ではありませんよね？

テキサス大学オースチン校の二人の研究者が実際にデータを取り込んで、インターネット・ムービー・データベースという別のサイトで映画を評価した人々と引き比べた結果、幾人かのユーザーを特定することに成功した。

二〇〇九年一二月一七日に、四人のユーザーがネットフリックスに対して訴訟を起こした。会社によるデータ配布はビデオ・プライバシー保護法に違反している、というのだ。あるユーザーは、自分はカミングアウトをしていないレズビアンで子どもがいるが、映画の嗜好に関するデータからこの事実を暴露される可能性があった、と述べている。映画の好みから性的指向や政治的傾向を推察できる可能性があることから、これは「ブロークバック・マウンテン要素」と呼ばれるようになった。結局、この争いの決着は法廷外でついたのだが、ネットフリックスは、第二回のコンテストを取りやめることにした。

データはたしかに新しい石油《オイル》だが、わたしたちはそのオイルをインターネット中にまき散らしている。このオイルを燃料とする未来へと向かうなか、データは誰のもので、そのデータで何ができるのかということは、この社会にとって大きな問題となるだろう。

あなたのアルゴリズムを訓練する方法

自分に向かって好みのものを教えるアルゴリズムなんて、なんだかぞっとしない、という方もおいでだろう。自分が好きそうでないと判断されたものがいっさい目に触れなくなるのは、ちょっと……と。わたし自身は、自分では見つけられそうにない新しい音楽を紹介してもらって、おおいに楽しんでいる。じつはわたしは、すぐマンネリに陥って同じ曲を延々と聴き続けるタイプで、そのため昔からラジオを聞くのが大好きだ。ところが今やアルゴリズムがミュージック・ライブラリのなかをあちこち引き回してくれるおかげで、自分好みの宝石を見つけることができる。はじめのうちは、これらのアルゴリズムが数多あるジャンルのうちの特定のものだけを誰彼構わず押しつけて、結果として他のジャンルにはほとんどリスナーがいなくなるのでは？　と不安だった。アルゴリズムのせいで好みが偏るのでは？　ところがこれらのアルゴリズムの裏に潜む数学は非線形でカオス的であることが多いので、そういうことは起こらない。みなさんの好みとわたしの好みがほんの少し違っているだけで、ミュージック・ライブラリの別の方向に連れて行かれるのだ。

わたしはジョギングをするときに、アルゴリズムが勧めるいろいろな音楽を聴くことにしている。なぜなら新しいものに接するのにうってつけな場面だから。ところが先日、ある大きなミスをした。数週間前に妻から、自分の誕生パーティー用のプレイリストを作るのを手伝ってくれといわれた。ダンスがしたいの、八〇年代の曲にしましょうよ。そこで、二人で二晩かけて妻の好きな曲を聴いていった。自分の好みとはいえなかったが、パーティーに招いた人が全員立ち上がって踊り出すような、素晴らしい歌のリストができた。問題が起きたのは、パーティー終了後、最初にランニングに出たときだった。アルゴリズムはわたしを、ミュージック・ライブラリの八〇年代ダンス・ミュージックだらけの部分に連れて行った。走りながらいくらスキップを押しても、出口が見つからない。ショスタコーヴィッチやメシアンの曲を使ってアルゴリズムを訓練しなおし、ようやく元通りになったのは、数週間後のことだった。

自分たちがアルゴリズムと相互作用しながら教育する場面としては、もう一つ、メールソフトの迷惑《スパム》メール・フィルターがある。まず、スパムの印がついているメールを含む膨大な量のeメールを使ってアルゴリズムを訓練する。ただしそれらのメールは、みなさん宛てとは限らない。するとアルゴリズムはこれらのeメールに登場している単語を分析し、迷惑メールのプロファイルを作り始める。「バイアグラ」という単語が入っているeメールは一〇〇パーセントの確率で迷惑メール、「借り換え」という単語が入っていれば九九パーセント、「お熱いロシア人」（出会い系のサイトに多いフレーズ）という単語の組み合わせが入っていれば一〇〇パーセント、といった具合だ。「糖尿病」という言葉が入っているメールの場合は、少々話がややこしくなる。糖尿病の治療に関する迷惑メールがたくさん出回っているようだが、その一方でこの単語が登場するまともなメールもあるからだ。訓練用のデータの場合、アルゴリズムは全体に占める迷惑メールの割合だけを問題にする。たぶん糖尿病という単語が登場するメールの二〇通に一通はまともなのだろう。ということで、糖尿病という単語が含まれるメールは九五パーセント迷惑メールということになる。

さらに、みなさんのメールフィルターをいじって、フィルタリングのレベルを変えることもできる。はじめは、迷惑メールであることが九五パーセント確実なときにだけ、迷惑メール・フォルダに入ることになっているとしよう。ところがここですばらしいことが起きる。大量の一般的なメールを用いて訓練されたアルゴリズムが、みなさんの行動に基づいてみなさんの関心の方向を認識しはじめるのだ。つまり、みなさんの所に送られてくるメールのタイプに沿って反応するようになる。みなさんが実際に糖尿病を患っている場合、最初は「糖尿病」という単語が含まれるメールはすべて迷惑メール・フォルダに入る。ところがみなさんが「糖尿病」という単語を含むメールをチェックして次々に適正だと判断すると、アルゴリズムはじょじょに確率を修正し、ついにこの言葉を含むメールが迷惑メールと判断される確率は九五パーセントを遥かに下回るようになって、メールがそのまま受信トレイに入るようになる。

さらにこれらのアルゴリズムは、糖尿病に関する迷惑メールとまともなメールを区別するために、別のキーワードも拾うように作られている。「治癒」という言葉があるかないかで、迷惑メールか否かが判別できたりするのだ。機械学習の場合は、入ってくるすべてのメールをアルゴリズムが浚ってパターンやリンクを探し続け、最後にはみなさん自身の個人的なライフスタイルに合ったオーダーメイドのアルゴリズムになる。

このような確率の更新は、自動運転車とも関係があるが、じつはこれは、「ブレイクアウト」ゲームのラケット・コントロールをさらに洗練させたものにすぎない。その時点で機械が受信している画素データに基づいて、アルゴリズムがハンドルを左右に動かす。その結果、わたしのスコアは上がるのか、それとも下がるのだろうか。

偏りと盲点

ネットフリックスのレコメンド・アルゴリズムの能力は、なにやら異様ですらある。何しろ映画の特徴を、わたしたち人間には表現しにくいところまで把握してしまうのだから。確かにこのアルゴリズムは、機械はどうしてもそれをプログラムした人の知見による制約を受ける、というラブレイスの見解への異議申し立てになっている。今日のアルゴリズムには、人間にできないことができる。膨大な量のデータを評価して、その意味を理解することができるのだ。

これは、人間の脳が進化するなかで生じた弱点であって、そのため人間は、確率を評価することがあまり得意でない。確率に関する直観を培うには、試行をたくさん行って流れを理解する必要がある。やっかいなことに、人間は一つの実験の例をそれほど多く経験できず、確率に関する直観を育めない。人間を突き動かしているヒューマン・コードは、ある意味で、データとやりとりする速度が遅い、という現実を補う形で発展してきたといえる。ということはつまり、機械学習によって、ヒューマン・コードを再現するコードではなく、人間の能力を補うコードが手に入る可能性があるということなのだ。

確率は、多くの機械学習の要となっている。第四章で見たアルゴリズムの多くは、きわめて決定論的な手法をとっていた。人間がある問題の仕組みを理解して、コンピュータを上手にプログラムしてやると、コンピュータは指示された輪っかを、まるで奴隷のようにただひたすらくぐり抜ける。これには、ニュートンの世界観と似たところがある。ニュートンによれば、宇宙は数式によって制御されており、それらの規則を明らかにして未来を予言することが、科学者たちの仕事なのだ。

ところが二〇世紀の物理学者たちは、宇宙が自分たちが思っていたほど決定論的でないということに気がついた。量子力学によって、じつは自然がサイコロを振っていることが暴露されたのだ。さまざまな結果は確率に依って決まるのであって、時計仕掛けではない。確率がかくも支配的であればこそ、アルゴリズムは強い力を持つようになった。それもあって、この新たなアルゴリズムの世界に対処する際に、物理学の訓練を受けた人々のほうがわたしたち数学者より優位に見えるのだろう。これは理性主義者と経験主義者の対峙であって、わたしにとっては残念なことに、経験主義が優勢に立とうとしている。

あの機械は、ゲームの規則を教わってもいないのに、いったいどうやってアタリのゲーム、ブレイクアウトのやり方を習得したのだろう。アルゴリズムが持っていたのは、スクリーン上の画素に関する知識、スコアに関する知識、そして左右に動かせるラケットに関する知識だけだった。そのうえで、現在のスクリーンの状況に基づいてラケットの左右の動きがスコアにどう影響するかを計算するようにプログラムされていた。一つの動きの影響が数秒後に出る場合もあるので、後から出てくる影響を計算する必要がある。そうはいっても、ある影響を引き起こしたものの正体は必ずしも明確ではないから、これはひじょうにきわどい話だ。実はこれは機械学習の欠点のひとつで、ある関係を見つけると、それを因果だと思いこんでしまうことがある。もっともこれは、機械に限らず動物でも起きることなのだが……。

この事実を示す見事な例のひとつに、鳩が迷信深いことを明らかにした次のような実験がある。

ケージに入っている複数の鳩の様子を録画しながら、日中のどこかの時点でケージに給餌器を運び込むことにした。ただし給餌器の扉はすぐには開かず、鳩たちが給餌器を見ていくら興奮しても、しばらく待たないと餌はもらえない。ところがここで、驚くべき発見があった。ある鳩が扉が開く寸前に自分が取った行動を――たとえそれがどんなにでたらめな行動でも――次の日もまた繰り返したのである。扉が閉まっているのを見た問題の鳩が、くるりと二回まわったら、扉が開いた。そこでその鳩は、（誤って）自分がぐるぐる回ったから扉が開いたと考えた。そして、次に給餌器が運び込まれると、なんとしても褒美がほしかったので、きちんと二回まわってみせたのだ。

もう一つ、機械学習業界でしょっちゅう引き合いに出される、アメリカ軍における悪しき学習の古典的例を紹介しよう。ニューラル・ネットワークを用いて戦車が写っている画像を拾うように機械を訓練している時のことだった。設計チームは戦車の有無で分類した写真を入力し、アルゴリズムはそのデータを分析して、戦車の有無を判別するための特徴を拾っていく。分類済みの写真を何百枚も分析した後で、アルゴリズムがはじめて見る写真を何枚か使って判別能力をテストしてみた。その結果、一〇〇パーセントの精度で戦車の有無を判別できたので、開発チームは大いに色めき立った。

そのアルゴリズムは軍に渡されて、実地に使われることになった。ところが軍は、すぐにアルゴリズムを送り返してきた。まったく役に立たない、というのだ。研究チームは途方に暮れた。そしてアルゴリズムに軍で使われた画像を分析させてみたところ、その判別はほぼでたらめであることがわかった。そしてついに、誰かが気づいた。そのアルゴリズムは、どうやら曇りの日に撮られた写真であれば、ひじょうにうまく戦車を探知するらしい。

訓練用のデータを見直してみると、何がまずかったのかがわかった。戦車の写真を撮れる日はほんの数日だったので、その間にさまざまなカムフラージュが施された戦車の写真をたくさん撮ってまわった。ところが本人たちは気がついていなかったのだが、その数日間、たまたま天気は曇りだった。それがすむと研究所に戻って、今度は戦車とは無関係な田園風景の写真を撮ってまわったのだが、そのときはたまたま晴れだった。そのため問題のアルゴリズムは、曇りの写真と晴天の写真を判別できるようになっただけだったのだ。曇り空を探知したところで、軍にとっては何の役にも立たない。この話から得られる教訓は次の通り。学習するのは機械だが、確実に正しい学習ができるようにするのは人間の仕事である。

データで訓練されたアルゴリズムが社会に影響を及ぼし始めている今、これはますます重要な問題になろうとしている。住宅ローンの申し込みや治安上の決定、さらには健康に関する助言などもアルゴリズムによって行われることが多くなっている。ところが、それらのアルゴリズムに目に見えない偏りが埋め込まれていることを示す証拠がたくさんある。マサチューセッツ工科大学の院生ジョイ・ブオラムウィーニは、自分が使っているロボティクス・ソフトウェアにとって、肌の色の明るい同僚と比べて自分の顔を拾うことがはるかに難しいことに気がついて、ひどく不安になった。白いマスクをつけるとすぐに顔を認識するのに、マスクを外すと自分の姿が消えてしまう。

何が問題なのか。実はそのアルゴリズムは、たくさんの白い顔を使って訓練されていた。つまり、訓練データにあまり黒い顔が含まれていなかったのだ。このようなデータの偏りが原因で、受け入れがたい決定を下すアルゴリズムが多数できている。男性の声で訓練されたために女性の声を認識しそこなう音声認識ソフトに、黒人をゴリラに分類する画像認識ソフト、そして目が閉じているからというのでアジア人の証明写真を撮ろうとしないパスポートフォトブース・アプリなど。シリコンバレーのテクノロジー業界では、従業員の五人中四人が白人男性なのである。このためブオラムウィーニは、アルゴリズムの訓練に使うデータの偏りを正すために、「アルゴリズミック・ジャスティス・リーグ」を立ち上げた。

法律制度においても、アルゴリズムのせいで住宅ローンの申し込みや国からの給付金や仕事の申請がはねられる、という問題が生じている。そうなれば申請した側は当然、なぜ自分たちの申請が却下されたのかを知ろうとする。ところがこれらのアルゴリズムはデータとの相互作用に基づいてデシジョンツリーを作り出しているので、そのツリーを解明してそれらの決定が正当だという根拠を示すのは難しい。

法的な救済策を考えようとする動きもあるが、救済策を実施するのはひどく難しい。ちなみに、二〇一八年五月からEU法で実施された「EU一般データ保護規則」二二条には、誰にでも「自動化された処理にのみ基づいた決定には従わない権利」があり、コンピュータが行ったいかなる決定に関しても、「それに関係する論理に関する有意義な情報」を入手する権利がある、と謳われている。これでうまくいくとよいのだが！

アルゴリズムがその選択を正当化するのに役立つメタ言語を開発するよう業界に求める声も上がっているが、そのような言語が開発されるまでは、これらのアルゴリズムが日々の生活に及ぼす影響にさらに慎重になる必要がある。アルゴリズムの多くが、ある特定のことには長けていても、不規則なものをどう扱ったらよいのかがよくわからない。そのため何か奇妙なことが起きると、単にそれを無視するだけなのだが、これが人間だと、枠にとらわれずに筋書きを読み取ることができたりする。

かくしてわたしたちは、どんな筋書きであっても正確に結果を予測しうる普遍的な学習アルゴリズムが存在しえないことを証明した定理、「ノーフリーランチ定理」にたどり着く。つまり、たとえその学習アルゴリズムにデータの半分が示されたとしても、アルゴリズムにまだ示されていない残り半分のデータに少し手を加えれば、訓練用データに関しては優れた予測ができるが残りの半分ではうまく予測ができないように持っていけることが、すでに証明されているのである。

データだけでは、どこまでいっても十分とはいえない。知識と対になっている必要があるのだ。となると、ヒューマン・コードのほうが、背景となる状況への対処にうまく適合して、より大局的な図を見ることができそうだ。——少なくとも、今のところは。

機械vs.機械

新たに出会ったものに合わせて変わっていく力、この力を活用したのがアルファ碁だった。ディープマインド社のチームは、アルゴリズムを監督下において一定期間学習を行わせた。これは、大人が子どもに手を貸しながら、すでに習得している技能を習得させるようなもので、人類という種が前進できたのも、知識を蓄積して、はじめてそれを獲得したときよりはるかに効率的に次世代に手渡してきたからだ。たとえば、わたしが数学の最先端に行くのに欠かせない数学をすべて独力で再発見することなど、誰も期待しない。何百年にもわたる数学の発見を自力で発見する代わりに、大学の数年間に駆け足で見ていくのだ。

アルファ碁も、まずそれと同じ手順を踏むことから始めた。オンラインには、人間が打った何百万もの対局のデジタル棋譜が存在する。これはコンピュータが浚うことのできる素晴らしい資源であり、そこから勝者がどの手で有利になったのかを拾うことができる。このような巨大なデータベースがあればこそ、コンピュータは、「ある特定の盤面におけるそれぞれの手の成功の確率」という概念を作ることができた。対局でありうる経過すべてを考えると、小さなデータにすぎなくても、碁を打つ際の優れた基礎にはなる。そうはいっても、未来の対局相手はデータベースに含まれる敗者と同じ道を辿らない可能性があるから、このようなデータセットを使っただけではまだ十分でない。

次に来るのが強化学習と呼ばれる局面で、アルゴリズムはここで長期的な力をつけていく。コンピュータが今度は自分で碁を打ち始め、自分が行った新しいゲームの一つ一つから学んでいくのだ。勝てるだろうと思われた手を打って負けた場合には、それらの手の勝率を変える。このような強化学習によって、膨大な量の新しいデータが合成される。しかも自分自身と対戦することで、自身の弱点を探るチャンスも得られる。

このような強化学習には、たとえば、どこまでも自分の枠に留まった限定的なものになる危険がある。機械学習には、エベレストの頂上に登ろうとするのと似たところがあるのだ。どこに行くのかもわからず、目隠しをされて一番高い頂に登れといわれた場合、一つの戦略として、自分が立っている場所から一歩足を踏み出したときに高くなるかどうかを確認しながら、とにかく小刻みに進んでいくという方法がある。

このやり方だと、最終的に、その近所でもっとも高い地点、つまりそこからどの方向に踏み出しても坂を下ることになる地点に達することになる。でもひょっとすると、坂を下り切ると、谷を挟んだ向こう側にもっと高い頂が見つかるかもしれない。これが、いわゆる局所最大値と呼ばれる難問で、局所最大値に至ると、確かにてっぺんにいるような気になるが、実はそびえ立つ山々に囲まれた小さな丘でしかなかったりする。かりにアルファ碁がこの局所最大値に基づいて、対局の相手に勝つ可能性を最大化するとどうなるのか。

どうやらこれが、李世乭《イ・セドル》との対局の数日前にヨーロッパ囲碁チャンピオンのファン・フイが見つけたアルファ碁の打ち方の弱点であったらしい。しかしこのアルゴリズムは、新たな対局のし方が導入されるとすぐに、勝つ可能性を最大にする手を再評価する方法を学んだ。新たな対局の相手のせいで、丘から降りて、新たな高みを目指すしかなくなったのだ。

ディープマインド社は、今やオリジナルのアルファ碁をも打ち負かせる優れたアルゴリズムを作っている。このアルゴリズムには、人間の碁の打ち方を見せる必要がない。アタリ・ゲームのアルゴリズムのように、19×19ピクセルとスコアを与えられて、一手ごとに実験を行いながら碁を打っていく。このアルゴリズムでは、アルファ碁を作る際の第二段階だった強化学習の力がうまく活かされている。これはほぼ白紙からの学習で、ディープマインド社のチームでさえ、この新たなアルゴリズムの威力にショックを受けた。なぜなら、もはや人間の考え方や碁の打ち方による制約から完全に自由だったからだ。

件のアルゴリズムは、三日間の訓練で自分自身と四九〇万回碁を打ってから、李世乭に勝利したアルファ碁と対戦し、一〇〇戦すべてで勝った。人間が三〇〇〇年かけて行ったことを、三日でやってのけたのだ。そして、四〇日目には無敵になった。八時間でチェスや日本版のチェス、つまり将棋を打てるようになって、市販の最良のチェス・プログラム二つに勝利した。この驚くべき万能アルゴリズムは、アルファゼロと呼ばれている。

このプロジェクトの主任研究者デヴィッド・シルヴァーは、このような白紙からの学習がさまざまな領域に与える影響について、次のように述べている。

もしも白紙からの学習が可能だとしたら、じつは、囲碁からほかのすべての領域へと移植できるエージェントができたことになる。自分自身を今いる領域の特質から解き放ち、何にでも応用できるごく一般的なアルゴリズムへと向かうのだ。アルファ碁はわたしたちにとって、人間を打ち負かすためのものではなく、科学するということの正体を探るためのもの、知識のなんたるかをプログラムが自力で学べるようにするためのものなのだ。

ディープマインド社の目標は「知性の問題を解決し……そのほかのすべてを解決する」ことにある。そして彼らは、自分たちがその目標に向かって突き進んでいると信じている。それにしても、このテクノロジーはどこまで行けるのだろう。もっとも優れた数学者の創造性にも太刀打ちできるのか。芸術を作り出すことができるのか。音楽を作れるのか。はたしてヒューマン・コードを解明することができるのだろうか。

第七章　数で描く

予測不可能であることと予め定められていること、
この二つがともに展開して、
すべてを今あるようにしている。
トム・ストッパード「アルカディア」より

数年前の土曜の午後、ふらりとサーペンタイン・ギャラリー（ロンドンのケンジントン・ガーデンズにある美術館。近現代美術の企画展示を行っている）に入ったわたしは、その場に釘付けになった。人は、精神的な高揚感を求めて美術館に入るのだと思う。同行した人々は、展示されているものと自分を結びつけようと四苦八苦していたが、わたしはといえば、部屋から部屋へと進むうちに、目の前にあるものの虜になった。

そのとき開催されていたのは、ゲルハルト・リヒターの「4900 Farben《ファルベン》（四九〇〇の色）」というシリーズの展覧会だった。「あなたったら、ゲルハルト・リヒターの名前を知らないの？」妻は町へと向かう電車のなかで、信じられないという顔をした。「今この地球上で存命のもっとも著名な芸術家の一人なのよ」視覚芸術に関するわたしの知識があまりにお粗末なので、よく妻はさじを投げる。日がな一日、数学の抽象世界に浸ってばかりいるから……。しかしリヒターの連作は、わたしが棲息する世界に直接語りかけていた。

その展覧会は、一つ一つが五×五の格子で正方形に分割された一九六枚の絵からなっていて、各正方形には慎重に選ばれた二五色のいずれかが念入りに塗られていた。つまりその場には、計四九〇〇（5×5×196）の色付きの正方形があったわけで、それがそのまま展覧会のタイトルになっていた。絵の展示方法は幾通りかあって、サーペンタインでの展示方法は「バージョン2」と呼ばれるものだった。一九六枚の絵が四つずつまとめられて計四九枚のキャンバスになっており、各キャンバスは一〇〇＝一〇×一〇の色付き正方形で構成されている。

　画素化されたこれらのキャンバスをじっと見ていると、どうしてもこれらの正方形の集まりから何らかの意味を汲み取りたくなる。ふと気がつくと、わたしは一〇×一〇のブロックに三つの黄色い正方形がどんなふうに並んでいるかに注目していた。わたしたち人間は、自分のまわりのカオス的な世界の意味を理解するために、パターンを探すようにプログラムされており、そのおかげで下生えの間に潜む野生動物に食われなくてすむ。あの黄色の列に特に意味はないのかもしれないが、ひょっとするとライオンかもしれないのだ。ユングやロールシャッハ、マテ－ブランコ（チリ出身の精神分析家。無意識を論理に基づいて説明した）など多くの心理学者が、人間の心は意味やパターンやシンメトリーをひたすら渇望しているから、そのようなイメージを使えば人間の心理に迫れるはずだと考えた。そしてユングは患者に曼荼羅を描かせ、ロールシャッハは対称性のあるインクのシミを使って患者の心に分け入った。

　パターンを見つけたいという欲望は、数学者たちの行為の核となっていて、このときのわたしの脳も、強い覚醒状態にあった。何か意味ありげな形をしているように見える面白そうな正方形の孤立領域があったので、何が起きているのかを解読しようとしていたのだ。ギャラリーに掛けられているキャンバスからキャンバスへと彷徨ううちに、これらのイメージの下で何か別のゲームが進行しているのではないかという気がしはじめた。

　そこで試しに、一枚のキャンバスに同色の正方形が二つ含まれているものがいくつあるか勘定した。さらに、それよりも少し希な、同じ色の正方形が三つ、四つ、あるいは一列に並んでいるものの枚数を調べていく。データが集まったところで座り込み、これらの画素がすべて無作為《ランダム》に選ばれていたらどうなっているはずかを計算した。意外なことに、ランダムには群れが付きものだ。だからバスを待っているときには、一台も来ない時間がずっと続いてから、赤いバスが立て続けに三台来たりする。バスは時刻通りに出発しているのだが、道路事情などの影響ですぐに到着がランダムになってしまうのだ。

　自分が注目した三つの黄色い正方形は意図的に選ばれたのではなく、この作品の制作の裏にランダムな過程が潜んでいるせいで生じたものなのではないか。わたしはそう考えはじめていた。全部で二五色あるなかから一色ずつ選ぶとして、毎回ランダムに選んだときに、同じ色の四角が二つ続く箇所がいくつくらいできるかは計算できる。まず、その逆を考えればよいのだ。たとえば、最初の正方形として赤が選ばれたとすると、次の正方形が別の色になる確率は、赤を避けなければならないから、24/25になる。三つ目の正方形が今選んだ色と異なる確率も24/25。したがって一〇個の色を選んだときに同じ色がまったく隣り合わせにならない確率は、

$$(24/25)^9 = 0.69$$

となる。これを逆から見ると、一〇×一〇のキャンバスに、同じ色の画素が二つ隣り合っている列が三つ（そして行が三つ）くらいあるはずだ、ということになる。そして案の定、キャンバスはこの予言通りになっていた。

　わたしの計算によると、展示されている四九×一〇列のなかに、同じ色が三つ並んでいる列か行

が六つあるはずだった。ところが、そのような列は確かに六つあったのだが、同色が三つ連なっている行はそれより多かった。でもそこがランダムさ、つまり無作為のポイントなのだ。無作為は、厳密な科学ではない。

作品を見終わって展覧会場を後にしたわたしは、リヒターのアプローチを調べてみることにした。すると案の定、色はランダムに選ばれていたことがわかった。リヒターは二五色の正方形を袋に入れておいて、その袋からランダムに取り出した正方形の色を次の色にしていたのだ。サーペンタイン・ギャラリーでの展覧会のための一九六のキャンバスも、こうやって作られたものだった。さらに、キャンバスの塗り方を計算すると25の二五乗通りになるが、なんとこれは三六桁の数で、これらのキャンバスを隣り合わせに並べると全長四・三×10の三一乗キロメートルになって、この宇宙の観測可能なもっとも遠い場所を軽々と超えてしまう。

妻は、わたしをサーペンタイン・ギャラリーに連れて行ったことを後悔したにちがいない。それから数日間、わたしはとりつかれたように絵画における偶然を計算しつづけた。それだけでなく、あの展覧会ではキャンバスの並べ方は一通りしかなかったが、ほかにどのような形で展示できるのかが気になり始めた。バージョン1として、すべてのキャンバスを集めて七〇×七〇の画素化されたイメージにする方法がある。ではそれ以外にどのような並べ方があるのか。じつはその答えが、偉大なる一七世紀の数学者ピエール・ド・フェルマーが関心を持ったある方程式と関係していることが明らかになった。

わたしは我慢できずに、自分の考えをサーペンタイン・ギャラリーのディレクターであるハンス・ウルリッヒ・オブリストに送った。しばらくしてリヒター本人から、わたしの考察をドイツ語に訳して、今作成中の本に自分の絵の画像とともに載せてもよいだろうか、という問い合わせの手紙が届いた。自分が作った作品の裏でこんなにたくさんの数式が渦を巻いていることにはまったく気づいていなかった、とのことだった。

リヒターがデザインしたケルン大聖堂の袖廊のステンドグラスの窓でも、これと同じ手法が使われている。ただしそこにはシンメトリーの要素が加わっており、リヒターは、ランダムに作った三枚の窓に基づいて、ひとまとまりの六枚の窓を作った。このためぱっと見たときにはシンメトリーとはわからないが、それでもこの窓は、ロールシャッハ・テストのインクのシミのように、パターンを好む脳に働きかけてくる。

ある意味でリヒターは、ひとつのコードを活用して作品を生み出したといえる。どの色にするかを自分で決めるのではなく、袋のなかをでたらめに探るという行為にしたがうことにしたために、もはや画家自身は結果をコントロールできなくなった。ここに見られるのは、芸術家が作った枠組みと芸術家の制御抜きで実行される制作とのあいだの興味深い緊張なのである。

創造的なアルゴリズム、つまりプログラマ自身があっと驚くコードを作る試みが始まったばかりの頃は、このように偶然を利用するというのが主な戦略の一つであったにちがいない。問題は、ラブレイス・テストに合格する方法を見つけられるかどうかだ。どうすれば、新しくて価値があって驚くべきもの——コードを書いた人が最初に仕込んだものを超える何か——を生み出すアルゴリズムを作ることができるのか。決定論的なアルゴリズムにリヒターのように無作為を少しだけ混ぜるというアイデアは、ラブレイスのジレンマからの出口になる可能性があった。

それにしても、どうしてコンピュータを使って芸術を作り出そうという気になるのか。その動機は何なのか。芸術とは、本来ヒューマン・コードの発露ではないのか。なぜコンピュータに人工的に芸術を作らせるのだろう。商業的な目的があってのことなのか。クリエーターたちは、「印刷」ボタンを押して新たな芸術作品を際限なく作り出し、金を儲けようとしているのか。それともこれは、わたしたち自身の創造性を広げる新たなツールとなるべきものなのか。わたしたち人間は、なぜ芸術作品を作るのか。リヒターの作品は芸術とされるのに、どうして建設用塗料メーカー、デュラックス社の色見本は芸術作品と見なされないのか。わたしたちは、自分が芸術と呼んでいるものの正体を知っているのか。そもそもそれは、どこから始まったのか。

ヒトという種はすでに六〇〇万年前に姿を現していたが、ヒトに創造性があるという証拠が現れたのは、道具を作りはじめた後のことだった。二六〇万年前には、すでに石に細工をしてものを切る道具を作りはじめていたが、この革新的な展開によって創造力の大きなうねりが始まったわけではなかったらしい。芸術を生み出そうとする衝動が人間のなかに生まれたのは、約一〇万年前と考えられていて、実際、考古学者たちは、南アフリカのブロンボスの洞窟で絵の具作りのキットのようなものを発見している。その絵の具をいったい何に使ったのかは定かでない。体に塗ったのか。革などに図案を描いたのか。壁に絵を描いたのか。しかし南アフリカのこれらの洞窟に、壁画はいっさい残っていない。岩の芸術を長い間保存するには不向きな場所だったのだ。

しかし、世界各地のさらに地中深い所にあるいくつかの洞窟には、ヒトが描いた最古の絵が残っている。壁に、おびただしい数の手の絵が描かれていたりするのだ。インドネシアのスラウェシ島で行われた調査の結果、マロスの洞窟には四万年前にヒトが描いた絵があることがわかった。画家たちは手をステンシル代わりにして、口に含んだ赤っぽい黄土色を吹き付けたらしい。手をどけると、その輪郭が残るのである。

それらの手形は、存在を申し立てている。ジェイコブ・ブロノフスキーが有名なテレビシリーズ「人間の進歩」で述べているように、「この手形は、『これがわたしの印だ。これがヒトなのだ』といっている」のである。

マロスの洞窟には、手形だけでなく、この島でしか見られない蹄を持つ野生動物や人の絵も残っている。ブタの絵は、少なくとも三万五四〇〇年前のものであることがわかっていて、世界最古の絵画的描写とされている。それらの絵を覆っている方解石の皮膜の年代を調べれば、元の絵の時代を突き止めることができる。これらの皮膜は絵が描かれた後でできるので、その下にある芸術作品が最低でどれくらい前のものかがわかるのだ。どうやら四万年前に何かが起きて、突然人類史における不断の革新の時代が始まったらしい。

とはいえ世界初の洞窟芸術の事例となると、ヒトではなくネアンデルタール人に軍配が上がる。スペインの洞窟には手形の絵があって、これらは、ホモ・サピエンスがアフリカからヨーロッパに移ってきた四万五〇〇〇年前以降のものとされてきた。ちなみにヨーロッパのネアンデルタール人はその五〇〇〇年後にほぼ一掃されたのだが、方解石の皮膜を用いた最近の調査によって、スペインの洞窟絵のなかに、六万五〇〇〇年以上前のものが混じっていることが明らかになった。当時のヨーロッパにはヒトはいなかったから、この芸術を生み出したのは別の種であるはずだ。しかし古さの点でこの二つの洞窟絵をしのぐのがジャワ島で見つかった図案で、貝殻に彫り込まれたそれらの図案は五〇万年前のものとされ、ヒトとネアンデルタール人の共通の祖先であるホモ・エレクトゥスが生み出したと見られている。芸術はヒトに固有なものだと思っていたのだが、どうやらわたしたちは、芸術の発見をネアンデルタール人やホモ・エレクトゥスと分かち合わなければならないらしい。

なかには、このようなものを芸術と呼ぶべきではないと主張する人もいるが、これが、進化におけるある重大な瞬間、ある種が実用性を超えた意図を持って章《しるし》をつけ始めた瞬間を表していることは明らかだ。四万年前と同じ彫り物を骨に施す再現実験により、こういった品々を作るには途方もない労力が必要だったことがわかっている。狩猟で生きる部族にとって、これはきわめて贅沢なことであり、このことからも彫刻にはひじょうに価値があって、彫り師は狩りなどの義務を免除されていたにちがいないことがわかる。このような作品が実は何のために作られたのか、その意図を知る術はない。貝に刻まれた印は、連れ合いの心を動かす贈り物なのか、あるいは所有権を主張するためのものなのか。いずれにしても、それらの印が示す行為が発展して、わたしたちヒトの芸術的表現への情熱となったのだ。

ほんとうは何が芸術を構成しているのか。人類は何百年にもわたってこの問題を考えてきた。『国家』におけるプラトンの芸術の定義はきわめて尊大だ。芸術は物理的な対象を表現するもので、それらの物理的な対象自体は理想的な対象を表現している。プラトンにいわせれば、芸術はそれが表している物理的対象あってのもので、物理的対象そのものより劣っており、ではその物理的対象はというと、純粋な形態あってのもので、純粋な形態より劣っている。この定義によれば、芸術には知や真理を生み出す力はなく、幻へと至ることになる。

カントは芸術を「それ自体の目的を持った表現で、あからさまな目標とすることなく、和やかな意思疎通のための精神的力の育成を促すもの」と定義している。トルストイはこの意思疎通の概念を取り上げて、芸術とは「人々の団結の方法で、同じ感情によって人々を一つにする、個人および人間性の安寧に向けた進歩と人生に不可欠なもの」としている。アルタミラの洞窟からサーペンタイン・ギャラリーまで、芸術には、わたしたち一人一人のヒューマン・コードがどのように響き合うのかを明らかにして、個人を集団としてまとめる力があるのだ。

ウィトゲンシュタインにとって、芸術は自身の言語哲学の中心となる言語ゲームの一部だった。それらのゲームはすべて、手の届かないもの、すなわちほかの人の心に迫ろうとする試みなのだ。いつの日か、もしもわたしたちが機械のなかに心を作り出せたなら、機械による芸術は、機械が機械であることをどう感じているのかを理解するための素晴らしい手段になるはずだ。そうはいっても、意識があるコードを作ることは、まだまだできそうにないのだが。

芸術は、けっきょくは人間の自由意志の表現であって、コンピュータが自身の自由意志を持つその日が来るまでは、コンピュータが生み出した芸術作品を遡れば、必ず人間の創造欲に行き着く。たとえそのプログラムの活動のきっかけが、ツイッターで見たある言葉だったとしても、その言葉になにか反応を返さなくては、と突然アルゴリズムが感じたわけではない。一連の行動は、プログラマがアルゴリズムにプログラムしたことであって、たとえその行動がいつ実現されるかわからなくても、創造したいという欲自体は、人間の心にあるものなのだ。

それでもなお、現代の芸術観はわたしたちに、そもそも芸術は何かを表現しているのか？　と問いかける。芸術は、むしろ政治や力や金に関わるものではないのか。これは芸術だ、という人々が芸術を定義する。ハンス・ウルリッヒ・オブリストがロンドンのサーペンタイン・ギャラリーで作品の展覧会を開くことを決めれば、オブリスト自身が美術界で強い力を持っているため、さまざまな人がキュレーターのお墨付きというメタデータ抜きではあり得ない形でそれらの作品に関わるようになる。

現代美術は、そのほとんどが、レンブラントやレオナルド・ダ・ヴィンチのような人々の美学や技術を鑑賞するためのものではなく、世界とわたしたちとの関係を巡って作者が明らかにした興味深いメッセージや視点を味わうためのものなのだ。デュシャンは展覧会場に男性用小便器を据えた。

すると、展覧会という場に置かれたがために、本来機能的な品物である便器が「芸術とは何か」という問いについての言明になった。ジョン・ケージは、聴衆に四分三三秒間の沈黙に耳を澄まさせる。するとわたしたちは急に、音楽とは何かを自問し始める。外から入り込む音に耳を澄まして、いつもとは違うやり方でそれらを鑑賞するのである。ロバート・バリーのある作品では、壁に鉛筆できれいな活字体が書かれているにすぎない。「All the things I know but of which I am not at the moment thinking - 1:36 PM; June 15, 1969（わたしが知っているけれど、この瞬間に考えていないことすべて——午後一時三六分、一九六九年六月一五日）」と書かれたその作品は、鑑賞する側に不在と曖昧さの概念と折り合いをつけろと迫る。リヒターの「4900 Farben」でさえ、じつは色付きの正方形の美学や技量が重要なわけではない。あれは、鑑賞する側の意図や偶然といった概念に挑む政治的な言明なのである。

それならコンピュータ・アートも、同じように政治的な問いかけを表しているのだろうか。今かりに、みなさんが冗談を聞いて笑ったとして、その後でその冗談を作ったのはアルゴリズムだと告げられたら、どのような違いが生まれるのか。皆さんが笑ったというだけで、十分なはずだ。それなのに、なぜ笑い以外の感情を引き起こされた場合には十分でなくなるのか。ある芸術作品を見て涙し、その後でその作品を作ったのがコンピュータだと告げられると、たいていの人はだまされたとか、担がれた、ごまかされたと感じるのではなかろうか。だがこうなると、わたしたちはほんとうにほかの人の心とつながっているのか、あるいは自分自身の心のまだ活用されていない領域を探っているだけなのかが問題になってくる。なおかつこれは、ほかの人の意識に関する難問でもある。わたしたちは、心が外に表出してくるものに頼るしかない。なぜなら、どこまでいっても永遠に、ほんとうの意味で他人の心のなかに入ることはできないのだから。

アンディ・ウォーホールが断言したように、「もしもアンディ・ウォーホールのすべてを知りたいのなら、わたしが描いた絵の、作った映画の、わたし自身の表面をみればすむ。わたしはそこにいる。その後ろには何もない」のだ。

しかしコンピュータを用いて芸術活動をする多くの人々にすれば、これは新たなツールの問題でしかない。わたしたちはカメラに創造性があるとは考えず、カメラが人間に新たな創造性をもたらすと考える。コンピュータ・アートに携わる人々もこれと同じように、さまざまな制約や可能性によって自分たちが新たな方向に運ばれるかどうかを、実験を通して探っているのだ。

創造力のある動物

これから人間の領域の外での創造性を探ろうとしているわけだが、その前にちょっと立ち止まって、生物の系統樹のなかに、ほかにも自分たちと互角な創造力を持つ種がいるかどうかを考えてみるのもよいだろう。

一九五〇年代半ばに動物学者のデズモンド・モリスがロンドン動物園のチンパンジーに紙と鉛筆を渡すと、チンパンジーは紙に何度も線を書いた。コンゴという名で知られるこのチンパンジーはじきに絵筆とキャンバスを使うようになり、二〇〇五年には三つの作品が一万四四〇〇ポンドで落札された。このとき同じオークションに出されたアンディ・ウォーホールの作品は、売れ残ったのだが……。ではこれで、コンゴは芸術家だといえるのか。それとも芸術家であるには、自分がしていることを知っている必要があるのだろうか。コンゴの場合は、創造への駆動力は主としてモリスから来ているので、実際には形を変えた人間の創造性と見るべきだろう。

動物園業界の一部では、囚われの身である動物に道具を与えるとストレスが軽くなって、よく見られる異常な反復行動を避けることができるといわれている。その一方で、動物園が売店で象の書いた絵を売ったり、キツネザルの手形をイーベイのオークションに出したりするのは、動物の創造性が生み出したものを金に換える行為だとして非難する声も上がっている。いずれにしても動物園の動物たちの事例は、環境が歪みすぎていて研究対象にはならない。では、野生の動物が創造性を発揮した例はあるのだろうか。

熱帯雨林に生息するチャイロニワシドリは、草を使って凝った塔を作り、さらにそれを飾り立てるのだが、どう見てもはっきりした好みがあるとしか思えない。このような塔を作る目的はただひとつ、雌への求愛だ。塔を見れば、つがいにとって重要なある種の技量においてその雄がいかに卓越しているかがわかるのだが、それにしても、巣を作るのに必要な技量をはるかに超えた作品になっている。この場合、チャイロニワシドリには創造性があるといえるのか。それとも、塔はあくまで実用的なものだから、その偉業を創造性と結びつけるべきではないのか。

鳥が歌を歌うのは、コミュニケーションのためだ。ところがこの技能がさらに発展して、実は必要でないことまでできるようになる。能力の過剰、つまり無駄なこともできるということは、むしろんその動物や人に力があることを示している。したがって、過剰なまでの巣を作ったり過剰なまでの歌を歌ったりすれば、連れ合いとしての自分の適性を相手に伝えることができるのだ。

道具を与えられた動物が創造的なことをしたために、著作権を巡る興味深い問題が生じた事例もある。写真家のデイヴィッド・スレイターは、インドネシアのタンココ自然保護区に棲むクロザルに写真を撮らせられるかどうか調べるために、森のなかにカメラを設置した。その後、フィルムを現像したスレイターは、クロザルが見事な自撮り写真を撮っていたので大喜びした。さらに、それらの写真がインターネットに流れはじめると、インターネットのユーザーたちを著作権侵害で訴えた。その裁判にはそれなりに時間がかかったのだが、二〇一四年八月に合衆国の裁判所が下した判決にスレイターは唖然とした。スレイターに写真の所有権はない、なぜなら人間でないものが生み出した対象に著作権は設定できないから、というのだ。その翌年には、さらに奇妙なことが起きた。「動物の倫理的な扱いを求める人々の会」（PETA）がスレイターに対して、クロザルの著作権を侵害したという訴えを起こしたのだ。裁判所は、この訴えを却下した。

二つ目の案件を担当した判事は、自撮り写真を撮ったナルトというクロザルには、「金を稼ぐ方法も貯める方法もなく、評判を落とすこともない。著作権が何らかの方法でナルトに利するという申し立てすらない。ナルトにいかなる財政的恩恵が提供されるのか。何もない」と断じた。そして、PETAは猿みたいにふざけるのをやめるよう、きっぱりと言い渡した。

これらのテストケースは、AIが作った作品にどのように適用されるのだろう。マスロンLLP法律事務所の知的財産担当の弁護士で、スタンフォード・ロースクールのフェローでもあるエラン・カーナの説明によれば、知的財産法は、「他の人々がそれを使うことを阻止し、所有者が利益を上げることを可能にするために存在するのであって、AIにはそのような必要がまったくない。AIはそのようなコンテンツを作るためのツールである」ということになる。では、AIがまだ生きている画家のようなスタイルの芸術作品を作ったらどうなるのか。その場合は、たぶんプログラマが著作権侵害で訴えられることになるのだろうが、実はこれは、きわめてあいまいな領域だ。インスピレーションと模倣は、いずれも芸術を作る過程の核である。では、自分自身の創造と誰かのコピーを隔てる線は、いったいどこにあるのか。

映画スタジオが人を大勢雇って映画を作る場合、著作権はスタジオに帰する。おそらくAIも、会社と同じような法的身分を与えられることになるのだろう。こういったことは修辞的で抽象的に見えるかもしれないが、じつは重要な問題だ。アルゴリズムが作った新たな音楽や芸術作品をみんなが無料で使えるとなると、それらの作品を作り出す力がある複雑なアルゴリズムを作るために資金を投じよう、という人はいなくなる。かつて英国では、「その作品を作り出すのに必要な手配をした人物」にも映画のクレジットを認めようという動きがあった。一方アメリカでは著作権局が、登録が認められるのは「オリジナルの著作成果物であるが、その作品は人間が作り出したものに限る」と定めている。それにしても、さらに洗練されたコードが登場したら、これらの法律を変える必要が出てくるのだろうか。かくしてわたしたちは、エイダ・ラブレイスの問いに立ち返ることになる。コンピュータは、プログラマの入力を超えるほんとうに新しいものを生み出すことができるのか。プログラマは、わたしたちにとって新たな芸術家なのだろうか。

目に見える世界をコーディングする

画廊の壁に掛けられる視覚作品をはじめてコードを用いて作ったのは、ドイツのシーメンスで働いていたゲオルク・ニースだった。一九六五年のことである。コンピュータがコードを芸術に変えられるのは、数学という言語があればこそだが、目に見える世界と数学との関係を巡る実験を行ったのは、別にニースが初めてではなかった。フランスの哲学者ルネ・デカルトは、数と絵が密接に関係していることに気づいていた。そして、目に見える世界を数の世界に変換し、数の世界を目に見える世界に変換する方法を編み出した。デカルト幾何学とよばれるその手法を用いると、紙のうえに二本の直交する軸を引くだけで、あらゆる点を二つの数で確定できるようになる。それら二つの数が、問題の点の位置に達するまでに、縦横の軸に沿って、水平方向にどれだけ、垂直方向にどれだけ進む必要があるかを表しているのだ。

これはGPS座標の原理で、オクスフォードの同僚が地図上のどこにいるかが知りたいとき、(51.754762, -1.251530) という値がわかれば、(0, 0) の点から出発してどれだけ北に歩き、どれだけ西に歩けばよいかがわかる。ちなみに (0, 0) というのは、グリニッジを通る経線と赤道が交わる点である。

紙の上のすべての点を数で表せるのだから、図形を構成するすべての点を数で記述しさえすれば、どんな幾何学図形でも描けるはずだ。たとえば二つ目の座標がすべて最初の座標の二倍になっている点をすべて取ってくると、それらの点は紙を横切る傾いた線を構成する。ちなみにこの線の方程式は $y = 2x$ である。さらに、最初の座標が、たとえば $1 < x < 2$ といったふうに二つの値の間にある、という条件をつけることができて、こうすると、傾いた短い線が得られる。

わたしにいわせれば、デカルトの着想は、ある言語を他の言語に翻訳する辞書に似ている。ただしデカルトの辞書は、フランス語を英語に翻訳するためのものではなく、幾何学の言語と数の言語との間を行き来するためのものだ。幾何学的な点はその点の座標を定める数に翻訳され、曲線はその曲線上のすべての点の座標を定める方程式に翻訳される。

幾何学図形を数に変えるデカルトの辞書の登場は、数学における革命的な瞬間だった。ユークリッドが線や点や三角形や円どうしの関係に公理的なアプローチを導入してからというもの、幾何学は数学の大黒柱であり続けたわけだが、これにより数学者たちは幾何学の世界を調べる新たな道具を手に入れた。しかもその辞書の幾何学の側はわたしたちの三次元宇宙に限られるが、数の側ではより高い次元を取り込めるというのだから、これはじつに心躍る話だ。物理的に構築できないものも、数学者の頭のなかでは思い描くことができる。おかげで一九世紀末の数学者たちは、四次元のなかのさまざまな新しい図形を作り出すことができるようになった。ピカソはこのような想像上の新しい幾何学の発見に触発されて、二次元のキャンバスの上に超空間を表現しようとした。

方程式を用いてこれらの数を操作できるようになったおかげで、特にコンピュータ時代に入ると、あっと驚く興味深い結果がもたらされることになった。ニースはシーメンスの機械を使って、その可能性を探り始めた。まず、キャンバスのある一点から始めて、二三本の線を引いてひとつの形を構成するようにコンピュータをプログラムした。どの線も、その前の線が終わったところから始まる。さらに、それらの線は交互に水平方向を向いたり垂直方向を向いたりする。この幾何学的な結果をプログラムするには、デカルトの辞書の数の側を使ってコードを書く必要があったが、ここでニースは、その方程式にランダムな要素を二つ取り入れることにした。上下左右の方向と線の長さを無作為に決めたのだ。二三番目の線は二二番目の線の終点と最初の線の始点を結び、こうして一つの閉じた図形が完成する。

その結果は、なかなか興味深いものだった。ニースは、計二六六個のそれらの画像を一九×一四の格子状に並べた。なんだかル・コルビュジエがノートに書きそうなデザインのようにも見えた。むろん手で書くこともできたが、コンピュータならボタンひとつで気楽に新しい反復を生み出せるから、別の規則を試してみることも可能で、手で行うよりもずっと速く結果を見られる。ニースの作品は、コンピュータが画家の道具箱の新しい道具になりうることを示していた。

プログラムにランダムな要素が導入されているので、ニース本人が制御も予測もできない絵ができる可能性があるが、だからといってコンピュータが創造的だとはいえない。創造性には意識的な選択や無意識の選択が関係していて、決してランダムな振る舞いではない。それでもニースが導入した制約とランダムさが相まって、人の目を引きつけるだけの緊張感がある作品が生まれたのだった。

プログラムにランダムさが加味されていないもの、つまり決定論的なものは、たとえプログラマがその結果にびっくりしたとしても、実はすべてプログラマの創造物であるはずだと主張することもできる。しかし、それはほんとうに公平な主張といえるのか。けっきょくのところ人間の行動は、すべて何らかの意味であらかじめ決められていたと見なせるのに……。わたしたちみんなが持っていると思っている自由意志を人はほんとうに持っているのか、というのは非常に難しい問題だ。

わたしたちの体を構成する原子は物理学の方程式に従っている。この瞬間の原子の位置や動きがその将来を決定し、原子の進む経路は自然の法則によって制限される。原子の動きはカオス的で予測不能かもしれないが、古典力学によれば、それさえも現在によってあらかじめ決められている。原子が次に行うことを選択できないとしたら、原子で構成されたわたしたちにも選択肢はない。わたしたちの行動は、宇宙を制御するコードによって前もって決まっているのだ。もしも人間の行動が前もって決まっているのなら、わたしたちの創造的行動も、コンピュータ自体ではなくプログラマに起因するとされているコンピュータの行動以上に自分たち自身の行動である、とはいえないのでは？

わたしたちの行動の行為主体に関しては、おそらく量子世界に根拠を求めることが唯一の望みとなるのだろう。現代物理学によれば、量子レベルでは真にランダムなことだけが起きる。原子未満のレベルにおいてだけ、この先の宇宙の進化を巡る選択の余地があるのだ。電子が次に何をするかは、その振る舞いをコントロールする量子波動方程式がどのように崩壊するかに基づいてランダムに決まる。電子を次に見たときにそれがどこにあるのかを、前もって知る術はない。人間の創造性には選択が含まれているように見えるが、じつはそれは原子より小さな粒子の世界での自由意志に左右されている、ということなのか。真に創造的なコードを作るには、量子コンピュータでコードを走らせなくてはならないのか。

フラクタルという名の自然のコード

ニースは、自分が生み出した閉じた図形は、視覚芸術を生み出すコンピュータの能力の始まりでしかないと信じていた。それから数十年の間に、プログラマたちはコンピュータを使った実験を行って、単純な方程式のなかに異様に複雑な図形が潜んでいることをつきとめた。コンピュータなしでは、無限に複雑なフラクタルの視覚世界は発見できなかったはずだ。フラクタル図形をどんどん拡大すると、規模が小さくなるにつれて単純にはならず、どこまで行っても最初と同じように複雑であり続ける。フラクタルは、いわば規模とは無縁な形なのだ。なぜなら、その一部を見せられたとしても、拡大倍率がわからないから。

このようなフラクタル図形のなかでももっとも象徴的なのが、コンピュータが生み出す画像の探索に火をつけた数学者にちなんで「マンデルブロ集合」と呼ばれている図形だ。一九八〇年代にクラブに通っていたことがある人はみな、DJがサイケデリックな音楽をかけるなかで、これらの図形が壁に投影されていたことを覚えておいでだろう。フラクタル図形を無限に拡大していくと、地面に触れることなく夢の世界に落ち込んでいくような感じに襲われる。これらはコンピュータがあればこそ発見できた図形だが、それにしても、これは芸術なのだろうか。

ケリー・ミッチェルは、一九九九年に発表した『フラクタル・アート・マニフェスト（フラクタル芸術宣言）』という著書で、フラクタル・アートと機械が行うアートを区別しようと試みている。

アートはプログラミング、つまり方程式の選択やアルゴリズムのなかにあるのであって、実行のなかにはない、というのである。

フラクタル・アートは……コンピュータがすべての作業を行うという意味での、コンピュータ（化された）・アートではない。作業を行うのはコンピュータだが、その方向性を決めるのは芸術家である。コンピュータを起動して、そのまま一時間ほったらかしにしてごらんなさい。戻ったときにも、まったく芸術は生まれていないはずだ。

コンピュータが創造的だとは、ここではいっさい主張されていない。フラクタル・アートとニースが作り出したコンピュータ・アートを区別する性質のひとつに、前者は完璧に決定論的だという点がある。コンピュータが行う選択は、すべて計算を始める前にプログラムされたものなのだ。どうしてコンピュータのフラクタル画像が、あっというような新しいものでありながら、無気力で生気のないものに感じられるのか。その答えはおそらく、それらの図形が二つの意識世界の間に架け橋を作っていない、という事実にあるのだろう。

コンピュータが作り出すフラクタルは、それでもその創造者に大金をもたらした。なぜなら、フラクタルを使うときわめて効率的に自然界を真似られることがわかったからだ。ブノワ・マンデルブロは画期的な著書『フラクタル幾何学』で、自然がシダや雲や波や山を作る際にフラクタルのアルゴリズムをどのように使っているかを説明している。ボーイング社のエンジニアだったローレン・カーペンターはこの本に触発されて、コンピュータ上でコードを使って自然界を模す実験を行ってみた。夜、ボーイング社のコンピュータを使って、コンピュータが作ったフラクタルの風景の中を飛行する二分間のアニメーションを作ったのだ。そしてそのアニメをヴォル・リーブル、「自由飛行」と名付けた。

カーペンターは、実はこれらのアニメをボーイングの宣伝部門のために作っていたのだが、本人としては、最終的に「スター・ウォーズ」を生み出したルーカスフィルムのボスたちをあっといわせたい、と思っていた。映画用のアニメを作ることが夢だったのだ。そしてついに、コンピュータグラフィックに関心があるプロの計算機科学者、芸術家、映画制作者が集う一九八〇年のSIGGRAPH年次会議で、自分のアルゴリズムを用いたアニメーションをお披露目することになった。カーペンターは一六ミリフィルムを上映している最中に、会場の最前列に自分があっといわせたいと思っていたルーカスフィルムの人々がいることに気がついた。

上映が終わると、聴衆は拍手喝采した。アルゴリズムにこんなに自然な画像が作れるなんて、未だかつて見たことがなかった。ルーカスフィルムは、その場でカーペンターに仕事をオファーした。スティーブン・スピルバーグはカーペンターがコードで生み出した効果を目の当たりにしてすっかり感心し、「いやあ、この時代に生きていて本当によかった」といった。カーペンターの同僚のエドウィン・キャットマルもまったく同感で、「いつの日か、このやり方で映画を丸々一本作ることになるだろう。世界を丸ごと生み出すんだ。登場人物を、怪物を、エイリアンを作り出す。人間の役者以外のすべてがコンピュータから出てくるんだ」と語った。

カーペンターとキャットマルは計算機科学者アルビー・レイ・スミスと組んで資金を集め、ピクサー・アニメーション・スタジオを立ち上げた。今やピクサーでは、画家やアニメーターと同数の数学者や計算機科学者が働いている。映画「カールじいさんの空飛ぶ家」のうっそうとしたジャングルの風景は、以前なら大勢の画家が何ヶ月もかかって作ったはずだが、今ではアルゴリズムを一回クリックすればすぐに作れる。

さらに、最小限のコードを用いていかにもそれらしい風景を生み出すことができるフラクタルの力によって、ゲーム環境の構築にうってつけのテクノロジーも生まれた。その可能性を最初に認識したのは、アタリ社だった。一九八二年のことである。アタリ社は、ルーカスフィルムのコンピュータグラフィック部門に百万ドルを出資して、ゲームの作り方に革命を起こす手伝いをしてほしいといった。

この路線で初期に成功を収めたものとしては、たとえば一九八四年にリリースされたその名も「レスキュー・オン・フラクタルズ！」というゲームがある。ゲーム環境に求められる水準は映画ほど厳しくなく、ゲームをする人々は、風景がそれほどリアルでなくても文句をいわなかった。開発チームは相変わらず画面がモザイクのようになるのに苛立っていたが、結局は、アタリ社の機械で走らせるには十分だという事実を受け入れることにした。そしてグラフィックがカクカクしていることから、フラクタルズのエイリアンを「カクカク（jaggis）」と呼ぶことにした。それでもゲーム機の性能が高くなると、ゲームでも一段と説得力のある世界を作れるようになった。変化に乏しい「パックマン」の空間から始まって、まるで映画のような「アンチャーテッド」などのゲーム描写を作れるようになったのも、ひとえにアルゴリズムの威力のおかげなのだ。

ゲーム界でアルゴリズムがもっとも創造的に使われた例の一つとして、二〇一六年にリリースされた「ノー・マンズ・スカイ」という壮大なゲームがある。ソニーのプレイステーション4のために作られたこのゲームでは、プレイヤーが宇宙を彷徨い、無数の惑星を訪れる。惑星はそれぞれ異なっていて、固有の植物や動物が見られる。厳密にいえば無限とまではいかないはずだが、このゲームの制作に協力したショーン・マーレイによると、毎秒一つの惑星を訪れたとしても、すべての惑星を訪れる前に本物の太陽が燃え尽きるという。

ということは、この「ノー・マンズ・スカイ」を開発したハロー・ゲームズという会社が、これらの惑星を生み出すために何千人もの画家を雇っている、ということなのだろうか？　実は、たった四人のプログラマがアルゴリズムの力を活用して、これらの世界を作っている。各惑星の環境は唯一無二で、プレイヤーがその惑星を最初に訪れたときに、コードによって作り出される。ゲームを作った本人にも、アルゴリズムが何を作るかは惑星を訪れるまでわからない。

ピクサーやプレイステーションで使われているアルゴリズムは、人間が創造するための道具である。カメラが肖像画家に取って代われないように、コンピュータも、アニメーターが自分たちの世界を新しいやり方で生み出すことができるようにしているにすぎない。コンピュータが人間の創意工夫や自己表現の道具である間は、芸術家にとって真の脅威にはならない。だが、新たな芸術を生み出そうとするコンピュータがあったらどうか。

アーロンから「ペインティング・フール」へ

美術家のハロルド・コーエンは生涯をかけて、それ自体に創造性があると見なすことができるコードを作ろうとした。キャリアを始めた時点では伝統的な画家になるつもりで、その目標に向かって順調に進んでいるように見えた。実際一九六六年には、三八歳にしてヴェネツィア・ビエンナーレの英国代表になっている。その後すぐにアメリカを訪れたコーエンは、カリフォルニア大学サンディエゴ校のジェフ・ラスキンと知り合い、そこではじめてコンピュータと出会うことになる。「コンピュータと芸術が関係するなんて思いもしなかった。ただ、コンピュータのプログラミングに夢中になっただけなんだ」ラスキンは七〇年代末にアップル社でマッキントッシュ・コンピュータを作ることになる人物で、じつはすばらしい教師だった。（マッキントッシュと名付けたのは、リンゴのなかでもマッキントッシュ（日本名は旭）がいちばんのお気に入りだったからだ。ただし、法律上の理由により綴りを変える必要があった）

　コーエンはラスキンに触発されて、芸術作品を作るための「アーロン（AARON）」というコードを作った。アーロンは、「もし……なら、……をせよ」というトップダウン式のコードで、コーエンが亡くなる頃には何万行にもなっていた。わたしにとって面白かったのは、コードが何を生み出すかを選ぶ際の様子について述べるときの、コーエンの言葉遣いだった。コーエンは、アーロンの意志決定について論じていたのだ。それにしても、コーエン自身はこれらの決定をどのようにプログラムしたのだろう。

　一般にコンピュータ・アートを制作する人々は、自分たちのアルゴリズムの働きを詳らかにしたがらない。彼らがあれこれ言い逃れをするのは、一つには、分解も模倣も容易でないアルゴリズムを作りたい、という目標があるからだ。実際に自分でコーエンのコードをある程度掘り下げてみた結果、わたしにもやっと、その「意志決定」なるものが「意志決定過程の核心部分で乱数発生器を使う」ことを意味するコーエン自身のコードだということがわかった。ニースと同じようにコーエンも、自立性や行為主体性を感じさせるために無作為《ランダム》の力を使ったのだ。

　ランダムさは創造性と同じなのか。創造性を刺激するうえで無作為が役に立つことに気づいている画家は大勢いて、たとえばレオナルド・ダ・ヴィンチは『絵画の書』という著作で、まっさらなキャンバスに汚れた布を投げつけることで次の段階への刺激を得る方法を述べている。さらに最近ではジャクソン・ポロックが、バケツの揺れを使って作品の構成を決めていた。作曲家たちも、楽曲を新たに意外な方向に進める際に、偶然が役立つ場合があることを知っている。

そうはいっても無作為にも限界はあって、なぜこの配置のほうが別の配置より面白いのか、という選択は一切行われない。結局のところ、出力のうちのこれはほかより面白くないから退ける、という決定を下すのは人間なのだ。もちろん無作為は、プログラムが行為主体であるかのような幻想を与えるためには不可欠だが、それだけでは十分でない。「オン」のボタンは、相変わらず人間の手の中にある。では、いったいどの時点で人間の関わりが消えてアルゴリズムの活動が取って代わるのか。どこまで行っても作り手の指紋は残り続けるのかもしれないが、ある時点で人間の貢献が、親から受け継いだDNAのようなものになるのかもしれない。親は、わたしたちの創造性の原因ではあっても、彼らがわたしたちを通して創造性を発揮するわけではない。

それにしても、無作為がありさえすれば、プログラマからプログラムに責任を転嫁することができるのだろうか。

コーエンは二〇一六年に八七歳で亡くなったが、アーロンは今も描き続けている。はたしてコーエンは、自分の着想をアーロンのプログラムにダウンロードすることで、自らの創造的な人生を広げることに成功したのか。それとも、自分の創造を励ましてくれるパートナーのコーエンがいなくなった今、アーロンは自立的な創造的芸術家になったのか。誰か別の人が「創造のボタン」を押した場合、誰が芸術家になるのか。

コーエンは、自分とアーロンとの絆はルネサンスの画家とその工房の助手たちとの関係に似ている、と述べていた。アニッシュ・カプーアやダミアン・ハーストなどの現代美術のスタジオを考えてみていただきたい。これらのスタジオでは、彼らの芸術的なビジョンを実行するためにたくさんの人が働いている。実際カプーアの場合は、ちょうどミケランジェロやレオナルドがそうであったように、南ロンドンに制作を後押しする大きなチームを抱えている。

　コーエンは、今まさに姿を現しつつあるテクノロジーによって視覚芸術の新たな創造的着想がどのように解き放たれるのかを探る、五〇年代から六〇年代の芸術家たちによる大きな運動に参加していた。ロンドンの現代美術館では一九六八年に「サイバネティック・セレンディピティ」という大きな展覧会が開かれ、ロボット動作がアートの世界に与えつつあるインパクトが浮き彫りになった。たとえばニコラ・シェフェールのCYSP1という作品が出展されていたのだが、この空間構築物の動きはフィリップス社製の電子頭脳によってコントロールされていた。ジャン・ティンゲリーは、自ら開発した「メタマティックス」という動くペインティング・マシーンを二台出展し、ゴードン・パスクは、互いが発する音と光に応じて互いに影響を与え合う五つのモビールからなるインスタレーションを作った。これらのモビールの相互作用はパスクが書いたアルゴリズムによって制御されていて、鑑賞者たちも懐中電灯を用いてモビールに働きかけることができた。

　同じ頃、韓国の美術家ナム・ジュン・パイク（白南準）は、史上初の行動する非人間芸術家という触れ込みで、K-456というロボットを作っていた。このロボットは即興のストリート・パフォーマンスのためのもので、パイク自身の回想によると、「通りで人々と出会い、一瞬の驚きを与える、突然ショーをする、といったことを想定していた」という。技術が高度になるにつれて、それらを活用したアートも洗練されていった。それにしても、これらのロボットやアルゴリズムはどこまで進んで行くのだろう。ほんとうに、創造物ではなく創造者になるのか。

　情報工学者のサイモン・コルトンは、アーロンの衣鉢を継ぐプログラムを作ろうとしてきた。コルトンが作り出した「ペインティング・フール（絵を描く愚か者）」は、ウェブサイトで次のような自己紹介をしている。

わたしはペインティング・フールです。コンピュータ・プログラムであり、向上心あふれる画家です。このプロジェクトの目的はわたし自身を――いつの日にか――創造性のある画家として真剣に受け止めてもらうことにあります。わたしは、技術があって鑑賞眼があって想像力のある振る舞いをするように作られています。

ふうむ、もちろんこれはアルゴリズムを作ったコルトンの野心であって、アルゴリズム自体の野心ではない。ただし、その目的はきわめて明確だ。曰く、それ自体が自立した想像力のある画家だと思ってもらえること。コルトンにすれば、アルゴリズムを人間が創造性を発揮するためのツールにするつもりはないし、機械に創造性を落し込むつもりもないのだ。ペインティング・フールは進化し続ける現在進行形のアルゴリズムで、現時点では二〇万行以上のJavaコードによって創作活動を続けている。

コルトンの初期のプロジェクトの一つに、ギャラリーを訪れた人々の肖像を描くアルゴリズムがある。その結果をギャラリーに展示したのが、「あなたにはわたしの心はわからない」と題する展覧会だった。アルゴリズムによる肖像は、デジタルカメラによる写真を超えるものでなくてはならない。肖像とは、画家とモデル双方の内的世界の何かを捉えた絵なのだ。この場合は絵描きであるアルゴリズムに内的な世界がないので、コルトンは、アルゴリズムの内的世界とでもいったものを作ることにした。アルゴリズムが、（たとえ何も感じていなくても）何らかの感情やムードを表す必要があったのだ。

コルトンとしては、乱数発生器を使って気分を選ぶことは避けたかった。そんなのは無意味に思えたが、それでも何か予測不可能な要素が必要だ。

　そこで、アルゴリズムにその日のガーディアンの膨大な記事のどれかを読ませて、当日の感情の状態を決めることにした。確かに、わたしだって朝刊をじっくり読めば、気分が上がったり下がったりする。サッカーのFAカップの第三ラウンドでアーセナルがノッティンガム・フォレストに四対二で負ければ最悪の気分になって、そういうときは、家族はわたしを避けようとする。しかしその一方で、「ゲーム・オブ・スローンズ」の最終シーズンの予告が載っていれば、期待に胸を膨らませるにちがいない。

　この場合、プログラマはアルゴリズムの状態を予測できない。なぜなら、アルゴリズムが肖像を描く前にどの記事に目を通すかがわからないからだ。それでも、ペインティング・フールがそのスタイルの絵にした理由は、ちゃんと説明できるはずだ。

　来訪者が肖像を描いてもらうために腰を下ろすと、アルゴリズムは記事を一つスキャンして、その絵の雰囲気につながる単語や語句を拾う。シリアやカブールの自爆テロに関する記事を読めば、深刻で暗い感じの肖像画になる。コルトンによれば、その選択は「説明可能だが予測は不可能」なのだ。絵のスタイルは単にランダムに選ばれるのではないから、その決定を説明することはできるが、予測はしづらい。

　時には、スキャンした記事のせいでペインティング・フールがすっかり気落ちして、とても絵を描く気になれないといって来訪者を追い払うこともあった。それでも、来訪者が立ち去る前にその決定について説明し、ここまでひどい意気消沈を引き起こした記事のポイントとなる言葉を伝えて、「乱数を使ってこの決定に至ったわけではない」ことを強調する。

　コルトンによると、自分の決定を表現するこの能力が、芸術家と観客の対話の重要な要素なのだ。

展覧会場の各肖像画には、アルゴリズムの内部世界を表現するためのコメントと、アルゴリズムが自身の目的に照らしてどれくらい成功したと思っているのかを分析するコメントがついていた。コーエンによれば、アーロンにはこの二つの要素が欠けているのだ。

わたしはコルトンに、この場合の創造性はコルトン自身に由来すると思っているのか、どこまでの創造性がアルゴリズムに帰されるのかを問うてみた。するときわめて率直に、生み出されたもののうちの一〇パーセントがペインティング・フールに帰せられる、という答えが返ってきた。この割合を変えることが、今後の目標だという。

さらにコルトンは、そのためのリトマス試験を示した。「ペインティング・フールが、意味もあれば示唆にも富んだ芸術作品、ほかの人たちは好むがわたしたち——つまりソフトウェアの作者——は好まない作品を生み出し始めたら、その場合は、ソフトウェアが単なるわたしたち自身の延長でしかないと主張することが難しくなる」

コルトンによると、計算機科学と創造的な芸術をつき混ぜる際に問題になることとして、計算機科学が問題解決をエートスとして成長してきた、という事実がある。囲碁の最強のプレイヤーに勝てるアルゴリズムを作るとか、インターネットでもっとも関連性が高いウェブサイトを探すプログラムを作るとか、人々を完璧なパートナーとマッチングさせるといった問題解決が、成長のきっかけとなってきたのだ。ところが創造的な芸術は、問題を解決するための行動ではない。

わたしたちはソナタを作るとか絵を描くとか、詩を作るといった問題を解決しているわけではない。常に全体像をくまなく念頭に置いており、その過程では確かに問題を解決するが、問題解決そのものは目標ではない。

芸術以外の領域では、わたしたちのために考えるソフトウェアを作ることが実行のポイントになる。ところがコンピュータによる創造性の研究では、人々に考えさせるようなソフトウェアを作ることが実行の要になる。これは、自動制御が知的生活を侵食するのでは、という不安を感じている人への反論として有効だと思う。わたしたちが思い描く「ＡＩによって強化された未来」では、じつはわたしたちのソフトウェアが、わたしたちをより少なくではなく、より多く考えさせることになる。

このチームは、コンピュータの作った作品が創造的でない理由として批評家たちが提示する異議申し立てに取り組み続け、最終的には批評家たちを打ち倒し、服従に持ち込む、という戦略を取っている。コルトン曰く「人々が、ペインティング・フールは創造的だ、なぜなら創造的でないというきちんとした理由を考えつかないから、ということを認めざるを得なくなる日が来ることを望んでいる」。

アーロンやペインティング・フールは、機械を使って芸術を作るアプローチとしては、どちらも保守派である。そのアルゴリズムは何千行ものコードからなっており、しかもオーソドックスなトップダウンのプログラミングになっている。だとすれば、新たなボトムアップ式のプログラミングでは、どのような芸術的創造性が解き放たれることになるのか。はたしてアルゴリズムが過去の芸術から学んで、創造性の新たな地平を開くことができるのだろうか。

第八章　巨匠に学ぶ

芸術は、目に見えるものを再生するのではない。
目に見えるようにするのだ。

パウル・クレー

メキシコの投資家デヴィッド・マルチネスは二〇〇六年に、ジャクソン・ポロックの「No. 5, 1948」という作品を一億四〇〇〇万ドルで購入した。大勢の疑り深い批評家が、絵の具をたくさん撥ね散らかしただけの代物になんでこんな値段がつくんだ、と文句をいった。こんなものは、子どもにだって描けるだろうに！

ポロックのアプローチは、それほど明確でないことがわかっている。ポロックは、キャンバスに絵の具を滴らせながらさかんに歩き回った。飲んだくれていることも多く、ベストの状態でもその姿勢は不安定だった。そのようにして描かれた絵は、ポロックが絵の具やキャンバスと互いに働きかける際の体の動きを目に見える形で表現したものだった。しかしだからといって、機械では絶対に真似ができない、というわけでもない。

オレゴン大学のリチャード・テイラーが数学を用いて解析してみると、ポロックのドリップ・ペインティングは、支点が固定されずに動けるカオス的な振り子のようなものであることがわかった。カオス的な振り子とくれば、このわたしもこれまで研究してきたし、理解もしている。これはジャクソン・ポロックの贋作を作って何百万も稼ぐよいチャンスだぞ、とわたしは考えた。そして、間に合わせのカオス振り子の先端に絵の具入れの壺をつけ、床に広げたキャンバスの上でその壺が前後に揺れるようにしておいて絵の具を少々注ぎ、何が現れるかを観察した。

カオス的な力学系に特徴的なのが、信じられないくらい小さな変化にも敏感だという性質で、そのため出発点をほぼ判別できないくらい変えただけで、ひどく異なった結果が得られる。普通の振り子が前後に揺れても、カオス的にはならない。ところがわたしが作った振り子は、振り子が揺れると支点が動くようになっており、この小さな変化によって振り子は急にカオス的に振る舞いはじめる。わたしが作ったのは、絵を描くときのポロックの物理的な動きを真似るシステムで、テイラーがポロックの絵のスタイルに関する自分の理論を確認するために設計した「ポロッカイザー」と呼ばれる仕掛けがモデルになっている。

このカオス的な絵の具壺が生み出すのは、フラクタルと呼ばれる画像である。ピクサーやソニーが映画やゲームの風景を作り出すのに使ったデジタルなフラクタルのアナログ版だ。ポロックの絵があれほど特別なのは、フラクタルに規模とは無関係という特徴があるからだ。ポロックの絵の一部を拡大しても、その部分と全体を区別するのが難しく、絵に近づくと、キャンバスに対する自分の位置感覚を失って、絵のなかに落ちていくような気がしてくる。

テイラーのこの知見によって、ポロックの作品を巡る状況は一変した。長年多くの人々が、キャンバスにランダムに絵の具を散らしてポロックの偽物を作り、本物としてオークションで売ろうとしてきた。ところが、ポロックのフラクタルの性質は測定することができたのだ。数学者たちはこの知見に基づいて、ポロック作品の贋作を九三パーセント弾けるようになった。だがわたしには自信があった。このカオス的な仕掛けが作ったものなら、フラクタル・テストにも合格するはずだ。

わたしたちの脳は、自然界を知覚して、そこで生き抜いていけるように進化してきた。シダや枝や雲など多くの自然現象がフラクタルであるため、これらの形を見ると心が安まる。たぶんそれもあって、ポロックのフラクタルはここまで人間の精神に訴えかけてくるのだろう。彼の絵は、自然の抽象的表現なのだ。最近の研究によると、自然界で見られるのとよく似たフラクタルを被験者に見せながらｆＭＲＩスキャナでスキャンしてみると、被験者の海馬傍回領域が活性化されているように見えるという。脳のこの部分は感情の調節に関わっており、面白いことに、音楽を聴いているときに活性化されることが多い。

ポロックの絵やシダを見ているときと音楽を聴いているときにわたしたちの脳の同じ部分が活性化されているという事実から、そもそも人間が芸術を生み出すに至った基本的な理由の一つが浮かび上がってくる。そしてさらに、創造性がヒューマン・コードのかくも重要で謎めいた部分であることの理由らしきものも浮かび上がってくる。今や、脳波計やｆＭＲＩスキャナのおかげで機能している最中の脳を覗けるようになっているが、それまでは、わたしたちの感覚や想像力には限りがあった。ポロックの絵画は、ポロック自身が自分のまわりの世界をどのように見ていたのかを知るための手がかりなのだ。こうなると暗黙のうちに、みなさんはこの世界をどのように見ていますか、という問いが生じる。

自作の「ポロック」をイーベイで売りに出してみたわたしは、いささかがっかりすることになった。数時間、数日間、そしてついには数週間も待ったのに、誰も入札しなかったのだ！　キャンバスに描かれたものは、部分的にはポロックに似ていたが、問題は、構造がないという点にあった。カオス的な振り子は、ドリップによるフラクタルは生み出せても、ポロックには伝えることができた全体としての印象を作り出すことができなかった。これは、芸術作品を作ろうと試みるコードの多くが持つ基本的な限界であるらしい。部分部分の細かいところは捉えられても、それらの欠片をつなぎ合わせて、より大きな規模で満足いく絵を作ることができないのだ。

ポロックのアプローチは機械的に見えるかもしれないが、本人は、それぞれの絵に全身全霊を傾けていた。「絵をどんなふうに置いてもらっても構わない」ポロックは自分の手法を述べるなかで、そう記している。「何かが語られていればそれでよい。絵は自己の発見だ。よい画家は皆、自分のなんたるかを描く」

レンブラントの復活

ニースが一九六五年に、シュトゥットガルトの美術アカデミーでコンピュータによる作品を展示すると、アカデミーに滞在していたレジデンス・アーティストたちは異議を申し立てた。「たいへんけっこうだし、面白い。でも、一つ疑問があるんですが。あなたは、これはこれから来るものの始まりでしかない、今後、あなたの機械に今できていることをはるかに超えるものが登場すると、そう確信しておいでのようですね。だったら教えていただけますか。あなたのコンピュータをさらに発展させて、わたし自身の絵の描き方を模することもできるようになるんですか」

「もちろんできるようになります」とニースは答えた。「ただし、一つ条件があります。まず、あなたの絵の描き方をわたしに明確に教えてくれないと」

自分がどのようにして作品を生み出すのかを説明できる画家は希である。だからその過程をそのままコード化することは不可能だ。作品は、さまざまな意識下の本能や決定の結果なのだ。しかし、機械学習によってわたしたち人間には捉えられないパターンや規則を拾っていけば、そのような意識的表現は不用になるのでは？　わたしはこの仮説を検証するために、古今東西のもっとも偉大な芸術家の絵画を、アルゴリズムを使ってさらにもう一枚、墓のなかから絞り出せるものかどうか、調べることにした。

レンブラント・ファン・レインの肖像画には、描かれる人物の心のありようが見事にとらえられている。そのため非常に人気が高く、その評価は時とともに上がる一方だ。多くの画家たちがレンブラントを絵画における鑑《かがみ》とし、その技量や巧みな表現には到底近付けないと諦めてきた。ヴァン・ゴッホも、次のように述べている。「レンブラントはかくも深く謎に入り込み、いかなる言語でも表しようがない何かを語っている。彼らがレンブラントを『魔術師』と呼んだのも宜《むべ》なるかな。画家というのは簡単な職業ではないのだ」レンブラントは、オランダのギルドの会員および高官達の肖像や風景、さらには依頼による宗教画を数え切れないほど描いているが、もっともこだわりがあったのは自画像だった。亡くなるまで繰り返しそこに立ち戻り、徹底した誠実さに裏打ちされた自叙伝的作品を生み出していったのだ。

レンブラントの作品が大量にあれば、アルゴリズムも一目でレンブラントの作品とわかる新たな肖像画を描く方法を身につけることができるのではなかろうか。インターネットには猫の画像が何百万枚もあるが、シェイクスピアは戯曲を三七本、ベートーベンは交響曲を九つしか作っていない。創造力に富む天才たちは、データが足りないという理由で今後も機械学習の侵略から守られていくのか。マイクロソフトとデルフト工科大学のデータ科学者たちは、レンブラントの場合はデータが十分にあるので、アルゴリズムもそれらしい描き方を習得することができる、と考えた。このプロジェクトに加わったマイクロソフトのロン・オーガスタスは、古の巨匠自身も自分たちのプロジェクトに賛成してくれるだろうと信じていた。「レンブラントが絵筆と絵の具を使って新しいものを生み出したように、わたしたちはデータとテクノロジーを使って新たなものを作り出そうとしているのです」

このチームは計三四六枚の絵を調べて、分析用に一五〇ギガバイトのデジタル変換された画像を用意した。集められたデータには、モデルの性別や年齢や顔の向きなどの分析結果、顔のポイントとなるさまざまな点のより幾何学的な分析などが含まれていた。そしてレンブラントの肖像画を慎重に解析したうえで、レンブラントが次に描いたであろう典型的な人物のモデルを設定した。三〇代から四〇代の白人男性で、ひげがあり、黒っぽい服を着ていて、カラーをつけ、帽子をかぶり、右を向いている。レンブラントのモデルの男女比はほぼ半々だったから、別に女性でもよかったのだが、男性のほうが分析できる詳細が多かった。ここまでは、それほど複雑なデータ解析は必要なかった。機械学習が真価を発揮するのは、実際に肖像を描く段になってからだ。

次にアルゴリズムを使って、目と鼻と口を描く際のレンブラントのアプローチを調べた。レンブラントの作品のもっとも顕著な特徴の一つに、光の使い方がある。対象となる人物のある領域に、ちょうどスポットライトのように集中した光源を作り出すことが多いのだ。これによって、モデルのある部分に鋭く焦点が結ばれ、そのほかの部分がぼやける。

彼らのアルゴリズムが目指したのは、すべての特徴を融合させることでも、平均を作ることでもなかった。一八七七年にフランシス・ゴルトンが発見したように――当時ゴルトンは、実際の受刑者の写真の平均を取って原型となる受刑者像を造ろうとしていた――ただ平均を取るだけだと、オリジナルとは似ても似つかないものができあがる。ネガを何枚も重ねたまま焼き付けて写真を作ったゴルトンは、醜く歪んだいくつもの顔を重ねた結果、ハンサムな合成物ができたのを見てショックを受けた。どうやら均整のとれていないものの平均を取ると、たいへん魅力的なものができあがるらしい。データ科学者たちがレンブラントと見まごうような絵を作りたいのなら、もっと賢い計画を考える必要があった。彼らのアルゴリズムは、まるでレンブラントの目を通して世界を見ているかのように、新たな目、新たな鼻、新たな口を作り出さねばならなかったのである。

顔の造作ができると、今度はそれらがレンブラントが描いた顔のどの位置にあるのか、その比を調べていった。ちなみにレオナルド・ダ・ヴィンチは顔の造作の比に魅せられていて、スケッチブックには顔のさまざまな造作の相対的な位置を測定した値があふれていた。一説によると、完璧な顔を作り出すために、黄金比という数学の概念を活用したという。レンブラントは、絵の背後の幾何学に取り憑かれこそしなかったが、どうやらお気に入りの比があったらしい。

まずは、平面画像を分析する。しかし絵画は、実は二次元画像ではない。キャンバス上の絵の具が地形というか、輪郭のようなものを形作っており、それが独特の効果をもたらす。多くの画家が、この輪郭を構成と同じくらい大事にしており、たとえばヴァン・ゴッホは、まるで彫刻でも作るように油絵の具を厚く重ねている。アルゴリズムによって作られた絵では、往々にして絵の具の風合いが失われてしまう。アルゴリズムは作品をスクリーン上に描くことが多く、したがって絵が二次元デジタルキャンバスに限られるからだ。ところがゴヤからデ・クーニングにいたる画家たちの違いを生み出しているのは、絵が醸し出すイメージであると同時に、キャンバスに施された絵の具の具合なのだ。レンブラントの絵の具の重ね方は、間違いなく晩年の作品の重要な特徴である。ここでチームはあることに気がついた。3Dプリンターを使えば、レンブラントのキャンバスの特徴ともいうべき輪郭や様相を分析して作り出すことができるかもしれない。3Dプリントされた絵は、最終的に画素数が一億四八〇〇万を超え、紫外線硬化顔料インクの一三の層から成っていた。

このプロジェクトに参加した創造的パートナーの一人、バス・コルストンは、アイデア自体はじつに単純だったが、実行するのはまるで別の話だったことを認めている。「まさに試行錯誤の旅だった。調べたり試したりしてみて、けっきょくは退けられたアイデアが山ほどあった」チームとしては、ロボットアームを作ってそのアームに絵を描かせたかったのだが、現時点のロボットアームには自由度が九しかないのに対して、レンブラントなどの人間の手は二七の異なる部分からなっていて、それらすべてが独立に動く。というわけで、この案は却下された。

コルストンによると、「次のレンブラント」の裏にある着想をつぶさずにおくことが、いちばん難しかったという。「マイナスの力がじつに多くて。時間、予算、技術、批評家。でも何より大きかったのが、調べなければならないデータの圧倒的な量だった。粘りに粘って決して『否』という答えを受け入れなかったという、ただそれだけがこのプロジェクトの成功の理由だと思う」

一八ヶ月間データをワシワシと食らい、五〇〇時間をかけて絵を描き、ついにチームの面々にも、自分たちのレンブラント復活の試みを世間に公開する準備が整ったと思われた。二〇一六年四月五日にアムステルダムでお披露目されたその作品は、すぐさま大衆の想像力を捉え、ツイッターでは公開後数日間に一〇〇〇万以上の言及があった。結果は、じつに衝撃的だった。その絵がレンブラントの様式の何かを捉えていることは否めなかった。画家の名前を問われたら、たいていの人がレンブラントの一派の誰かだと答えたはずだ。では、その絵はレンブラントの魔法を伝えているのかというと、イギリスの美術評論家ジョナサン・ジョーンズによれば、伝えていない。

「人間の本性のなかのあらゆる創造性の、なんとも恐ろしく、味気なく、無神経で、魂のない茶番劇である」ジョーンズはガーディアン紙で、軽蔑と嫌悪を込めてそう述べている。「この奇妙な時代のじつにぞっとする産物だ。今や最良の脳がもっとも愚劣な『難問』に没頭し、技術は決して使われるべきでないことに使われ、デジタルなものすべてがひたすら崇められているがゆえに、誰もがまるで心のこもっていない結果を賞賛しなければならないと感じている」

ジョーンズは、このプロジェクトがレンブラントの創造的な天分からはほど遠いと感じていた。大事なのは様式や表面的な効果ではなく、レンブラントが自分の内的生活を明らかにするやり方であり、それによって鑑賞者自身の内的な世界が明らかにされるということなのだ。二つの魂が遭遇するかどうかが問題なのであって、ＡＩが描いた絵は、ジョーンズのいう「レンブラントの身震い」、本物のレンブラントの傑作すべてに向き合ったときに人が感じるあの戦《おのの》きを引き出すことに、みごとに失敗していた。

ジョーンズによると、このようなプロジェクトを成功させる方法はただひとつ。ＡＩもまた、疫病や貧困や老齢といった、レンブラントをレンブラントたらしめ、その芸術をかくあらしめた人間的な出来事をすべて経験する必要があった。

コンピュータが描いた絵をこんなふうに撥ね付けるのは、はたして公正なのだろうか。その絵をコンピュータが描いたことを前もって聞かされていなかったとして、それでも同じように反応したのか。画家の制作過程は、中身がまったく見えないブラックボックスであることが多い。アルゴリズムはわたしたちに、その箱のなかを探り回って、今まで気づきもしなかったパターンの痕跡を見つけるための新たなツールを与えてくれた。もしもコードを通じて芸術家が成し遂げたことを追試できたなら、そのコードは創造の過程に関する何かを明らかにしたことになる。そうなれば、今まで見過ごされてきた巨匠の作品を拾ったり、誤ってカタログに載せられた作品の正しい作者を特定することができるのではなかろうか？

オランダのヴィレム・ファン・デル・ヴォルム・コレクションが所蔵する「トビトとアンナ」という絵の作者を巡っては、何十年も前から大論争が続いていた。この絵に後期のレンブラントの特徴が多く見られることは確かだった。光の集中、おおざっぱな筆致、まるでスケッチのような部分があるかと思うと鋭く焦点を結んだ部分もある。下のほうにレンブラントのサインまであったが、これは後から加えられた偽物だとする人が多かった。この作品は長いこと、レンブラント自身ではなくその弟子の誰かによるものとされてきた。ところが二〇一〇年にすべてがひっくり返った。レンブラントの専門家であるエルンスト・ファン・デ・ウェテリンクが、近代科学の力を借りてこのキャンバスと対峙したのだ。

赤外線スキャンとX線解析のおかげで、今では表面の下に隠れているものまで見ることができる。たとえば、作品が展開して最終的な絵になるまでに画家が何を試みたのかもわかる。事実、X線画像から、この絵には元々窓がもう一つ描かれていたが、後で塗りつぶされていることがわかった。ファン・デ・ウェテリンクによると、レンブラントはこのようなやり方で絶えず光と戯れていた。対象を浮かび上がらせる方法をあれこれ探っていたのだ。さらに、ひじょうに細かい化学分析を行った結果、絵の具が乾ききる前にサインが加えられていたことがわかった。自分自身の長年の経験とレンブラントの様式に関する深い知識、さらにはこれらの新しい科学的な技法の支えによって、ファン・デ・ウェテリンクはこの作品の作者に関する考えを改めることになった。この絵を展示していた博物館は、自分たちのコレクションにさらにもう一つレンブラントがあったことがわかって大喜びだった。とはいえ科学的な証拠があるにもかかわらず、未だにこの作品の由来を疑う評論家がいないわけではないのだが……。

では、ファン・デ・ウェテリンクはコンピュータが描いたこの新たなレンブラントをどう思ったのだろう。最初にこの提案がなされたときは、嫌な思いつきだと思った。そしてついにその絵と向き合うと、すぐさま筆遣いを批判し始めた。筆致に微妙な矛盾があり、筆使いは一六五二年のレンブラントのものなのに、その絵のほかの要素は一六三二年に描かれた絵の様式に近いというのである。チームの面々は、自分たちのプロジェクトに欠けていたのがその程度の細かいことだったというので、ひとまず胸をなで下ろした。

マイクロソフトがこのレンブラント・プロジェクトに肩入れしたのは、十中八九、芸術のためではなく商売のためだった。なるほどと思わせる贋作を作ることができれば、自分たちのコードがいかに優秀かを示せる。アルファ碁が李世乭《イ・セドル》に勝利したときも、囲碁の新しい創造的な手を発見することではなく、ディープマインド社のAIの信用証明をはでに宣伝することが重要だったのだ。何か、問題でも？　創造性は商業的報酬と無縁でなければならないと、そうおっしゃるんですか？　ヴァン・ゴッホが死ぬまでに売れた絵は、たったの二枚。（ただし、それ以外に仲間の画家とのあいだで食べ物や画材と交換した絵があった）たぶんゴッホは質素な暮らしができればよいと思っていて、ゴッホの創造性にとって金銭はたいした原動力とならなかったのだろう。とはいえ、誰かの前で金をちらつかせることで（少なくとも低レベルの）創造力を刺激できるという証拠はある。

二〇〇七年にアメリカの心理学者のチームが一一五人の学生を集めて、フライパンではぜるポップコーンに関する短編を読ませた。そして、その物語に題名をつけてほしいといった。半数の学生には、「きみの題名がどれくらい創造的かは、過去にこの研究に参加した学生全員がつけた題名と比べて判断することになる。これまでの参加者の八〇パーセントより優れていれば、きみは見事な仕事をしたことになる」と告げた。そして残りの半分には、同じことを述べたうえで、創造的な題名をつけられたら一〇ドルもらえる、と告げた。すると案の定、金銭的な褒賞をちらつかせた半分からは、たとえば、「フライパン大騒ぎ《パンデモニウム》（PANdemonium）」とか、「ポップ黙示録《アポップカリプス・ナウ》」といったはるかに独創的な題名が出てきた。

ほかの人々からのフィードバックは、それがどんな形であれ、創造へのはずみになるのではないか。わたしたちが創造的な活動でさまざまなものを生み出すのは、仲間である人間の注意を引きつけて、自分への関心を持たせるためではないのか。というわけで、新たなAIは、学習にフィードバックの側面を組み込もうとしている。機械学習では、フィードバックを使ってアルゴリズムをよりよい結果へと移行させる場合が多い。ディープマインド社のアタリ・ゲームをするためのアルゴリズムを見てみよう。（高いスコアを求めるようにプログラムすることで）リスクを取る行為に報いるように設定したアルゴリズムは、そのような設定をしていないアルゴリズムが到達し得なかったレベルをクリアできるようになる。

競争的な創造性

新しいレンブラント作品を作り出すことには、それが可能であることを証明する以外にさして意味はない。では、コードがほんとうに新しくて心躍る芸術作品を生みだすことはあり得るのか。ラトガーズ大学のアーマッド・エルガマルは、芸術作品の制作を競い合うゲームに仕立てれば、コンピュータを新たな興味深い芸術の領域に駆り立てられるのではないかと考えた。既存の芸術の様式を壊すことに専念するアルゴリズムを作ったうえで、二つ目のコンピュータに、第一のAIの成果が芸術として認識できるかどうか、独創性が足りているかどうかを確認させようというのだ。これは、敵対的生成ネットワークの古典的な例である。敵対的生成ネットワークとは、グーグル・ブレイン（グーグルの人工知能研究チーム）のイアン・グッドフェローが最初に導入した概念で、各アルゴリズムは、ほかのアルゴリズムのフィードバックに基づいて学習し、変わっていく。エルガマルは、ゲームが終わる頃には国際的な舞台でその創造性を認められるアルゴリズムができあがると考えた。

実は、ヒューマン・コードが創造性へと向かう様子にこの敵対的なモデルが当てはまることを示す証拠がある。トミー・マクヒューの奇妙な事例がそれで、トミーは二〇〇一年に発作を起こすまでは、リバプールで建設労働者として愉快に暮らし、結婚してバーケンヘッドの小さな家に住み、刑務所にいる間に入れることに決めたタトゥーを除けば、芸術にはいっさい関心がなかった。ところが二〇〇一年の発作の後で、トミーに奇妙なことが起きた。突然創造へと駆り立てられたのだ。詩を書き始め、さらに絵筆と絵の具を買ってきて、自宅の壁を芸術作品で覆い始めた。問題は、この衝動をコントロールできないことだった。衝動の虜となって、自宅のありとあらゆる壁に絵を描いて回った。

トミーの家に足を踏み入れると、キッチュなシスティーナ礼拝堂に入ったような気分になってくる。すべてが絵に覆われているのだ。トミーの妻はこの創造の爆発を止めることができず、本人の好きなようにさせていた。本人にも止められず、とにかく古い絵を新しい絵で覆っていった。「家全体に五回絵を描いた。床も、天井も、カーペットも……」と彼はわたしにいった。「眠るのは、疲れ切ったときだけ。許されることなら、家の外側も塗っただろうし、木や、舗道も塗ったと思う」

優れた絵かというと、正直、それほどでもない。それにしても、発作の後でなぜ突然こんなふうに絵を描きたいという衝動を覚えはじめたのか。トミーは、この創造への衝動が始まる際に脳の中で起きていることを、わたしに説明しようとした。「脳の片方の側で絶えずピカピカと光が走るのが見えて、それがこの一つの細胞を打つんだ。するとその細胞が、泡のエトナ火山の鍵を開く。わたしの想像力のなかの小さくてかなりどろどろした泡のそれぞれに、別の泡が何十億も含まれていて、それが弾けると、この創造性が爆発するんだ」

神経科学者たちの研究によると、わたしたちの脳にも、ちょうどグーグル・ブレインの敵対的生成ネットワークを推し進めるアルゴリズムのように、互いに競合する二つのシステムが存在する。一つは、ものを作りたいという表現者としての衝動だ。創造したい、表現したいという衝動。もう一つのシステムは抑制者、批判的な分身で、自分自身の考えに疑問を差し挟み、それらの発想を疑問視して批判する。わたしたちが新しいところに踏み込むには、この二つのきわめて微妙なバランスが欠かせない。創造的な考えとその考えを評価するフィードバックループのバランスを取って、その考えを練り上げ、再び作れるようにしなくてはならないのだ。

トミーの場合は、発作によってどうやら脳の抑圧的な側が壊れたらしい。止めろというもの、自分が作っているものがそれほどのものでないということを告げるものが存在しない。後に残ったのは、さらに突飛な絵や着想を生み出したいという表現者としての爆発的な衝動だけだった。

ドイツの画家パウル・クレーは、バウハウスでの講義内容をまとめた『教育スケッチブック』という著作で、このような緊張について論じている。「生産的な活動の端緒、創造に向けた最初の動きのすぐ後に、早くも最初の反作用、すなわち最初の受容の動きが生まれる。これはつまり、創造者がそれまでに作り出したものの善し悪しをコントロールするということだ」

トミーは二〇一二年に癌で亡くなったが、自分に起きたことを残念だとは思っておらず、「二回の発作のおかげで、誰にも予想できなかった素晴らしい冒険的な一一年を得ることができた」と述べている。

エルガマルは、広く芸術家の意識下で行われているこの創造者／識別者の対話を真似るコードを書くという戦略をとった。それにはまず、識別者を作る必要がある。できあがった作品を、美術史家のアルゴリズムが評価するのだ。同僚のババク・サレーと力を合わせ、初見の絵画を認識してその作者と思われる画家やその様式を分類できるようにアルゴリズムを訓練した。WikiArtには世界最大と思われるデジタル化された画像のデータベースがあって、一五〇〇年にわたる計一一一九人の画家が描いた八万一四四九枚の絵の画像がストックされている。はたしてWikiArtの内容物を使って自らを訓練して、絵をランダムに示されたときにその様式や画家を分類することができるアルゴリズムを作ることができるのか。エルガマルは手に入るデータの一部を使って訓練を行い、残りのデータでそのアルゴリズムの性能を試験した。それにしても、そのアルゴリズムはいったい何を探すようにプログラムすべきなのだろう。この膨大な絵画のデータベースを分類するうえで役立つ主な判別要素とは、いったい何なのか。

　数学を使って画家を特定するとなると、測るものが必要だ。基本的な過程は、スポティファイSpotifyやネットフリックスNetflixの原動力となっているアルゴリズムの裏にある過程と似ているが、個人の嗜好ではなく、判別するための特徴を見つけなければならない。今、手元のデータセットのなかの異なる二つの絵の特徴を測って、それぞれの絵を二次元グラフの点としてグラフ上に表すことができる。ではいったい何を測ればピカソの絵が片方の隅に、ヴァン・ゴッホの絵がそれとは別の片隅に集まるようにできるのか。たとえばピカソの絵に見られる（絵のなかで使われている黄色の量といった）一つの特徴（ここでは×で示してある）とヴァン・ゴッホの絵に見られる同じ特徴（ここでは○で示してある）を、次のような目盛りに載せてみる。

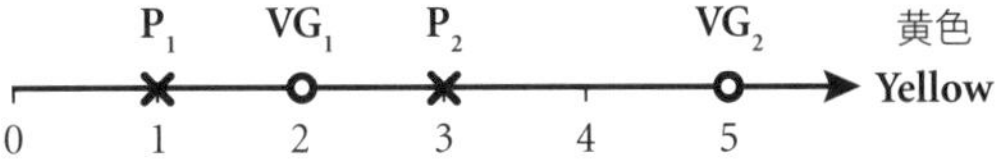

　この特徴だけを測ってみても、画家の違いを判別する助けにはならない。ピカソは、P_1の絵の

ように黄色を少ししか使わないことがあり、その場合、P_1は目盛りの1のところにくる。しかしそのほかの絵ではもっと黄色が使われていて、たとえばP_2という絵は目盛り3の所に来る。同じ目盛りに載せたヴァン・ゴッホの二枚の絵VG_1、VG_2も、特徴となる黄色の量にばらつきがある。つまり、黄色の量を測るだけではだめなのだ。

では別の特徴（たとえば、青の量）を測ったらどうか。そこで同じ絵でこの新たな特徴を測り、その結果を垂直軸の上に載せてみる。

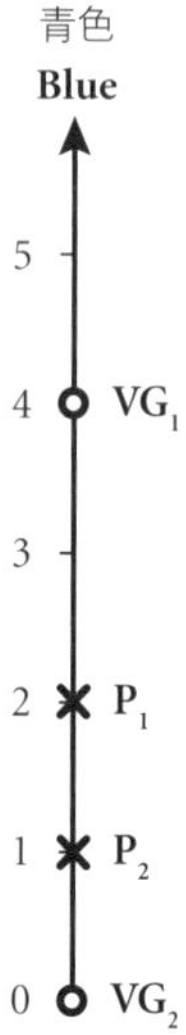

この場合も、青だけでは役に立ちそうにない。ピカソが片側に来てゴッホが別の側に来るような、はっきりとした線が見えてこないのだ。では、この二つの尺度を組み合わせて二次元の空間にプロットするとどうなるか。（次のページ）ピカソの絵P_1は（1, 2）という位置に来て、ゴッホの絵VG_1は（2, 4）という位置に来る。ところがこの二次元グラフでは、一本の線を引くだけで二人の画家の絵を分けることができる。青と黄色の測定を組み合わせることによって、ピカソの絵はその線の下に、ゴッホの絵は上にあることがわかるのだ。

この二つの特徴を使ってピカソとヴァン・ゴッホを区別する方法を学ばせたアルゴリズムに、新しい絵を示してそれがゴッホのものかピカソのものかを判定させると、アルゴリズムは二つの特徴を測って、平面上にその絵の座標を取る。このときアルゴリズムにとっては、問題の点が線のどちら側に位置するかに基づいてその絵の作者を判定するのがいちばん確実だといえる。

今の単純な例では色の特徴で画家を区別したが、実は使えそうな特徴は無数にある。機械学習のすごいところは、尺度となりそうな量の空間を調べて、わたしたちの単純な例における黄色と青の測定のように、判別に役立つ特徴の正しい組み合わせを拾い出すことができるという点にある。二つの尺度ではとうてい足りないので、画家を区別するのに十分な要素を見つけなくてはならない。計測できる新しい特徴が加わるたびに、絵をプロットする空間の次元は増え、画家やそのスタイルを特徴付ける可能性が高くなる。この手順が終わる頃には、単純な例で見た二次元よりずっと高い次元の空間に画家の絵をプロットすることになっているはずだ。

測るべきものを探す方法は二つある。プログラマが画家を区別するのに役立つだろうと考えた、たとえば空間の使

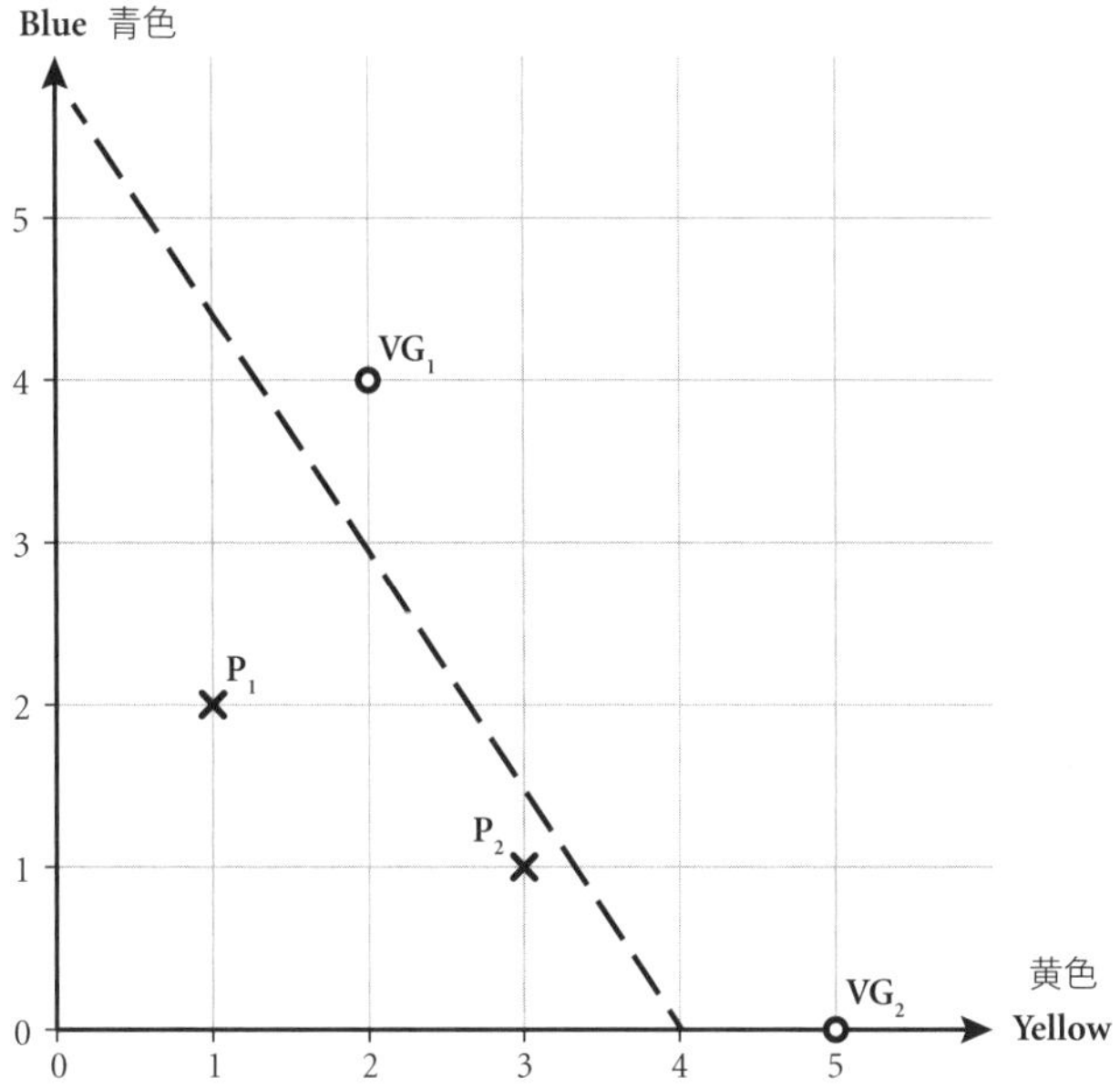

い方や質感や平面的、立体的な形や色などの特徴をコード化することもできる。ところが機械学習にはさらに面白い特徴があって、監督不在でも学習することができ、自力で的を絞るべき特徴を見つけることができる。ときには人間がデシジョンツリーを分析してみても、アルゴリズムがどの特徴に焦点を絞って絵を区別しているのかがよくわからない場合がある。最先端のコンピュータ・ビジョンでは、画像のなかの二〇〇〇以上の異なる特徴、範疇的内容相《クラッセーム》と呼ばれているものを計測している。アルゴリズムを訓練するためにプログラマが選んだ絵を分析するうえで、それらの特徴が格好の出発点だったのだ。

　二ページ前では、二次元空間があればピカソとゴッホの絵を分離できる、ということを大まかに説明したが、アルゴリズムが本物のデータセット全体にわたって様式を判別しようとすると、絵を四〇〇次元空間にプロットする必要がある。つまり、四〇〇の尺度を取ってこなければならないのだ。そのようにして得られたアルゴリズムに初見の絵を見せたところ、五〇パーセント以上の確率で画家を特定することができたが、たとえばクロード・モネとカミーユ・ピサロなどの画家は判別しにくかった。この二人はいずれも一九世紀後半から二〇世紀初頭にかけての画家で、印象派に属していた。しかも面白いことに、二人ともパリの〝アカデミー・シュイス〟で学んでいるときに友達となり、その結果顕著な交流があったという。

　ラトガーズのチームは、自分たちのアルゴリズムを使って、美術史においてきわめて創造性の高い作品が登場した瞬間を突き止めることができるかどうか、試してみた。かつてない斬新なものが現れた瞬間を、特定できるのか。従来の鋳型を破って新たな様式を解き放った絵はこれだ！　と指摘できるのか。既存の伝統の境界をどんどん押し広げていく画家もいれば、まったく新しいスタイルの絵を生み出す画家もいる。自分たちのアルゴリズムは、美術界にキュービズムが登場した瞬間、バロック美術が登場した瞬間を特定することができるのだろうか。

彼らのアルゴリズムはすでに、すべての絵を高次元のグラフの点として表し終えていた。そこにさらに時間という次元を加えて、その絵がいつ描かれたのかをプロットする。アルゴリズムが高次元空間をさらに時間軸に沿って動いていき、そこでさまざまな絵の位置の間の大きな変動を探知したとき、その変動は、美術史家が創造における革命と呼ぶ瞬間に対応しているのだろうか。

たとえば、ピカソの「アヴィニョンの娘たち」を見てみよう。多くの人が、従来の絵画の殻を破ったと認めている絵だ。一九一六年にパリでこの絵がはじめてお披露目されたときの反応はきわめて冷淡で、美における革命的変化はさもありなんというものだった。「ル・クリ・ド・パリ」という週刊誌には、「キュービズムの連中は、戦争が終わるのも待たずに、良識に対する攻撃を再開した」と断じる評が載った。だがじきに、この作品は美術史の転回点として認められることになった。数十年後に「ニューヨークタイムズ」に載った美術評によると、この作品は「筆の一刷毛によって過去の美術に挑戦し、わたしたちの時代の美術を容赦なく変えた」。おもしろいことにラトガーズ大学のチームのアルゴリズムも、この絵を多次元グラフに置いたときに、同時代のほかの絵と比べて大きく位置がずれている、という事実を拾うことができて、この絵を明らかに既存のどの絵とも異なる絵として高く評価した。ひょっとすると「ニューヨークタイムズ」の美術評も、アルゴリズムにお株を奪われる寸前なのかもしれない。

ラトガーズのチームが開発した判別アルゴリズムは、問題の絵がすでに受け入れられている既存の様式の一部かどうかを判別して、その絵が新たな境地を切り開いていればそれを認識できる美術史家に似ている。これに対して相方の創造者アルゴリズムには、それまでとは異なっているが、それでも美術として認められ評価されるような新しい作品を生み出す使命がある。エルガマルは、新しいものと新しすぎないものの間の緊張を理解するべく、心理学者で哲学者でもあるD・E・バーラインのアイデアを読み込んだ。バーラインによると、精神物理学的な「覚醒」の概念は、とくに美的な現象の研究と関係が深い。美においてもっとも重要な覚醒を引き起こすことができるのは、新しさ、意外性、複雑さ、曖昧さといった性質であり、混乱させる力なのだ。この場合の秘訣は、新しく驚くべきものではあっても、奇妙すぎて覚醒が反感に転じるところまでは期待から離れない、という点にあった。

このような緊張関係を捉えたのが、いわゆるブント曲線である。人は、自分の身の回りの芸術作品に慣れてしまうと、無関心になって退屈する。このため芸術家たちは、ほんとうの意味では決して作品を一定に保とうとしない。芸術家を（ひいては見る人々を）覚醒させるのは、差異なのだ。問題は、覚醒や不調和への動きが大きすぎると、今度はブント曲線の下り坂に入ってしまう点で、そこには快楽の最大値があり、芸術家はそれを追い求める。

エルガマルとチームの面々は創造者アルゴリズムを、ブント曲線のピークに当たる作品を作るように仕向ける形にプログラムした。差異を最大にしながらも、従来美術界が受容してきたスタイルから離れすぎない、というのがポイントだった。判別者アルゴリズムの仕事は、創造者アルゴリズムにフィードバックを行うことで、その作品が従来のスタイルから逸脱しすぎていないかどうか、芸術と考えるには野蛮すぎないかどうか、一つ一つの判断が創造者アルゴリズムのパラメータを変えていく。これはまさに機械学習で、アルゴリズム自体はさらなるデータに出会うことで変わり、フィードバックから学んでいく。二つのアルゴリズムが情報をやりとりするなかで、願わくば創造者アルゴリズムが、ブント曲線のスイートスポットに当たる新たな何かを生み出す方向へと導かれてほしいのだ。エルガマルはこれを、創造的な敵対ネットワークと呼んでいる。

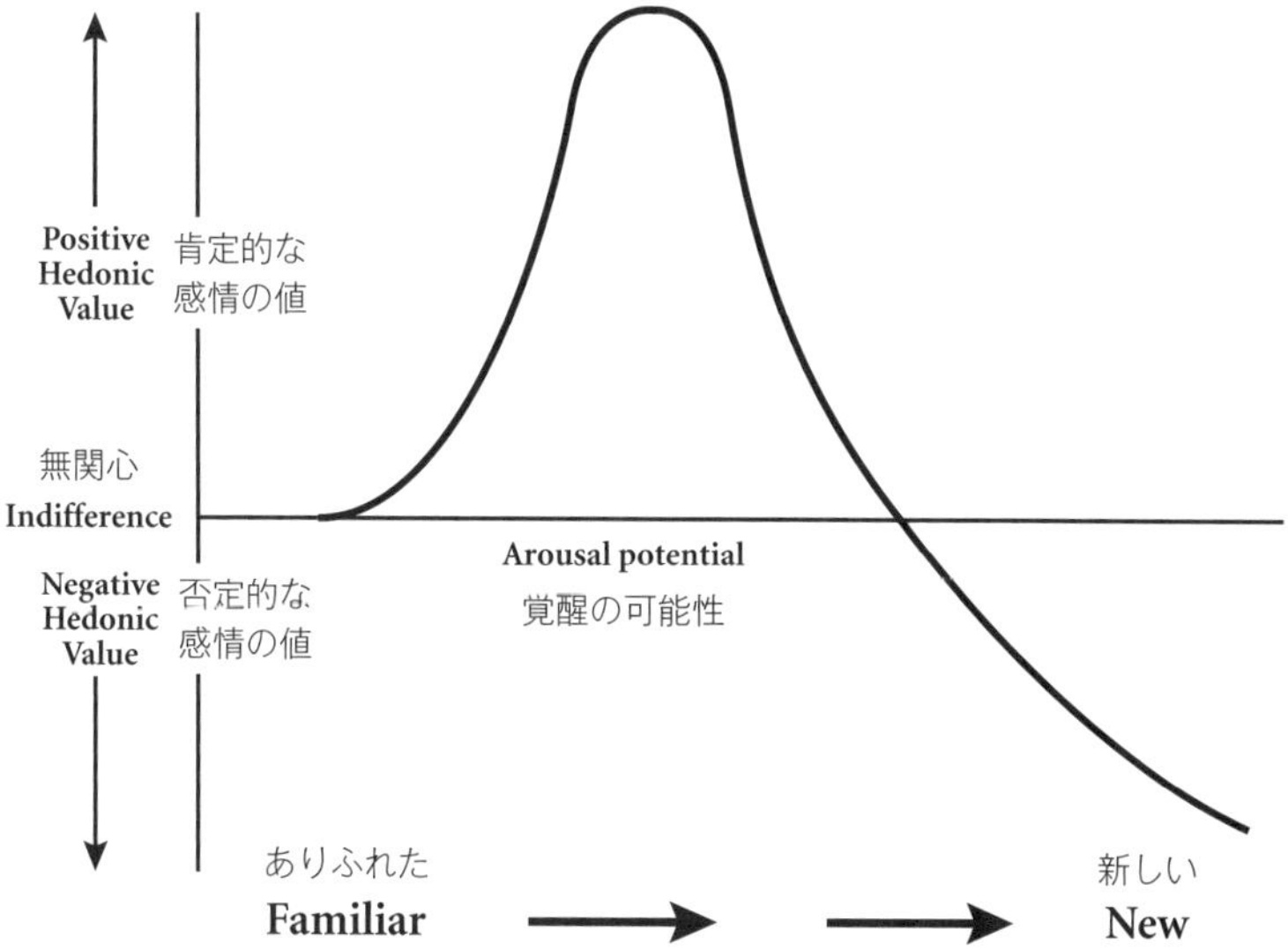

では、これらのアルゴリズムが作ったものを、人々はどう見たのだろう。二〇一六年に現代美術の最も重要な催しであるアート・バーゼルで、一団の美術愛好家たちに新たな作品がお披露目され、その作品をエルガマルの創造的敵対ネットワークが作った新作と比べてもらうことになった。すると彼らは、コンピュータが作った作品のほうが自分の想像力をかき立て、より身近に自分を重ね合わせることができた、と述べたという。（作品の画像は、https://arxiv.org/abs/1706.07068.pdf を参照）

さらに二〇一八年一〇月には、AI美術が真剣に受け止められはじめたことを示すより顕著な兆候が表れた。クリスティーズが、オークション会社としてははじめてアルゴリズムの作品を売ったのだ。それは、あるパリの集団が、エルガマルが開発した創造的ネットワークではなく、グッドフェローの元々の着想である一般的な敵対的ネットワークの概念を用いて作った作品だった。このパリのチームは、一四世紀から今日までの一万五〇〇〇枚の肖像画を用いてアルゴリズムに訓練を施した。

その結果出来上がったのは、黒っぽい外套を着て白いカラーをつけた男の肖像で、顔の造作は完成しておらず、なにやら不気味なところがある。この肖像は妙な具合に中央からずれていて、まるでモデルは本当はそこにいたくないようにも見える。どの時代の絵なのかは微妙で、一八世紀の肖像画のスタイルと、イギリスの画家グレン・ブラウンに通じるきわめて現代的な技法が組み合わさっている。おそらくこの絵のなかでもっとも興味深いのは下の方にあるサインで、画家の名前の代わりに数式が書いてある。

この肖像は、アルゴリズムが作った一連の絵の一枚で、パリのチームはそれらの絵をベラミーという架空の一族のさまざまな世代を描いた家系図に仕立てることにした。クリスティーズに出された絵は、ベラミー伯爵のひ孫にあたるエドモンド・ベラミーの肖像で、伯爵自身の肖像は二〇一八年二月に一万二〇〇〇ドルで売れていた。（クリスティーズのオークションでは、なんとまあ、ひ孫の肖像が四三万二〇〇〇ドルの値をつけた）一族の名字には、これらの競争するアルゴリズムという着想を生み出したグッドフェローへの敬意が籠められている。グッドフェロー（「いいやつ」）をざっとフランス語に直すと、「ベラミ」になるのだ。

過去の画家たちが行ってきたことから何かを学び、その知識を用いて新しいものを作る、というこの着想は、むろん人間の芸術家のほとんどが通る道でもある。現在の芸術は、自分たちが共有する過去からの光を当ててはじめて理解できる。けっきょくの所、新たな芸術に出会ったときには、ほとんどの鑑賞者がこのような知識、参照枠組みを持ち込んでいるのだ。ピカソやムンクの描き方に一度も触れたことがない人は、アート・バーゼルに出展されている作品をまったく経験することができない。大部分の創造性が、現在を攪乱して、現在と繋がりがありながら切れた未来を作り出す、という考えから生まれている。実はこれは進化のモデルであり、面白いことに、アルゴリズムはそのことに気がついたのである。

みなさんは、それにしてもずいぶん操作的なアプローチだ、と感じておられるかもしれない。快楽的価値を最大限引き出すきっかけになる点を見つけるために、芸術を数の風景に変えてしまうなんて、そんなばかな！　偉大なる芸術家は、内面の苦悩を表現するものではないのか。しかしそれでも、芸術的な創造性へと向かうこの従来とは異なる道には、もう一つほかの役割があるのかもしれない。これらの敵対的なネットワークのアルゴリズムはわたしたちを、芸術として認識できる可能性がありながらこれまで探ることを禁じられてきた新たな領域に押しやる可能性がある。つまり、ヒューマン・コードが生み出してきた芸術の未だ発揮されていない潜在能力を、コンピュータのコードが明らかにするかもしれないのだ。

アルゴリズムがどう考えているのかを理解する

芸術の効用はじつにさまざまだが、わたしにいわせれば、芸術の一番の強みは、ほかの人の心の働きを覗き見る窓を提供してくれるという点にある。そしてたぶんこれが、AIの作った芸術作品が持つ真の力なのだろう。なぜなら結局は、芸術作品の裏に潜むコンピュータ・コードの秘められた性質を人間が理解するのを助けてくれるかもしれないのだから。やがていつの日かAIが人間を凌ぐのなら、AIがこの世界をどう見ているのか、少しは展望を得ておいたほうがよいだろう。

グーグルのあるチームは、AIが作った芸術を手がかりに、自分たちが作った視覚認識アルゴリズムの思考過程をよりよく理解しようとしてきた。第五章でも述べたように、バナナと猫の画像を判別するアルゴリズムを作る場合には、アルゴリズムがその画像に関して発する問いの階層が決め手となる。アルゴリズムはその画像が何なのかを特定するために、実は「二〇の質問」ゲームをしているのだ。

やっかいなことに、機械が学習につれて変化すると、プログラマにもアルゴリズムがどの特徴に基づいてバナナと猫を判別しているのかが追えなくなる。直接コードを見ても、アルゴリズムがどのように働いているのかを解析して再構成するのはきわめて困難だ。ある画像についてアルゴリズムが投げかけられる問いは何百万もあって、なぜ、どうしてほかならぬその問いを選んだのかはじつにわかりにくい。ここでグーグルのチームは、アルゴリズムが機能する様子を把握するための良い方法を思いついた。問題のプログラムを、そのプログラム自体に向けるのだ。問題のアルゴリズムにランダムに画素化された画像を一枚与えて、特定可能な特徴を認識する引き金となり得る特徴を強調せよ、と命令する。こうして得られた結果からアルゴリズムが何を探しているのかがわかるはずだというのである。彼らはこの逆アルゴリズムを、ディープドリームと呼ぶことにした。

わたしには、ディープドリームが作り出す画像が、このAIを巡る旅で出会ったなかでももっとも意義深いタイプのAI芸術のように見える。これらの画像は、レンブラントの絵をさらに一枚作ろうとするわけでもなく、アート・バーゼルで現代美術家と張り合おうとするわけでもなく、視覚認識アルゴリズムがこの世界をどう見ているのか、その一端をわたしたちに垣間見せてくれる。美的な観点からはきわめて重要といえないのかもしれないが、わたしにいわせれば、芸術はそのためにあるのだ。この世界を他の人の目を通して理解しようとし、異なる見方と繋がるために。

ディープドリームのアルゴリズムは、人が画像を見るときのやり方、実はそこには何もないのに、急にトーストの表面に顔が見えたり、雲のなかに動物が見えたりする様をうまく使っている。人間の脳は、動物の画像にきわめて敏感になるように進化してきた。なぜならそれが、生き残るうえでの鍵になるからだ。けれどもそのせいで、時には何もないところに動物を見てしまう。ディープドリームの視覚認識アルゴリズムも、これと同じような形で機能する。つまり、パターンを探して、それを解釈する。これらのアルゴリズムは何千枚もの画像を用いて、パターンを探知するよう訓練を施されている。これはいわば進化の凝縮版で、彼らの生存は、画像を正確に特定できるかどうかにかかっている。機械学習は、基本的にデジタル進化の一種なのだ。では、アルゴリズムはデジタルの藪のなかにいったい何を見ているのか。

得られた結果は実に衝撃的だった。なんと、どこからともなくヒトデや蟻が現れ始めたのだ。ディープドリームのアルゴリズムには、画像を認識するだけでなく、画像を作り出す力があるらしい。しかしこれは、単なるお楽しみのゲームではなかった。アルゴリズムの学習の仕方に関するとても興味深い知見が得られたのだ。ダンベルの画像には、常にダンベルとつながった腕が写っている。問題のアルゴリズムが、ウェイトリフティングをしている人々の画像に基づいてダンベルについて学習したことは明らかだった。ということは、ダンベルが人間の体の延長ではなく、単一でも存在しうるということは理解できていない。

アルゴリズムにランダムな画素を入力するのではなく、実際の画像を与えて拾えた特徴を強調するように指示したり、自分たちがじっと雲を見ながら行うようなゲームをさせることもできる。あのもくもくした形のなかに隠れているのは何でしょう？ するとアルゴリズムは、犬や魚、あるいはごたまぜの動物に対応する特徴を拾ってきた。「ブレード・ランナー」というカルト・フィルムの原作は、『アンドロイドは電気羊の夢を見るか？』という小説なのだが、ディープドリームのアルゴリズムを使うと、その答えがわかる！　アルゴリズムが作ったある画像では、実際に空に羊が現れ始めた。

さまざまな決定がどんどん人間の手を離れ、自分たちが作ったアルゴリズムのデジタルな手に渡ろうとしている。問題は、今姿を現そうとしている機械学習のアルゴリズムが、人間には解明しがたいデシジョンツリーを作ってしまうというところにある。これもまた、この新しいタイプのプログラミングの限界であって、けっきょくのところわたしたちは、アルゴリズムがなぜその決定をしたのかを自信を持って指摘することができない。その決定が間違いではなく途方もなく洞察に富んだ示唆だと確信するには、どうすればよいのか。アルファ碁対李世乭の第二局の盤面解説者たちは、アルファ碁が勝つその時まで、アルファ碁の三七手目がよい手だったのか悪い手だったのか判断しきれなかった。ところが今やこれらのアルゴリズムはゲームだけでなく、わたしたちの生活に影響する意思決定を行っている。したがって、これらのアルゴリズムがどうやって、なぜそれらの意思決定を行っているのかを知る道具が必須となる。なぜならわたしたちが向かっているのは、さらに自動化が進んだ未来なのだから。

コンピュータ・ビジョンのアルゴリズムの場合には、彼らが生み出した作品から、彼らが機能する様子を垣間見ることができる。アルゴリズムが探知して選んだ特徴がわたしたちが認識しているものと同じ場合もあれば、アルゴリズムがその画像の何を判別しているのか指摘しづらい場合もあるわけだが、生み出された作品からは、アルゴリズムがデシジョンツリーのある特定の階層でどれくらいの抽象度で機能しているのかを垣間見ることができる。つまりわたしたちは、アルゴリズムの無意識の深層を見透かしているのだ。グーグルのプログラマたちはこのプロセスを「インセプショニズム」と呼んでいて、それらの画像はいわばアルゴリズムの夢だと考えている。だから、「ディープドリーム」なのだ。確かに、件のアルゴリズムが生み出す画像には、どこかぶっ飛んだサイケデリックな感じがある。まるでアルゴリズムがＬＳＤでトリップしたようでもある。アルゴリズムの出力に繰り返しアルゴリズムを適用して、反復するたびに拡大していくと、無限に続く新しい模様の流れができる。

　ディープドリームの産物（が何であるにせよ）を優れた芸術作品だと思う人はいないだろう。これらの画像に関するコラムを最初に書いたコラムニスト、アレックス・レイナーがいうように、「これらの画像は大学寮の壁の曼荼羅か、幻覚剤に関する研究で有名なテレンス・マッケナの本のカバーにでもありそうな、デジタルサイケな絵に似ている」。つまり、フリーズ・ロンドン（イギリス最大規模の現代アートの見本市）やアート・バーゼルで披露されるようなものではない。それでもこれらの画像は、画像を分類しようとするアルゴリズムの内面世界を理解するための、新しい重要な道を表しているのである。

アルゴリズムは芸術《アート》

　視覚芸術は、これらの新しい道具によって新たな面白い領域に押しやられるのだろうか。ここはひとつ、サーペンタイン・ギャラリーに戻って、ハンス・ウルリッヒ・オブリストと話してみなくては。そして、美術の世界におけるＡＩの役割をどう思っているのか、意見をきくことにしよう、とわたしは考えた。でもその前に、今展示されている作品を少しのぞいてみよう。

　ギャラリーに入ったわたしは、BOBと向き合うことになった。BOBはイアン・チェンが作ったコードから生まれた人工生命の形態で、実は六つある。はじまりはどれも同じコードなのだが、これらの生命形態は、来訪者とのやりとりの影響を受けながら進化していく。わたしが展覧会を見に行った時点で、六体のBOBはすでにてんでんばらばらな方向に進化していた。うちの双子の娘は、遺伝的には同一なのに性格がまるで異なっているので、同一のコードに環境の些細な変化がいかに大きな影響をもたらすかはよくわかる。

わたしは、リヒターの「4900 Farben」のように、ぜひBOBの核となるコードを解きほぐしたいと思った。でもBOBのコードはタイプが違っていて、解析したり模倣したりするのがはるかに難しい。だからこそ、存外長いあいだこちらの注意を引きつけておけるのだろう。BOBはギャラリーに来たお客とのやりとりに基づいて学習し、進化しているのだ。

BOBは、スマートフォンを使ったやりとりで来訪者の感情を拾っていく。チェンは原作者と創作の問題に惹かれており、「芸術が、その意味において原作者に生み出されつつ、原作者を超えて生きながらえて突然変異することができるのか」を知ろうとした。そのためには、作者自身がコントロールできないやりとりに基づいて中身が進化できるシステムを作ればよい。BOBが来訪者とやりとりするということは、BOBのコードがそれらの出会いによって生じる新たなパラメータで特徴付けられるということであって、ある時点でチェンは置いてきぼりになる。

わたしたちは往々にして、自分が理解できないコードに対処するために、ある種の代理物を割り当てる。まだ地震や火山を理解できなかった頃、わたしたちはこういった捉えにくい力を発するものとして、神を作り出した。BOBの核となるアルゴリズムもまた、哲学者のダニエル・デネットのいう「志向姿勢」によって、見ている人にこれと同じ反応を引き起こす。

ハンス・ウルリッヒ・オブリストから聞いたところによると、

いつもならギャラリーの記名帳は、部屋が暑すぎるとか、「なぜもっと椅子を置かないのか」といった文句でいっぱいだ。あるいは、グレイソン・ペリーがいかに好ましいか、好ましくないかといったコメントで。ところがBOBがいる間は、「なぜBOBはわたしを好かないのか。BOBがかわいそうだ。BOBがわたしを無視した。BOBはとってもかわいい」といったコメントが書かれていた。いやまったく驚くべきことだ。

どうやらある晩BOBは、一人歩きを始めたらしい。ハンス・ウルリッヒによると、一週間ほど海外に出ていたときに、ギャラリーの保安チームから電話が入ったという。朝の三時に突然サーペンタインに光があふれたというのだ。火事ではなかった。どうやらBOBが起きることにしたようなのだが、元来BOBは十時に起きて、ギャラリーが閉まる六時には止まるようにプログラムされていた。BOBがなぜ夜中に起きたのかがわからないので、まるでBOBに行為主体があるように感じられる。アルゴリズムがどのように機能しているのかがわからないからこそ、アルゴリズムによる黙示録の映画や物語が成り立つのだ。

常に進化して決して繰り返さず終わりも定まっていない芸術作品は、これまで美術界に存在しなかった、とハンス・ウルリッヒはいう。ギャラリーに掛かっている作品のほとんどが、じっとしていて動かず、時を経ても変わらない物理的な対象であり、ビデオアートですら、少なくとも初めがあって終わりがある。これまでギャラリーで流されてきたフィルムはすべてループになっていて、二〇回も見たら飽きてしまう。ＡＩを使うと、このような資源のリサイクルが不要になる。

BOBの後ろに潜むコードには、どこかジャクソン・ポロックのドリッピング技法の裏に潜むアナログ・コードに通じるものがある。カオス的な決定論的方程式に基づいていて、それが環境の影響を受けるのだ。したがって観衆も、結果を攪乱することができる。カオスであれば、予測は不可能でありうる。カオスの数学を活用したコードは、「創造的」という言葉が要求する新奇さと驚きの基準を満たしているのだ。カオス的な過程はあくまで決定論的だが、プログラマや創造者との関係を断ち切る方法としては、望みうる最良のものなのだろう。

ジョナサン・ジョーンズはガーディアン紙のレビューで、BOBに星を一つだけつけた。「実験室の賢いモデルでしかない。魂がない……芸術は常に人間的だ。そうでなければ無だ。チェンはそのことを忘れている。そしてその作品は、退屈なテクノである」機械のなかに精霊がいないという点については、ジョーンズはほぼ間違いなく正しい。だがこれから未来に向かうにあたって、いつ最初の精霊が現れたのかを知るための場としてギャラリーを活用することが、ますます必要になっていくのかもしれない。

ハンス・ウルリッヒ・オブリストによると、芸術は社会のもっとも優れた初期警報システムの一つである。社会でAIが果たす役割に関する議論がここまで重要になってきたことを考えれば、急いでギャラリーにAIの定位置を作るべきだ、とオブリストは考えている。現代のアルゴリズムのほとんどが、表からは見えない形で使われている。そしてわたしたちには、自分たちがどのように操作されているのかがわかっていない。芸術を使ってアルゴリズムを可視化すれば、それらのアルゴリズムをもっと賢明に解釈し、使いこなせるようになるのではないか。視覚芸術家は、一般大衆とコードを繋ぐ強力な仲介者である。展示されていた人工知能は、芸術だったのだ。

「芸術家は、目に見えないものを目に見えるようにするエキスパートだ」とオブリストはいう。それならAI自体が芸術であるだけでなく、より大きな芸術を作り出すことになるのだろうか。「機械によって偉大な作品が作られる可能性を排除することはできない。可能性を全否定すべきではない。ただし、今この時点でどうなのかといわれると、機械が作った偉大な作品は存在しない」それでもオブリストは、未来については言葉を濁した。「棋士たちは機械には決して負けないといったが、デミスは彼らが間違っていることを示してみせた。わたしはキュレーターだが、機械には自分よりよい展示会を企画監督することができない、というような傲慢なことは決していえない……」

彼のニューロンが発火しはじめるのが、目に見えるようだった。「そのうちに、実験してみるといいかもしれない……美術展の企画監督を巡って、囲碁のような実験をするんだ。……危険な実験だが、面白くもある」

第九章　数学の技量《アート》

突然の啓示は、
それに先立つ無意識の長い作業の顕れである。
アンリ・ポアンカレ

わたしのなかに数学者になるという考えの種が蒔かれたのは、一三の時だった。ある日、当時通っていたコンプリヘンシブ・スクールの数学の教師が授業の後でわたしを呼び、きみの気に入るかもしれないといって、何冊かの本を薦めてくれたのだ。その時点では、数学者がどういうものなのか、実はまったくわかっていなかったのだが、そのうちの一冊を読んでみると、数学が単なる計算ではなくはるかに大きなものだということがわかった。ケンブリッジの数学者G・H・ハーディが書いた、『ある数学者の弁明』という本である。

それはまさに天啓だった。ハーディは、数学するということの意味を伝えようとしていた。

数学者は、絵描きや詩人のようにパターンを作る人である。そのパターンが詩人や絵描きの作品より長持ちするとしたら、それは、概念で作られているからだ。絵描きや詩人のパターン同様、数学者のパターンも美しくなければならない。色や言葉のように、概念も調和を持って組み合わさらなくてはならないのだ。美こそが第一の評価基準である。この世界に、醜い数学の永住の地はない。

わたしはそれまで一度も、数学が創造的な分野だと考えたことがなかった。ところがハーディの小さな本を読むうちに、概念の論理的な正しさと同じくらい美的な感性も重要だと思えてきた。

あの先生はなぜ、特に絵や詩がうまいわけでもないわたしが数学に向いていると思ったのか。かなりあとになって、なぜわたしを呼び出したのかを尋ねる機会があったのだが、そのとき先生はこう答えた。「きみが、抽象的な思考にぴぴっと反応しているのに気づいていたからね。概念を使って絵を描くのが好きだということがわかったんだ」それは、最高の判断に基づく介入だった。わたしのなかに芽生えていた、創造的なものの見方と絶対的な論理と確かさを求める気持ちが組み合わさった分野に進みたい、という気持ちを察知しての介入だったのだ。

長年わたしは、数学には創造的な側面があるから、コンピュータによって自動化されたりしないと考えてきた。ところが今やアルゴリズムは、レンブラントのような肖像を描き、アート・バーゼルで人間が作った作品と肩を並べるような作品を生み出している。だったらじきに、アルゴリズムにもリーマンの数学が再現できるようになり、アメリカ数学会の雑誌、「ジャーナル・オブ・アメリカン・マセマティカル・ソサエティー」に掲載される論文に匹敵する論文が書けるようになるのだろうか。わたしは今すぐに、別の仕事を探し始めるべきなのか。

ハーディによれば、数学はゲームのようなものだ。ハーディ自身はチェスに例えるのを好んだが、コンピュータがチェスで人間を負かせるようになってからは、囲碁が常にわたしの盾となってきた。囲碁で人間に勝てないコンピュータが、わたしのしていることをはるかに早くできるようになどなるものか。数学とは直観であり、自分でもなぜそう感じるのかわからないが、それでいて正しいと感じられる未知の何かに向かう論理的な動きなのだ。ところが、ディープマインドのアルゴリズムが数学とよく似たゲームのやり方を突き止めたことから、わたしは実存の危機に陥った。

アルゴリズムにも数学者好みの囲碁ができるとなると、本物の数学ゲームもできるんだろうか。アルゴリズムに定理が証明できるのか。数学者としてのわたしの頂点のひとつにある定理の発見があり、その定理はアンドリュー・ワイルズがフェルマーの最終定理の証明を発表したのと同じ「アナルズ・オブ・マセマティクス」に掲載された。これはいわば数学版「ネイチャー」誌なのだが、こうなると、アルゴリズムが書いた論文があそこに載るまでに、どれくらいかかるのだろう。

ゲームをする際には、その規則を理解することが肝要だ。いったいわたしはコンピュータに、何をせよといっているのか。別に机に向かって膨大な計算をしているわけではないし、もし膨大な計算をするだけのことなら、はるか昔にコンピュータがわたしを失職させていたはずだ。では、数学者は正確にはいったい何をしているのか。

証明という数学ゲーム

みなさんが数学に関するニュース記事を目にするとしたら、それはまず間違いなく、数学者がきわめて重要な予想を「証明した」という記事だろう。一九九五年には、ワイルズによるフェルマーの最終定理の証明を巡る熱狂的な見出しがさまざまな新聞を飾った。そして二〇〇六年には、一匹狼のロシア人数学者グリゴリー・ペレルマンがポアンカレ予想を証明して、この予想にかけられた一〇〇万ドルの賞金を手にする権利を得た。この予想はいわゆるミレニアム問題のうちのひとつなのだが、問題はまだ六つ残っており、いずれも数学者たちが直観した難解な予想を証明することが求められている。

証明という概念が、数学者の活動の核なのだ。公理から始まる一連の論理的推論、それが証明だ。公理というのは、数や幾何学に関する自明の真理の一覧で、これらの公理の帰結を分析することによって、数や図形を巡る正しいはずの新たな言明の全貌が見えてくる。そしてこれらの発見が新たな証明の基礎となり、さらにそこからそれらの公理の論理的帰結が見つかる。数学は、このようにして成長してきた。ちょうど、生き物の構造が既存の形態から外へ外へと広がっていくように。

だからこそ、数学の証明はチェスや囲碁などのゲームになぞらえられてきた。公理は盤面の駒の最初の位置であり、論理的な演繹の規則は各駒の動きを決めるパラメータ、そして証明は、次々に打たれる手なのだ。チェスの場合、各段階で可能な手の数を考えると、盤面で駒が取り得る位置は何千にも上る。たとえばたった四手（白が二手、黒が二手）終わっただけで、ありうる駒の配置はすでに七一、八五二通りに上る。しかもその位置に収まるまでの経緯も、普通は一通りではない。これが囲碁になると、考え得る動きのツリーがさらに急速に成長する。

今、盤面に駒をランダムに置いたとして、最初の位置からその位置に至る経路が存在するか否かを問うことができる。いい換えれば、この配置はチェスの駒や囲碁の石の理に適った配置なのか、という問題だ。この問いには、数学の「予想」という概念に通じるところがある。たとえばフェルマーの最終定理は、$x^n+y^n=z^n$という方程式は$n>2$の場合には整数の解x、y、zを持ち得ない、という予想である。この場合、数学者たちは、数の機能の仕方から出発して、論理的な帰結としてこの予想が得られることを証明する、という難問と向き合うことになる。フェルマーは盤上にいくつかの駒を置いて、この盤面にたどり着けるはずだ、と述べた。これに対してワイルズやワイルズの業績に貢献したすべての数学者たちは、ある一連の手を打てば、フェルマーが示した盤面になることを立証したのだ。

数学者としての技量《アート》のひとつに、このような標的を拾う力がある。多くの数学者が、正しい問いを発することのほうが答えを示すことより重要だと考えている。数に関してどのようなことがいえるのか、それを見極めるにはきわめて感度の高い数学的な嗅覚が必要になる。数学者のもっとも創造性に富んだ捉えにくい技量は、この局面で発揮されることが多い。そのためには、生涯にわたってその世界にどっぷりと浸り、新たな真理となりそうなものに関する直観を育む必要がある。そのような予想は、なんらかの感触、虫の知らせであることが多い。なぜそれが真なのかを説明する必要はなく、それが、みんなの追い求める証明になる。

一つにはこのせいで、コンピュータが「数学する」ことは難しいとされてきた。従来のトップダウンのアルゴリズムは、いわば暗闇をうろつく飲んだくれのようなもので、当てずっぽうでたまたま面白い場所にたどり着くかもしれないが、たいていは、焦点もなければ価値もない。だがボトムアップのアルゴリズムであれば、過去に人間の数学者が行った旅に基づいて、自らが目指すべき面白そうな場所についての直観を育むことができるかもしれない。

それにしても、数学者たちはどうやって、自分が向かうべき面白そうな方角はこれだ、という感触を高めていくのか。自分の直観を裏付ける例がいくつか思い浮かぶ場合もあれば、いくつもの証拠が積み重なってこのパターンは偶然にしてはできすぎだと感じられる場合もあるだろう。とはいえ、データに基づくパターンは、すぐに消えてしまう可能性がある。だからこそ、証明を考えることが重要なのだ。時には何年もかかって、ようやくあるパターンが間違った手がかりだったことが判明する場合がある。実際わたしにも、あるパターンを巡る予想を立てた一〇年後に、その直感が間違っていたことを院生につきとめられた経験がある。

データがいかに危険であるかを示すわたしのお気に入りの例の一つに、一九世紀の偉大な数学者カール・フリードリヒ・ガウスの素数を巡る直感がある。ガウスは、1から任意の数Nまでの間に素数がどのくらいあるかを見積もるみごとな式をひねり出した。ただし本人は、自分が発見した式は常に素数の数を多く見積もりすぎると考えていた。実際、数値による証拠はすべて、ガウスのこの直感が正しいことを示しているようだった。もしもコンピュータを用いてこの問題に取り組んだとしたら、今このときも、ガウスの直感を裏付けるデータが得られているはずだ。ところが一九一四年にJ・E・リトルウッドが、理屈からいってガウスの直感が間違っていることを証明してみせた。ちなみにガウスの式で素数の数が過小に評価されるのは、宇宙にある原子すべての個数を超える数まで数えた（としても、この予想が破綻する点には近づいてもいない）後のことである。

ここがこのような予想の難しいところで、その予想が正しいのか、それともわたしたちの直感や手に入るデータに惑わされて彷徨う羽目に陥るのかがわからない。だからこそ必死になって、すでに確立されている合法的なゲームと予想される最終局面とを繋ぐ数学的な一連の手を構築しようとする。

しかしそれにしても、人はなぜこれらの証明を見つけたいという思いに駆り立てられるのか。数学を作り出したいという人間の衝動は、いったいどこから来ているのだろう。数学の大地を調べたいという動機をいったんプログラムしてしまえば、アルゴリズムも、数学というゲームで数学者に挑むようになるのか。むろん数学という営みの起源は、自分たちのまわりの状況を理解しよう、次に何が起きるかを予測しよう、自分たちの有利になるように環境を変えていこうとする人間の試みにある。数学は、人類という種による生き残りのための営みなのだ。

数学の起源

数学者という種族は、いささか誤解されているらしい。たいていの人が、数学の研究者たるわたしがオクスフォードの研究室で机に向かって、桁数の多い小数同士の割り算をしたり、六桁の数同士のかけ算をそらでやっている姿を思い浮かべる。数学者は断じて超計算機ではなく――コンピュータのほうが計算をはるかに速く上手に行えることは明らかだ――G・H・ハーディが最初にわたしに説明してくれたように、その本質はパターンを探す人である。数学とは、パターンを見つけて説明する科学なのだ。

パターンに気づく力があるおかげで、ヒトは自然界をうまく生き抜くことができる。なぜならこの力があれば、未来に向けて計画を立てられるからだ。人類がパターンをじつに上手に見つけられるようになったのは、パターンを見過ごす者が生き延びられなかったからである。初対面の誰かが挨拶の後に、「わたしには数学脳がないんです」と断言すると、(残念ながら、そういうことはしょっちゅうある)わたしはすぐに、実はわたしたち全員が進化の過程で数学脳を持つようになったんですよ、だってわたしたちの脳はパターンを見つけるのがほんとうに上手なんですから、と返す。時にはやりすぎることもあって、まるでパターンが存在しないデータにもパターンを読み取る。ちょうどサーペンタイン・ギャラリーで、リヒターのランダムに色づけされた正方形に出くわした鑑賞者の多くがパターンを読み取るように。

どうやら最古のパターン認識は、最古の線画作品の登場とともに現れたらしい。ラスコーの洞窟画には、壁じゅうを駆けまわるじつにみごとな動物の姿が描かれており、押し寄せる原牛の動きが静止した絵に見事に捉えられている。画家たちがなぜ地下にこのような絵を描こうと思ったのかを考えてみるのも一興だ。これらの像は、いったいどのような役割を果たしたのだろう。

それらの絵の傍らに、わたしには最古の数学の記録としか思えないものが書き添えられている。絵のそばには点の集まりがあって、これらは「すばる」という星団を表しているとされている。北半球の夏には、この星団が天空のもっとも高いところに来る。またそれとは別に、奇妙な点が全部で一三個ずらりとならんでいて、最後の点、つまり一三個目の点の上に、巨大な角を持つ雄鹿の大きな絵が描かれている。そこから今度は二六個の点が続き、最後に子を孕んだ馬の絵が描かれている。これらの抽象的な点の列はいったい何を表しているのか。一つ考えられるのは、各点が月の満ち欠けの周期の四分の一（四つの月相、朔、下弦、満、上弦の間隔の長さ）を表しているということだ。満ち欠けの周期の四分の一が一三ということは、一年の四分の一で、一季になる。つまり計一三個の点は一季を表していて、この絵を見た者に、すばるが天空高くのぼってから一季過ぎれば雄鹿を狩るのによい季節になる、なぜならその頃の鹿は発情していて倒しやすいから、と告げているのである。

このような情報を伝えるには、誰かが毎年繰り返されていそうな動物の行動のパターンに気がつき、さらにそれらの行動が月の相のパターンと対応していることに気づく必要がある。これらのパターンを認識しようとする動機は、明らかに実際的なものだ。役に立つから見つけるのだ。

こうして、数学の最初の素材である数の概念が登場する。数の正確な感覚を作り出せるかどうかは、多くの動物にとって死活問題だった。数に関する正確な感覚があれば、敵対する群れに遭遇したときも、逃げるべきか戦うべきか、正しく判断できる。生まれたてのひよこを対象とした精密な実験から、脳にはかなり複雑な数の能力が埋め込まれていることがわかっている。実際ひよこには、五が二より大きく八より小さいことが判断できた。

だがそれらの数に名前をつけて記号で表すことができたのは、人間だけだった。わたしたちの数学が発展したのは、これらの数を特定して名前をつける賢い方法を見つけたからで、たとえば古代マヤ文明の人々は、数を点で表していた。対象物と同じ数の要素を並べてその数を表したのだ。ところがあるところまでいくと、このやり方では効率が悪くなる。なぜなら五つの点と六つの点を区別するのは難しいからだ。そこで、誰かが賢い方法を考えついた。四つの点のうえに線を引き、五つの点をまとめて表そう。ちょうど、釈放までの日々を牢獄の壁の印でカウントダウンする囚人のように。

ローマ人は、Xは十を、Cは百を、Mは千をというふうに、数が大きくなるにつれて新しい名前をつけていくことにした。古代エジプト人も、桁が上がるたびに新しい神聖文字を当てていった。十は踵の骨、百は丸めたロープ、千は蓮。だが百万、十億ともなると、この方法ではすぐにお手上げになる。大きな数が現れるたびに、新たな記号が必要になるからだ。

マヤの人々は洗練された天文学を実践しており、大きな時間幅を記録するために、大きな数が必要だった。そして彼らは、ローマ人が抱えていた問題を克服する優れた方法を思いついた。今日わたしたちが大きな数を書くときに使っているのと同じ、位取り法と呼ばれる方法だ。わたしたちが使っている十進法では、書かれている位置によって、その数字が一〇のどの冪《べき》に対応するかが変わってくる。たとえば123という数を考えてみよう。これは、単位数が三つと、一〇の束が二本と、一〇〇の束が一本あるということだ。ここで一〇を選んだのには特に理由はなく、単に、一〇までは指を使って勘定できるからだ。実際マヤ文明では、二〇までのすべての数に対応する記号があって、数字が書かれた位置は二〇の冪と対応していた。したがって古代マヤの数学の123は、単位の数が三個と、二〇の束が二つに、$20^2=400$の束が一つで、計四四三になる。

この、一〇（あるいはマヤの人々の場合は二〇）のどの冪を数えているかを数の位置で示すという賢いアイデアを最初に考え出したのは、マヤの人々ではなかった。今から四〇〇〇年前に、古代バビロニアの人々がすでにこの位取り記数法を考案していたのだ。マヤの人々が二〇まで、また今日のわたしたちが一〇まで数え上げるのに対して、バビロニアには五九までの数を表す記号があって、そこから新たな桁に入った。六〇という数が選ばれたのは、さまざまな数で割りきれるからだ。実際六〇は、二、三、四、五、六、一〇、一二、一五、二〇、三〇で割り切れる。したがって、計算をするうえでは実に効率的な選択といえる。

数学におけるバビロニア人の選択を後押ししたのは、必要性と効率と有用性だった。その影響は今も時間を記録する方法に残っていて、一時間は六〇分、一分は六〇秒になっている。ナポレオンは、計測を担当する当局に時間を十進法で記録させようとしたが、ありがたいことに、この企ては失敗に終わった。

現存する古代バビロニアのくさび形文字の粘土板には、これらの数とわたしたちの周囲の世界との関係に関する世界最古の数学的な分析が載っている。そしてユーフラテス川の周辺で都市国家が発展すると、すぐにより洗練された数学が誕生した。建物を建てるために、税金を課すために、交易をするために、数学的な道具が必要になったのだ。これらの粘土板を見ると、役人たちが、たとえば運河の建設に必要な労働者の数や日数を一覧にして、労働者の賃金の総額を計算していたことがわかる。この時代に行われていた数学は特に難しくも面白くもないが、そこからさらにこれらの数を使ってほかにどんなことができるかを考えはじめた書記がいたことは明らかだ。

そしてこれらの書記が、計算を楽にする賢い技を見つけはじめた。たとえば、すべての平方数が記載された粘土板が発見されているが、これらは大きな数を掛け合わせるときに用いられたと思われる。なぜならどこかの誰かが、数のかけ算とその平方の和の間に面白い関係があることに気づい

たからだ。代数的な関係式でいうと、

$$A \times B = ((A+B)^2-(A-B)^2)/4$$

がなりたつことから、件の書記は、これらの平方数の表を使えばA×Bを計算できるということに気がついたのだ。まずAとBを足してその平方の値を見て、そこからA－Bの平方を引く。そしてその答えを4で割る。これのどこがそんなにおもしろいのかというと、じつはこれは、アルゴリズムが機能している最古の例の一つなのだ。つまりこれは、二つの数AとBをかけるという作業を、その数を足したり引いたりしてから平方の粘土板に含まれた平方のデータベースを使うという簡単な作業に変える方法なのである。AとBがなんであろうと、その平方が粘土板に載っている数の範囲にある間はうまくゆく。

バビロニアの人々は、数のことを代数的に考える手法を巧みに使っていたにもかかわらず、自分たちの行っていることをうまく表現する言葉を持たなかった。先ほどわたしが紹介した式が書けるようになったのは、それから数千年後の九世紀になって、イラクにあった「知恵の館」でアラビアやペルシャの学者たちが代数の言葉を展開したおかげなのだ。古代バビロニア人は、このアルゴリズムで常に正しい答えが得られる理由を書き記そうとしなかった。うまくいくんだから、それでいいじゃないか。なぜそれが常に機能するのかを説明する方法を考えようとする詮索好きな姿勢が生まれたのは、もっと後のことだった。だからこそ、「知恵の館」の館長で天文学者でもあったアル＝フワーリズミーの名前から、アルゴリズムという単語が生まれたのだ。世界初のアルゴリズムそのものは古代バビロニアで発見されていたが、代数という分野を作ったのはアル＝フワーリズミーだったのである。

このような数同士の数学的関係の発見を後押ししたのは、またしても有用性だった。関係が見つかれば、計算のスピードが上がる。つまりその関係に気づいた商人や大工は、ある強みを手に入れたことになる。だが次第に、問題とその解法に、同僚の書記に出すための難問や娯楽パズルらしきものが混じりはじめる。一見実際的なのだが、よく見ると農夫が知りたがりそうなこととは異なる問題だ。たとえば、ひじょうに実際的に見える次のような問題。

ある農夫が六〇平方単位の農地を持っている。その一辺は他の辺より七単位長さだけ長い。では、短いほうの辺の長さはどれだけか。

ところが困ったことがあって……辺の長さもわからないのに、どうすれば農地の面積がわかるのだろう。わたしにいわせれば、この問題には誰かがしかけた暗号クロスワードパズルのようなところがある。こちらはある単語を思い浮かべておいて、みなさんにその単語のかなりごちゃごちゃした記述だけを紹介する。そこでみなさんは、その記述を解きほぐしてこちらが思い浮かべている単語をつきとめなければならない。農夫に関する問題でいうと、不明である農地の短いほうの一辺の長さをXと置くことができて、すると長いほうの辺は$X+7$になる。農地の面積はこの二つの長さをかけたもので、その答えが60になることはわかっている。というわけで、

$$X \times (X+7) = 60$$

あるいは、

$$X^2 + 7X - 60 = 0$$

という式が得られる。

みなさんのなかには、この式を見て身震いする方がおいでかもしれない。なぜならこれは生徒たちが学校で解き方を習う二次方程式の例だから。こんな難問を出すなんて、とバビロニアの書記を責めることもできるが、同時に、この暗号めいた方程式を解いてXが何であるかを明らかにするための方法を編み出してくれてありがとう、とバビロニアの人々に感謝することもできる。

だがわたしにいわせれば、これこそがわが学問分野の重要な相転移の瞬間なのだ。なぜ、この難問を考えついた人がいたのか。なぜ、その難問を解いて答えを求める賢い方法をぜひ見つけなくては、と思う人がいたのか。なぜ、わたしたちはあいも変わらず生徒たちにこれを学ばせているのかというと、みなさんがこの難問の解き方を知っていなければならないからではない。このような難問は、実は日々の生活には登場しない。かりに、以前農夫が面積を計算して書き留めておいたのだが、そのときに一辺の長さを記録し忘れていたということがあったとしても、短い辺の長さがわからないのに、なぜ長いほうの辺が七単位長さだけ長いことがわかるのか？　あまりにわざとらしく、とうてい本物の実際的な問題とは思えない。そうではなくて……これは、楽しむための数学なのだ！

人間の脳は、「なるほど《アハ》！」という瞬間を楽しみ、問題を解いて答えを得ることに喜びを見いだす。ある方法がどんな数にも通用することに気づいたときに、ドーパミンかアドレナリンがプシュッと噴出することは、すでにわかっている。このような数学的な動きは、生物的化学的機能によっしみのために数学をしたことがあるのである。では、生物や化学とまったく無縁なコンピュータは、純粋なお楽しみのために数学をしたことがあるのだろうか。

確かに、このタイプの数学ができる人のほうが進化において優位に立つ、と主張することは可能だ。そしてそれは、なぜ今も学校で二次方程式の解き方を教えることにこだわっているのか、という問いに対するもっともよい答えでもある。このタイプのアルゴリズムを適用できる頭、答えにたどり着くまでの論理的な段階を追える頭、抽象的で分析的な思考過程を楽しめる精神こそが、現実生活において解決すべき問題を克服する資質を十分備えた精神といえるのだ。

ひょっとすると、数学パズルが解けたときにわたしたちが感じる満足感の裏に潜む化学反応が、人間による創造と機械による創造を区別する鍵になるのかもしれない。脳は、構成だけを見ると、コンピュータとひじょうによく似ている。だからデジタル・ニューロンの抽象的なネットワークを作り、それらのニューロンとそれらに繋がっている別のニューロンの関係に応じてスイッチを入れたり切ったりすれば脳のまねをさせられるのかもしれない。でも、その構築物に化学と生物学を加味しなければ、バビロニアの書記が追い求めた「そうか！」という満足の瞬間を機械に与えることはできないのでは？　機械には創造的に考える動機、原動力が欠けるのではなかろうか。

バビロニアの数学では、あいかわらず具体的な算術の例に焦点が絞られていた。発見された方法は具体的な問題を解くのに使われるだけで、それらの方法がなぜ機能するのかという説明はいっさいない。その説明を得るには、数千年が経って、数学が証明という概念を展開し始めるのを待たねばならなかった。

証明の起源

数学的な証明というゲームの発端は、遠く古代ギリシャに遡る。古代ギリシャの人々は、論理的な推論によって数や形に関する永遠の真理に迫れる、ということに気がついた。数学とは、じつは証明である。証明こそが、数学者が自分の名前を刻もうと追い求める聖杯なのだ。一〇〇万ドルの賞を勝ち取るには、七つの予想のうちのどれかが正しいことを証明しなければならない。フィールズ賞を手にするには、同僚の数学者たちに感銘を与えるような証明を思いつく必要がある。そしておそらく、この偉大なゲームの火蓋を切ったのはユークリッドの『原論』という規則書だった。

ここでチェスの例に戻って、数学的な証明というゲームがどう機能するのかを説明してみよう。まず最初に、出発点となる一連の申し立て、いわゆる公理がある。ちょうどチェスの試合で最初に駒を並べるのと同じように、ユークリッドの『原論』もこれらの公理から始まる。公理とは、数や図形を巡る数学者が一点の疑いもなく自明だと見なす事柄の一覧である。みんなが正しいこととして受け入れられる事柄。むろんこれらの公理が正しいと考えるのは間違いなのかもしれない。しかし公理の真偽は、ある意味でわたしたちが行おうとしているゲームとは関係ない。こちらとしては、これらの公理を真理として受け入れるだけのこと。それに、ユークリッドが公理としたものを見てみると、確かに基本的な真理として受け入れられそうな気がする。

どのような二点をとったとしても、その間に一本の線を引くことができる。もし $A=B$ で $B=C$ ならば、$A=C$ が成り立つ。直線の断片、つまり線分が与えられたとき、それを半径とする円を描くことができる。$A+B=B+A$ が成り立つ。

さて、これで盤面に駒をどう置けばよいかはわかった。お次はゲームのやり方だ。チェスの駒の動き方がある種の規則によって制限されるように、自分たちが知っていることに基づいて新しい真理を書き下す論理的な演繹にも規則がある。たとえば、モーダスポネンス、前件肯定という規則によると、AならばBということを確立して、さらにAという言明が正しいということを確立すれば、Bが正しいということを演繹できる。モーダスポネンスを補う規則であるモーダストレンスによると、AならばBという言明を確立したうえで、Bという言明が正しくないことがわかったら、言明Aは正しくないと演繹できる。

この二つ目の規則は、ユークリッドの『原論』で2の平方根が分数では書けないことを証明するのに使われている。2の平方根が分数で書けるとすると、数学的なチェスを行う――つまり一連の論理的な動きを経る――ことによって、最終的に奇数が偶数だという結論にたどり着く。だが、奇数が偶数でないことはわかっている。したがってモーダストレンス、すなわち後件否定（対偶証明）によって、2の平方根は分数では書けないという結論に至るのだ。

わたしにいわせれば、うまく構成された満足のいくゲームとは、組み立てが単純で、その規則を理解して実行するのも簡単で、そのくせその範囲はきわめて豊かで変化に富んでいる、という三つの特徴を併せ持ったゲームである。三目並べは、説明も実行も簡単だが、すぐに退屈してしまう。なぜならやったことがあるゲームの繰り返しになるからで、これに対してチェスや囲碁は、最初の盤面からじつに多彩なゲームが展開し、そのゲームに人生を捧げている人でも決して飽きることがない。

チェスや囲碁などのゲームと数学的な証明ゲームの大きな違いのひとつに、ゲームをしたくなったときに、その都度駒を元に戻さなくてよい、という事実がある。過去に行われてきたすべてのゲームが基礎となり、それらが次のゲームの出発点になるのだ。ある意味で、前の世代の数学者たちがよってたかってみなさんの出発点となる公理、みなさんが打てる手を拡張してきたともいえる。なぜなら今から始めようとしている新たなゲームでは、これまでに打ち立てられたすべての申し立てを使うことができるからだ。

わたしたちは、これらの記号や言葉に実にさまざまな意味を盛り込むことができる。線は紙のうえに引くものであり、*X*は何かを数えたり測ったりした数量を意味する。では、コンピュータはどうやってわたしたちが話題にしていることを知るのか。数学というゲームの美しさは、実際には数や図形が機能する様子を捉えようとしているにもかかわらず、ゲーム全体を象徴的に見ることができるという点にある。公理が成り立つ形でありさえすれば、記号にどんな意味を与えようと、その記号で置き換えられた対象の性質をあぶり出すゲームが生まれる。つまりコンピュータは、それらの記号の本当の意味を知らずに、ゲームの演繹を行うことができるのだ。

一九世紀の数学者ダーフィト・ヒルベルトが幾何学について講演したときに強調したのも、この点だった。「常に、点や線や平面を机や椅子やビールジョッキで置き換えることができなくてはならない」ヒルベルトがいいたかったのは、公理に示された関係を持つものでありさえすれば、椅子やビールジョッキに関しても、幾何学的な線や平面の場合と同じようにその演繹が意味を成す、ということだ。したがってコンピュータは、それが何についての規則なのかを理解していなくても、その規則に従って数学的な演繹を作り出すことができる。この点は、後で紹介するアメリカの哲学者ジョン・サールの「中国語の部屋」という実験のアイデアとも関係する。この思考実験は、機械翻訳という概念を探り、規則に従っているからといって知性や理解があるとは限らない、という理由を説明するためのものだった。

それでも、数学ゲームの規則に従えば、数学の定理を得ることができる。それにしても、数学の証明を確立しようというこの衝動は、いったいどこから来ているのだろう。少し実験をしてみると、すべての数は素数の積で書き表せ、数の分解の仕方は常に一通りであることが明らかになる。たとえば105は3×5×7と等しく、ほかのどんな素数を組み合わせても105にはならない。ただしこの時点では、そのことに気がついて、いつもそうでありますようにと願うくらいが関の山。それからさらに他の例で、この発見を信じる気持ちが裏付けられる。やがて、圧倒的な証拠がある気がしはじめて、しばらくすると、これを公理に加えようと言い出すかもしれない。

だが、もしもどこかにきわめて大きな数があって、それが二通りのやり方で分解できたとしたらどうだろう。単に、二通りに分解できるのがほんとうに大きな数だった、というだけのことだとしたら？　わたしにいわせれば、ここが数学とほかの科学の性質を明確に分ける点なのだ。これが科学者なら、証拠やデータを頼りに、この事実を数の機能に関する優れた理論に加えるようほかの科学者たちを説得しなければならない。これに対して証明が存在するということは、これが数の機能の仕方から論理的に得られる結論にほかならない、ということなのだ。その理論を破るような例外的な数が存在しないということを証明できる。数学的な証明は、数を素数の積として表す方法がなぜ一通りに限るのかを示してくれる。そして次にゲームをする人はその証明のおかげで、この事実を既に正しいと分かっている数の機能の仕方に含めることができる。

バビロニアの人々は、数が素数の積に分解できることに気づいただけで満足し、それがなぜ常に成り立つのかを示す水も漏らさぬ推論をなんとしても打ち立てなくては、とは考えなかった。数や幾何学への彼らのアプローチは、もっと科学的だったのだ。これに対して古代ギリシャ人は、新たなゲームを思いついた。彼らは数学を、自分たちが真理を打ち立てうる学問分野として特徴付けたのである。

それにしても、証明しなくては、というこの衝動はいったいどこから来たのか。古代エジプトやバビロニアの都市からさらに社会が進化することによってこのような衝動が生まれた、という可能性は大きい。エジプトやバビロニアの都市が権力集中型だったのに対して、古代ギリシャに新たに生まれた都市では、民主主義、つまり法的な体制と政治的な議論が日常生活の一部になっていた。実際に古代ギリシャでは、作家たちが論理的な推論を使って従来受け入れられてきた意見や権威に立ち向かい始めていたことがわかる。

この時期に登場した物語のなかでは、もはやオリンピアの神々にこづき回されるだけの存在には飽き足りなくなった人々が、神々が自分たちを治める期間を限定しようと言い始めている。精査されていない人生は生きるに値しないと考えたソクラテスは、その著書で、世に受け入れられている意見と真理の違いを熱心に論じた。ソフォクレスは悲劇の主人公であるアンティゴネーに、専制的な叔父が定めた規則に反論させている。さらにアリストファネスは、民主的な喜劇のなかで政治家たちが絶対権力を行使するさまを皮肉った。

このように権威に挑戦して民主制や法体系に基づく社会に向かうには、論理的な推論の技量を展開する必要がある。社会における役割を市民に割り振る都市国家、すなわちポリスが発達するには、議論に参加できるような新しい技能を展開させなければならなかったのだ。事実、ソフィストたちは都市を回って人々に修辞法を教えており、アリストテレスは『弁論術』のなかで、修辞法とは「いかなる事例が与えられた場合でも、相手を説得するのに役立つ方法を見いだす能力」としている。彼はそのうえで市民が必要とする道具を明確にしたのだが、そこにはロゴス、理法が含まれていた。ロゴスとは、論理的な推論や役に立つ事実を用いて群衆を説き伏せる技のことである。

巧みな数学的証明を考え出そうという動きが生まれたのは、このような社会の変化があったからだった。ロゴスは、人々に説得する力を与えた。だからこそ、論理的な推論を用いて仲間である市民に自分の観点を納得させようとするこの動きとともに、数学におけるシフトが生じたのだ。論理的な演繹の道具を使えば、数や幾何学の機能の仕方に関する永遠の真理に迫れることが明らかになった。すべての数がただ一通りのやり方で素数の積に分解できるということを証明できた。素数が無限に続くことを証明できた。円の直径の上に載っている内接三角形が直角三角形であることも証明できたのだ。

これらの永遠の真理に関しては、直観が働く場合が多い。数をいじっていると、予想が生まれる。$1+3=4$、$1+3+5=9$、$1+3+5+7=16$。奇数を順繰りに足していくと、どうやらいつも平方数になるらしい。それにしても、これは常に成り立つことなのだろうか。ギリシャの人々は、奇数と平方数のあいだに面白い関係がありそうだと気づいただけでは満足しなかった。ロゴスという新たな道具を使って実際にそうなることを証明したい、数の働きを定める基本的な公理から この事象が論理的に導かれることを示したい、と考えたのである。

こうして、数学という偉大な旅が始まった。ユークリッドの『原論』は、数学者たちが二〇〇〇年にわたって証明を考えだすための場――数や幾何学が意外な形ですばらしく機能するさまを裏付ける証明を考案するための場を作った。フェルマーは、ある数をその数より大きな素数個累乗して、得られた数をその素数で割ると、なぜ元の数が余るのかを示してみせた（フェルマーの小定理。$a^{p-1}\equiv1 \pmod p$（aとpは素）という式で表される）。オイラーは、eを$i\times\pi$乗するとなぜマイナス1になるのかを証明した。ガウスは、すべての数が最大でも三つの三角数の和として表せることを証明した。（そしてその発見の隣に、「見つけたり！《ユーレーカ》」と記した）さらにわたしの同僚のアンドリュー・ワイルズは、ついにフェルマーの$x^n+y^n=z^n$は$n>2$で解を持たないという直観が正しいことを証明した。

これらの大発見は、数学者が行っていることの典型である。数学者は巧みな計算者ではなく、証明を作る人なのだ。こうして、この本の核となる問題が登場する。はたしてコンピュータがフェルマーやガウスやワイルズに匹敵するレベルに至ることはできない、といえるのか。計算に関しては、コンピュータがすべての人間に勝《まさ》っていることは明らかだが、では、定理を証明する力に関してはどうなのか。証明を、一連の記号とある記号の集まりから次の記号の集まりに続いていく理由を説明する一連の規則に分解することは可能である。ヒルベルトが述べたように、記号の意味が何なのかを知らなくても、数学の証明を構築することはできる。だとすれば証明は、コンピュータにうってつけの作業ではないのか。

数学者が、すでに確立された数学的言明に基づいて許容されている論理的段階を追っていくと、そのつど新しい記号の列が、確立されたばかりの数学的な言明を表すことになる。ひょっとするとその言明は、既に証明された数学的言明の一覧に載っているかもしれない。なぜならその言明に別ルートで至ったということがあり得るから。それでもこれは、数学者（ないしコンピュータ）が古い定理から新たな定理を作り始める方法のひとつではある。ではそれは、終着点ではないのか？数学は計算をすることではないかもしれないが、「進め」のボタンを押しただけでコンピュータが既知のあらゆる言明の論理的帰結を吐き出し始めるのなら、コンピュータはすでに数学者たちの職を奪っているのでは？

ここで登場するのが、創造性だ。新しい何かを作ることは簡単だ。トップダウン式のプログラミングで、新たな数学的な定理を吐き出す機械を作ることはできる。問題は、価値あるものを生み出せるかどうかだ。その価値は、いったいどこから来るのか。価値を決めるのは、数学を生み出して消費する人間の精神である。みなさんを興奮させてアドレナリンのほとばしりを生じさせ、みなさんを揺り覚まして前へ前へと駆り立てる数学、それがどのようなものなのかを、アルゴリズムはどうやって知るのか。

だからこそ、機械学習を用いた新たなボトムアップ型のプログラミングは心躍ると同時に、わたしたち数学者にとって脅威となり得る存在なのだ。なぜならハサビスとその同僚が作ろうとしているのは、過去に人間が行ってきた数学から学んで、スリリングな定理と退屈な定理を判別できるようになるアルゴリズムだから。そしてそこからさらに、アルファ碁がゲームの世界に大きなショックを与えたように、そのアルゴリズムが数学のコミュニティーをあっといわせる価値ある新しい定理を作ることになるかもしれないのである。

第十章　数学者の望遠鏡

わたしたちが書くための道具が、
わたしたちの思考の著述に関与する。
フリードリッヒ・ニーチェ

わたし自身は確かにコンピュータによって数学というゲームからはじき飛ばされるかもしれない、という実存の不安を抱えているが、それにしても、道具としてのコンピュータがすこぶる有益であることは認めざるを得ない。たとえば、たくさんの方程式を組み合わせて一本にしなければならない場合、手計算で一本にしようとすると、ほぼ間違いなくミスを犯す。実際にはほとんど考える必要がない機械的な手順で、一揃いの規則に従うだけでよいはずなのに。わたしのラップトップにすればこんなことは朝飯前で、わたし自身も常々、自分の手計算よりコンピュータの計算を信用している。しかもそのうえ、単純な式の操作とは別の部分でコンピュータが果たす役割が年々大きくなっているのも事実なのだ。

数学とアルゴリズムのあいだに密接な絆があることを考えると、コンピュータが数学の深遠な定理を証明する際のパートナーになってからすでに五〇年近く経っていることも、決して驚くには当たらない。実際、一九七〇年代には一台のコンピュータが、「四色問題」と呼ばれる古典的な難問の証明を完成するうえで大きな役割を果たした。この難問は、みなさんがヨーロッパの国々の国境をどう引き直そうと、最大で四色使えば「隣り合う二つの国が同じ色にならないように塗り分けることができる」と主張している。どんな地図であろうと、三色では無理でも、四色あれば確実に塗り分けられるというのだ。

五色あれば十分であることはすでに証明されていたが、誰もそれを四色にすることができなかった。ところが一九七六年に二人の数学者ケネス・アッペルとヴォルフガング・ハーケンが、必ず四色で塗り分けられることを証明する方法が見つかった、と発表した。彼らの証明には面白いひねりがあって、二人によると、描きうる地図が無限にあったとしても、ある方法を使うと一九三六枚の地図を分析しさえすればよいことがわかる。そうはいっても、こんなにたくさんの地図を手作業で分析することはほぼ不可能だ。いや、もっと正確にいうと、人間には不可能だ。ところがアッペルとハーケンは、その地図の一覧をコンピュータに浚わせて、すべての地図が四色テストに合格するかどうかをチェックさせた。一九七〇年代の性能の悪いコンピュータですべての地図をチェックするには、一〇〇〇時間以上かかったという。

この場合、コンピュータは創造的なことをしたわけではない。これは、愚かなロバでもできる仕事だった。それにしても、プログラムに間違った結果につながるバグがない、ということは証明できたのか。コンピュータが出した結果をどこまで信用できるのか。これは、AIの分野に永遠につきまとう問題だ。アルゴリズムに支配された未来へと向かっている今、コードのなかに検知されていないバグが一つも存在しないと保証することはどんどん難しくなっている。

二〇〇六年に「アナルズ・オブ・マセマティクス」という雑誌が、これとは別のやはりコンピュータを使った証明を掲載した。幾何学の古典的な問題、ケプラー予想の証明である。この証明の御膳立てをしたトーマス・ヘイルズは、球を充塡するもっとも効率的なやり方はみなさんが食料品店で目にするオレンジの六角積み上げである、という結論を証明するある方法を思いついた。それ以外のどの配置にしても、無駄な空間が六角積み上げの場合より多くなってしまうのだ。ヘイルズもまたアッペルとハーケンのように、コンピュータを使って有限だが膨大な事例を分析させることにした。そして一九九八年に証明が完成したことを発表し、その論文をコンピュータを用いた部分のコードを添えて、「アナルズ・オブ・マセマティクス」に投稿した。

論文を受理して発表するには、まず、証明のすべての段階をレフェリーがチェックする必要がある。証明を脳内でプログラムのように流して、破綻しないかどうか確認しなければならないのだ。ところがヘイルズの証明には一部、人間の脳の物理的限界からいって手に負えない箇所があった。査読者にすれば、コンピュータの力を信じるしかなかった。これを知って、多くの人が不安になった。これではまるでロンドンからシドニーに行きたければ、その旅の一部で初体験の飛行機を信頼するしかない、というようなものではないか。コンピュータが一役買っていたせいで、この証明が九九パーセント正しいということに数学者が同意するまでには八年の歳月が必要となった。

数学の純粋主義者にとって、残りの一パーセントはまさに呪いだった。自分がニュートンと血縁関係にあることを証明したとして……家系図に一つだけ穴があったとしたらどうなる？　数学者の多くが、定理の証明でコンピュータが果たす役割にきわめて懐疑的だった。別に、自分たちが失職するかもしれなかったからではない。なにしろそのころは、まだコンピュータは出たばかりで、プログラムした数学者の命令で動くことしかできなかったのだから。それより心配だったのは、どこかの誰かがプログラムの奥底深くにバグが埋もれている！　と言い出す可能性があるということだった。そんな証明を、信用しろというのか？

数学者たちは、かつてそのようなバグでやけどを負っていた。一九九二年にオクスフォードの物理学者が、ひも理論の発見的アルゴリズムを用いて、高次元の幾何空間で確認しうる代数的構造の個数を予測したのだが、数学者たちは、なんだか疑わしいと思った。物理学が、数学者たる自分たちに向かってそこまで抽象的な構造について語れるとは思えなかったのだ。やがてその予想が間違っていることが証明されたことから、数学者たちは自分たちの疑いが裏付けられたと考えた。ところがその証明の一部にはコンピュータが使われており、そのプログラムにバグがあることが判明したのである。間違えたのは物理学者ではなく、数学者のほうだった。プログラムのバグのせいで、正道を踏み外したのだ。数学者たちは数年後に、(今度はコンピュータを使わずに)物理学者の予想が正しいことを証明した。

こういった出来事のせいもあって、コンピュータを使ったせいで欠陥があるプログラムのうえに精密な建造物を建てることになるのではないか、という数学者の恐れに火がついた。そうはいっても正直な話、コンピュータより人間のほうが間違う確率は高い。眉をひそめられるのを覚悟でいえば、これまでにも、ギャップやミスが見過ごされてきた証明が多数あったはずなのだ。わたしにはちゃんとわかっている。なぜならわたし自身が、自分の発表した二つの証明に穴があることを、後になって発見したのだから。それらのギャップは埋めることができたが、査読者も編集者も、その穴に気づいていなかった。

証明が重要だというのなら、広く精査することによってギャップやミスをうまく追い出せるはずだ。このため件のミレニアム賞も、発表後少くとも二年経った論文を対象とすることになっている。二四ヶ月もあればミスは露見するだろう、というのである。アンドリュー・ワイルズによる最初のフェルマーの最終定理の証明でいうと、査読者たちは、論文が印刷される前にあるミスに気がついた。だがワイルズはかつての教え子リチャード・テイラーの助けを借りて、奇跡的にそのミスを直すことができた。それにしても、その上に数学の殿堂を建てることになりかねない誤った証明は、いったいいくつあるのだろう。

新しい証明のなかにはきわめて複雑で、数学者でさえ、じつは見つけにくいミスが見逃されているのではないかと恐れているものがある。わたしの研究分野に近い「有限単純群の分類定理」を見てみよう。これは、どんなシンメトリーな対象でも構築できる、いわばシンメトリーの原子の周期表であり、「モンスター定理」とも呼ばれている。なぜならその証明が一万ページに及び、一〇〇の雑誌記事にわたっており、何百人もの数学者が関わっているからだ。これらの原子の一覧には、散在型単純群と呼ばれる奇妙な例外的群が二六個含まれている。しかもこれまでずっと、じつは二七番目の群が存在するのにその証明が見つかっていないのでは？　という疑念を拭い切れずにいる。コンピュータの力を借りれば、このような複雑な証明もチェックすることができるのだろうか。

それにしても、コンピュータを使ってチェックを行い、証明の各段階が正しいことは確認できたにせよ、それは単にゴールポストを動かしただけの話ではないのか？　チェックしているコンピュータそのもののプログラムにバグがないと、どうして断言できるのか？　そのプログラムのバグをさらに別のコンピュータを使ってチェックさせることもできるだろう。でも、このチェックの連鎖には果たして終わりがあるのだろうか。科学や数学には、常にこのジレンマがつきまとってきた。どうすれば、自分の用いている方法が自分を正しい知識へと導いてくれると確信できるのか。方法の正当性を証明しようとする試みは、必然的に真理を生み出すことを示そうとしているその方法論に頼ることになる。

科学の多くが帰納法という過程にすがっているということを最初に指摘したのは、ヒュームだった。帰納法では、特定の瞬間に観察されたことに基づいて、一般法則や一般原理を推断する。なぜこれが、科学的な真理を生み出す健全な道といえるのか。主として帰納法のおかげで、そういえるのだ！　この帰納原理から優れた科学理論が生まれたと考えられる事例を多数指摘することができる。だから、帰納法は科学をするためのよいアプローチだという結論（帰納）になるのである。

証明をチェックするコック

コンピュータ・プログラムの力を借りた証明が増えるにつれて、それらのプログラムが出した結論の信頼性を確認するアプローチが必要だ、という声が出始めた。昔は、人間が作った数学を人間の手でチェックしたものだ。しかし今では、証明を支えるプログラムをチェックするための新たなプログラムを作る必要がある。なぜならそれらの計算はあまりに長くて複雑で、人の手ではとうてい確認しようがないからだ。

一九八〇年代の終わりに、二人のフランス人数学者、ピエール・ユエとティエリー・コカンが「構成の計算（Calculus of Constructions）」略してCoC《コック》というプロジェクトを立ち上げた。フランスには研究開発のツールに動物の名前をつける伝統があり、このシステムもじきにフランス語で雄鳥を表すCoq《コック》と呼ばれるようになった。しかも具合のよいことに、この名前は開発者の一人の名字、Coquand《コカン》の最初の三文字にもなっていた。証明をチェックするためのプログラムであるコックはすぐに、コンピュータを援用した証明の確認に関心を持つ人々のお気に入りになった。

ケンブリッジにあるマイクロソフト・リサーチの主任研究員ジョージ・ゴンシアはチームを組んで、コックを使って四色問題の証明をチェックすることにした。四色問題の証明は、完成するのにコンピュータが必要な証明の第一号だった。このチームは二〇〇〇年に、アッペルとハーケンが開発したコンピュータ・コードを最後まで浚って、この証明が正しいことを確認した。（コックそのものにバグがない、ということを信じられたら、の話だが）続いてコックに、この証明の人間が作った部分、つまりアッペルとハーケンが自分たちで書いた部分をチェックさせることにした。

人間の行った証明をチェックする場合に一つ問題になるのが、すべての段階がきちんと書かれていることはまずない、という点だ。人間が書く証明はコンピュータ・コードとはまるで違う。証明はほかの人々に読んでもらうためのもので、そのコードは、わたしたちのハードウェア、つまり人間の脳に働きかけさえすればよい。そのため、冗長な部分は飛ばして書くことが多い。なぜなら、読み手はその部分をどう埋めればよいのか知っているはずだから。ところがコンピュータにはすべての段階が必要だ。これは、小説を書く場合と新しいベビーシッターに指示を出す場合の違いと同じで、小説では主人公の冗長な活動をすべて描写する必要はないが、ベビーシッターに指示を出す場合は、昼寝やらトイレ休憩やら、するべきことをすべて逐一詳細に説明しなければならない。

コックが四色問題の証明の人間が作った部分を確認し終えるには、さらに五年の年月が必要だった。研究者たちはこの作業の面白い副産物として、最初の証明では見過ごされていた意外で興味深い新たな数学をいくつか発見した。

それにしても、わたしたちはなぜコンピュータを使った元の証明よりもコックのほうを信用しなければならないのか。おもしろいことに、その答えも帰納法の原理による。コックによって、自分たちが正しいと確信している証明が正しいということが次々に確認されていくと、コックにはバグがないというわたしたちの確信がどんどん強まるのだ。じつはわたしたちは数学の基本的な公理を試すときにも、これと同じ原理を使っている。AとBの二つの数を取ってきたときに、$A+B$をしても$B+A$をしても常に同じ答えになる、という事実があるからこそ、その事実を$A+B=B+A$

という公理として受け入れることができる。たった一本のコンピュータ・プログラムを使って他のすべてのプログラムをチェックしていくことで、そのプログラムが出した結論に対する信頼が、特定の証明だけのために造られたオーダーメイドのプログラムが出した結論への信頼を上回るのだ。

四色問題のチェックを終えると、ゴンシアはチームに新たな挑戦課題を示した。その課題とは、シンメトリーの研究を先導するもっとも重要な定理の一つである奇数位数定理の証明である。実は有限単純群の分類、つまりシンメトリーな対象すべてを構築することができる基本的な構成要素の一覧ができるきっかけとなったのは、この定理の証明だった。シンメトリーの一覧には、もっとも単純な構成要素として、たとえば正三角形や正五角形のような辺の数が素数個の二次元正多角形が含まれている。かと思えば、六〇種類の回転を持つ二〇面体から一九万六八八三次元空間に存在する奇妙な雪片——そのシンメトリーの数は、地球を構成する原子の数を超えている——にいたるまでの、より複雑で珍しいシンメトリーの例も多数含まれている。

奇数位数定理によると、シンメトリーが奇数個の対象を構築する際に、風変わりなシンメトリーはいらない。辺の数が素数個の多角形という単純な素材だけで構成できるのだ。これは、重要な定理だった。なぜならもしこの定理が成り立つのであれば、考えなければならない対象が半減するからで、そこから先は、確認したい対象のシンメトリーは偶数個だと考えてよくなる。

この定理の証明はいかにも威圧的だった。長さは二五五ページで、「パシフィック・ジャーナル・オブ・マセマティクス」誌の丸々一巻が充てられていた。それ以前に発表されていた証明のほとんどは、長くても数ページで、一日あれば理解できた。ところがこの証明はいかにも長くて複雑で、どんな数学者でも理解するのは大仕事だった。長さからいって、証明のどこかに微妙なミスが埋もれているのでは？　という疑念を拭い去ることができない。

だから、コックにその証明をチェックさせることができれば、このプログラムの威力を見せつけるだけでなく、数学におけるもっとも複雑な定理の証明に対する自分たちの信頼も増すことになる。これは立派な目標だった。そうはいっても、人間が作った証明をチェック可能なコードに変換すると、証明はますます長くなる。ゴンシアの挑戦は、容易ではなさそうだった。

本人はばつが悪そうに、こう振り返っている。

最初の会合でこの壮大な計画をお披露目したとき、チームから返ってきたのは、このわたしがついに誇大妄想に陥ったか！　という反応だった。でもこのプロジェクトを行おうとした本当の理由は、これらすべての理論をどのように構築して組み立てるのかを理解し、さらにはこのプロジェクトを始めた時点ではどうみても手が届くはずがなさそうに思えた証明を実行することによって、それらすべてを確認することにあった。

ひとりのプログラマがその会合を抜け出して、証明にざっと目を通してみた。そして、自分が感じたことをゴンシアにメールした。「行数は——一七万。定義の数が——一万五〇〇〇。定理の数が——四三〇〇。とほうもなく——面白い！」ケンブリッジのマイクロソフト・リサーチのチームがその証明を最後まで浚うには、全部で六年かかった。ゴンシアは、このプロジェクトの幕が下りたときの高揚感を、次のように述べている。数多の眠れぬ夜の後に、ついにリラックスすることができたのだ。

「数学は、最後に残されたロマンチックで偉大な学問分野なんだ。基本的に一人の天才が、すべてをきちんと頭に入れておいて、すべてを一気に理解しなければならない」だがわたしたち人間のハードウェアは、限界に達しつつある。ゴンシアは、自分の仕事がはずみとなって、人間と機械のより大きな信頼と持続的な協力の時代が始まることを望んでいる。

わたしたち人間のハードウェアの限界

若い数学者のあいだでは、数学世界のさまざまな領域がすっかり混み合って複雑になり、博士課程の三年を丸々使っても、指導教員に与えられた問題を理解するだけで精一杯だ、という感じが強まっている。長い時間をかけてその領域を調べ、自分の発見を地図に書き込んだとしても、その足跡を辿って発見を理解したり確認したりする余裕のある人が皆無だということが判明して一巻の終わり、ということになりかねない。

ほかの誰かの発見を辿ってみても、たいした見返りはない。それでも数学の雑誌は、そのようなピア・レビューに頼っている。昇進したり終身教授職資格を獲得するためには何か裏付けがいる。「アナルズ・オブ・マセマティクス」やフランス高等科学研究所の「ピュブリカシオン・マテマティーク・ド・IHES」に論文が掲載される必要があるのだ。このため、雑誌に投稿された定理の証明を確認する際に使えるコックのようなシステムの居場所は、今後増えていくのかもしれない。

なかには、一つの時代が終わろうとしていると感じている数学者もいる。人間の脳が扱えるような数学には、必然的に限界がある。正直いって、これだけの数学が人間の脳の射程に入っていたというのは驚くべきことなのだろう。

シンメトリーの構成要素である有限単純群の分類定理を見てみよう。わたしたち人間が自分たちの脳を使って、一九万六八八三次元空間に入らなければ作れないシンメトリーな対象を紙と鉛筆で構築できたというのは途方もないことだ。モンスター・シンメトリー群に真の意味で精通している数学者は、全員老境に入っている。中世の石工同様、彼らが亡くなれば、その技量は失われる。彼らの後を追って、これらのゴチックの傑作を作り直したいという強い衝動を持つ人はあまりいない。作り直すことで、新たな驚異が見つかるのなら話は別だが。

フェルマーの方程式に解がないことを証明するために三〇〇年にわたって費やされてきた何百ページもの雑誌の紙面は、人間の精神がきわめて長いゲームを行えることの証といえる。だがそれでも、予想を証明しようとがんばっている最中には、絶えずその証明がじつはひじょうに複雑で人間の脳の物理的限界を超えているのかもしれない、という感じが忍び寄ってくる。わたしたちにすばらしいことができるのは確かだ。しかし数学は無限でわたしたちは有限なのだから、どこまで行っても数学のほうが自分たちより大きいことを数学的に証明できる。

わたしは今、一五年間自分をがっちり捉えてきた予想に取り組んでいる。その問題のさまざまな部分についての知見をまとめようとすると、そのたびにわたしの脳は、能力の限界である、というエラーメッセージを発する。じれったいほど近くまで迫っているのに、得られた知見をまとめることができない。ここには以前来たことがあって、問題のその野獣を新たな角度から見ることができさえすれば、奴を自分の頭が仕掛けた網に追い込めるとわかっているのに……。数学者たちが何世代にもわたって、たとえば素数に関するもっとも偉大な未解決問題であるリーマン予想のようなものを証明しようとがんばってきて、それでも成果が上がらないとなると、当然、この予想が主張していることは人間にも理解できるくらい単純だが、その証明は人間の脳の限界を超えているのでは？　という声が上がりはじめる。

長年リーマン予想と取り組んだのにちっとも成果を挙げられなかったG・H・ハーディは、すっかり拗ねて、「素数に関しては、どんなに馬鹿な人間でも、いちばん賢い人ですら答えられない問いを投げかけることができる」といった。オーストリアの論理学者クルト・ゲーデルは、数学には正しいくせに正しいと証明できない言明が存在する、ということを証明した。これはある意味、衝撃的な暴露だ。それらの証明不可能な真理を捉えるには、新たに公理を付け足す必要があるのか。ゲーデルは一九五一年に、現代数学はどうやらわたしたちの手のうちからどんどん滑り落ちようとしているらしい、という警告を発している。

人は、どこまでも拡張可能な公理の無限列と向き合っており、その果てはまったく見えない。確かに今日の数学では、この階層のより高いレベルは実際には決して使われない……このような今日の数学の特徴が、ある種の基本的な定理、たとえばリーマン予想のようなものを証明できない、という事実と関係しているのかもしれない。

わたしたちが人間としての能力の限界に近づいているという仮定の元で、さらに前に進みたければ機械が必要になるはずだ、と考える数学者も出始めている。エベレストの頂上に立つには、酸素ボンベと何かちょっとした道具があれば十分だったが、月にたどり着くには、人間と機械が力を合わせなければならなかったのだから。

数学者が紙と鉛筆で孤独に仕事をする時代は終ろうとしている、と考える数学者の一人にドロン・ザイルバーガーがいる。ザイルバーガーはイスラエルの数学者で、一九八〇年代以降コンピュータと組んで論文を書いている。そしてコンピュータを用いた論文には、「シャロシュ・B・エハドゥ」なるコンピュータが共著者であることを必ず明記している。シャロシュ・B・エハドゥとは、へブライ語で3B1の意味で、ザイルバーガーが現在使っているコンピュータの基になったAT&Tの機械の名前である。ザイルバーガーによると、機械と組むことに抵抗するのは「人間中心の偏屈な心」のせいであって、ほかの頑固なこだわりと同様、この頑固さも人間の進歩を遅らせてきた。

ほとんどの数学者が、自分が抱いている野心はコンピュータの野心より複雑だと信じている。自分たちは真理を生み出すだけでなく、その真実の裏に潜むものを理解したいと思っているのだから。このため、コンピュータがある言明の真偽を確認したにもかかわらず、そのような理解が付いてこない場合には、一杯食わされたと感じる。

「数学におけるわたしたちの目標は、理解することにある」とは、数学のノーベル賞ともいわれるフィールズ賞の受賞者マイケル・アティヤの言葉である。「コンピュータによるちんぷんかんぷんな証明に頼るほかないという状況は、決して満足のいくものではない」フィールズ賞のもう一人の受賞者、エフィム・ゼルマノフもこの意見に賛成だ。「証明とは、すべての数学者が証明だと考えるものであって、そのためわたしは、機械が作った証明には悲観的だ」たしかにわたしたちは、一人の数学者にしか分からないものを証明とは認めない。だったら、ゼルマノフのいうことにも一理あるのでは？　それを作った機械にしか理解できない証明を、わたしたちは本当に信用できるのだろうか。

ザイルバーガーは、このような感情がどこから生まれるのかをきちんと認めたうえで、最終的にはそれらを退ける。「わたしもまた、証明の初めから終わりまで、すべてが理解できてはじめて満足する……しかしその一方で、それが人生というものなのだ。人生は複雑だ」ザイルバーガーは、人間の精神に理解できるような証明は、かなり些末であるはずだと考えている。

人間が行うほとんどのことは、二、三〇年も経てばコンピュータによって簡単にできるようになる。数学の一部では、すでにそういうことが進行している。今日人間が発表する多くの論文はすでに時代遅れで、アルゴリズムを使ってできるものなのだ。現在わたしたちが取り組んでいる問題のなかには、まるで面白くもないのに、ただ人間にもできるというだけのことで取り上げられているものがある。

これは、数学という分野の現状に対するかなり陰鬱な評価といえる。でも、本当にそうなのだろうか。確かにわたし自身も、とにかく論文を発表しなければというだけの理由で投稿される論文が存在する、と感じることはあるが、それは必ずしも悪いことではない。自己目的化した行為から意外な結果が得られること、目標も定めずに行った研究がじつはほんとうに新しい知見を探り出す最良の方法だったことが判明する場合もあるのだから。

ジョーダン・エレンバーグは多くの同僚と同じように、わたしたちの専門分野ではこの先も人間が重要な役割を果たすと考えている。

わたしたちは、コンピュータにはできないことをじつに上手に思いつく。やがていつの日か、現在知られている定理をすべてコンピュータが証明できるようになったとしても、わたしたちはコンピュータには解けない別の何かを思いつき、それが「数学」になるはずだ。

しかし、人間による成果の多くは、前ではなく横に動いている。実際にいくつかの領域では、機械に乗らなければエベレストの高みを超えられなくなっているのだ。保守派（わたしもそこに含まれるのだろう）にとって、これは衝撃的なことだ。もはや紙と鉛筆では画期的な数学をすることができなくなるなんて、そんなことは認めたくない。

ヴォエヴォドスキーの展望

自身は紙と鉛筆で数学者としての名声をたぐり寄せておきながら、コンピュータを数学者の武器庫に加えることが重要だと主張している数学者の一人に、わたしの世代のスターであるウラジミール・ヴォエヴォドスキーがいる。わたしが彼に出会ったのは、オクスフォードがヴォエヴォドスキーにポストを提供しようとしたときのことだった。当時彼はフィールズ賞の本命と見なされており、オクスフォードは、早くから魅力的なオファーで彼を取り込もうとしていた。ヴォエヴォドスキー本人による業績紹介のセミナーでは、ほんとうの意味での新しい数学観を感じることができた。その数学は、着実に前進した結果でも、既に確立された概念を新たに興味深い形で融合した結果でもなかった。どうやら彼は数学の新たな言語を切り開いたらしく、だからこそ何十年も数学者の挑戦を跳ね返し続けてきた事柄を証明することができたのだった。

この本の冒頭で、創造性には探検的な創造性と、組み合わせによる創造性と、まったく新たな視点を導入することによってその分野の風景をがらりと変える転移的な創造性の三種類があると述べたが、ヴォエヴォドスキーの創造性は真の意味で転移的だった。彼のアイデアを聴いていると、思わず「このアイデアは一体全体どこから湧いて出てきたんだ？」と尋ねたくなる。

やがてこの異例の創造性が、じつはかなり意外な源によって強められていたことが明らかになった。わたしにすれば大ショックだったのだが、本人がオクスフォード滞在中に、将来の仕事場の重要な要件として、ドラッグが入手可能であることを挙げていたのだ。それも、大多数の数学者が好んでいるカフェインではなかった。（ハンガリーの有名な数学者ポール・エルデシュは、「数学者とはコーヒーを定理に変える機械だ」と皮肉っている）オクスフォードが本気であることをヴォエヴォドスキーにわかってもらうには、かなりハードなBクラスのドラッグ（アンフェタミン、コデインなど）を提供しなければならなかった。

わたし自身は、鋼のように冷徹な論理をもって概念に迫らなければならない場面で、ドラッグがひじょうに有用だと感じたことはない。だがヴォエヴォドスキーは、アンフェタミンを使うとビジョンが攪拌、醸成されて、いったん底を打った後に、それらのビジョンをチェックすることができると感じていた。そしてわたしも、カフェインやアンフェタミンが蜘蛛の巣作りに及ぼす影響を知ると、彼の考えに一理あると考えるようになった。スピードというドラッグを与えた蜘蛛が素早くまともな巣を作るのに対して、カフェインを与えた蜘蛛の巣はまるでめちゃくちゃになる。ヴォエヴォドスキーはフィールズ賞を受賞し、結局プリンストン高等研究所のオファーを受けたのだが、若くして功成り名遂げたことから、実存の危機を抱え込んだ。

「さらにもう一つ予想を証明したところで、さして影響がない時代になりつつあることに気がついた」とヴォエヴォドスキーは述べている。「数学が一つの危機、もっといえば、二つの危機の瀬戸際にあることを悟ったんだ」

一つ目の危機は、「純粋」数学と「応用」数学の分離に関係していた。次第に研究資金が絞られていくなか、政府は金の使い途に関して難しい選択を迫られていた。政治家のあいだから、実際に応用できそうにないものに関わる人間にどうして社会が金を出さなくてはならないのか、という疑問の声が上がり始めたのだ。ヴォエヴォドスキーは、自身が行っているようなきわめて難解な研究が、それでも社会に実際にひじょうに大きな影響を及ぼしうる証拠を示さなくては、と感じた。
だが、さらに深刻だったのは二つ目の危機で、これは、純粋数学がどんどん複雑になっていることと関係があった。たとえ数学者たちが自分たちの棲息する小さな片隅をマスターしたとしても、数学者のコミュニティー全体がほかの研究者の成果を確認することは不可能になりかけていた。数学者たちは、どんどん孤立していた。デイヴィッド・ヒュームは一七三九年に発表したその著書『人間本性論』で早くも、証明にとっての社会的な背景が重要だと指摘している。

自分の学問分野にいかに精通した代数学者、数学者であっても、自分が発見したことが正しい、とすぐに心から自信が持てたり、あるいはそれが単なる確率以上の何かだと考えたりはできないものだ。数学者の自信は、自分の証明を浚うたびに増してゆき、友人たちの是認を得ることでさらに大きくなり、みんなからの同意や学術世界からの賞賛によって完璧なものとなる。

遅かれ早かれ、雑誌に掲載された論文が複雑すぎて細かい確認が取れなくなり、論文にミスがあっても見つからないままになる日がやって来る、とヴォエヴォドスキーは考えた。しかし数学は深い学問であって、通常ひとつの論文の結果はそれまでの多数の論文の結果に依拠しているので、このようなミスが積み重なるのはきわめて危険だ。
ヴォエヴォドスキーは、この二つの潜在的な危機を見定めると、自分に栄光と名声をもたらした研究を離れて、数学という学問分野が直面するであろう大惨事の回避を仕事の中心に据えることにした。そしてまず、自身の数学を使ってほかの分野の問題を解決するという課題に取り組んだ。子

ども の頃から常に生物に興味があったので、自分が開発した数理の道具を用いて、一般にはきわめて数学と相性が悪いとされている生物の分野に何か新しい知見をもたらそうと考えたのだ。そして数年にわたり、現在の遺伝子構造を解析することで個体群の歴史をたどれるかどうか試してみた。しかしこの生物学の謎を解く試みは、けっきょく暗礁に乗り上げることになった。自分の専門である数学の分野ではひじょうに高いレベルの道具や技量があっても、生物学の問題を深く掘り進めるだけの道具や技量を持っていないことに気づいたのだ。

「二〇〇九年には、自分が作ろうとしていたものが役に立たないことがわかった。これまでの科学者人生における、最大の失敗だったんじゃないかな。このプロジェクトにたくさんの労力を費やしたのに、完全な失敗だった」

ヴォエヴォドスキーはさんざん内省を重ねた末に、第二の危機、つまり最先端の数学が急速に複雑になっているという現状に取り組むことにした。人間が作った証明を人間同士でチェックできないのなら、機械に助けを求めるしかない。ヴォエヴォドスキーのような力量ある純粋数学者がコンピュータの利用について語り始めるなんて、まるで見当違いだ、と考える人は多かった。あいもかわらず、人間の脳には式や幾何学を扱う力、自分たちの美的な感受性に導かれて解を探り出す力がある、と信じている数学者がほとんどだったのだ。だが、ヴォエヴォドスキーの決断に批判的な人々は、ある危機が迫っていることを信じようとせず、あるいは認識していなかったのである。

ヴォエヴォドスキーがこの問題を解決するのに使えそうな道具をあれこれ探したところ、証明を取り扱える実用的コンピュータ・プロジェクトは一つしかなかった。フランスのシステム、コックである。はじめは、このプロジェクトがどう機能しているのか理解できなかった。そこで基本に戻って、コックに関する講座を開きたい、とプリンストン高等研究所に申し出た。これはわたしもよく使う手で、何か理解できないことがあるときは、それを人に教えてみる。すると次第に、最初はあんなによそよそしく見えた計算機科学者たちの用語が、じつは自分が若き数学者として親しんできたきわめて抽象的な世界の別バージョンでしかないことがわかってきた。

まるで、二つの危機を一挙に解決できたようだった。第一に、自分の難解な数学概念が、じつは現代のコンピューティングのきわめて実際的な世界を明確に表現するのにうってつけだった。そして第二に、そこにはコンピュータが中心的な役割を担う数学のための新しい基礎を作るのに役立つ新しい言語があった。

ヴォエヴォドスキーが思い描いた数学の未来は、ほとんどの数学者にとってあまりに革命的だった。多くの数学者が、彼は邪悪な方向に向かっていると思い込んだ。数学を紙と鉛筆で行う（たまに、判で押したような計算をチェックするのにコンピュータを使うかもしれない）人々と、コンピュータを使って新しい定理を証明したいと考える人々の間には、今なお深い淵が横たわっているのである。証明をチェックするのにコンピュータを使うというアイデアは、徐々に容認されてきた。なぜなら、まだ運転席には証明を作った人間がいるからだ。ところがコンピュータが実際に数学を作るとなると、わたしを含むみんなが問題があると感じはじめる。

だがヴォエヴォドスキーにいわせれば、そのような古い心構えは捨て去るべきなのだ。「そうでないと、もうどうにもならないんだ。この過程が、まずある小さな部分で受け入れられて、さらにそれが増えていき、ついには本物の標準になると思う。次のステップとして、コンピュータの出した結果が数学の大学院で教えられるようになり、さらにその次のステップでは、それが学部で教えられるようになる。そうなるのに何十年もかかるのかもしれない、どうかなあ……。でも、それ以外の有りようはない気がする」

ヴォエヴォドスキーはコンピュータと人間のこのようなやりとりを、コンピュータゲームに例えてみせた。「コンピュータにこれをやってごらんというと、それをやってみる。そしてその結果がこちらに返ってくる。時には思ってもいなかったものが得られるんだ。面白いよ」

ヴォエヴォドスキー自身は、この革命の成功に立ち会うことができなかった。残念なことに、二〇一七年に動脈瘤で亡くなったのだ。五一歳だった。

そんなわけでわたしは、ヴォエヴォドスキーの展望の精神に倣って未来を受け入れ、数学の創造性がコンピュータによって拡張されるかもしれないという事態に対して心を開くことにした。数学と音楽の間に既に密接な繫がりがあることを考えると、AIが作曲をどう拡張してきたのかを見ることによって、数学をするうえでコンピュータが果たす役割の兆候だけでも感じられるのではなかろうか。けっきょくのところ、かつてバッハの弟子だったローレンツ・クリストフ・ミツラーが述べたように、「音楽は、数学を奏でる過程でしかないのだから」。

第十一章　音楽は、数学を奏でる過程である

音楽とは、人間の精神が、
数えていることに気づかぬまま、
数えることで味わう喜びである。
ゴットフリート・ヴィルヘルム・ライプニッツ

フィリップ・グラスが一九六四年にパリでナディア・ブーランジェに師事したとき、そのレッスンはすべてバッハから始まった。「フーガの技法」がカリキュラムの核となっており、毎週新たなバッハのコラールを学ぶ。四声のための賛美歌であるコラールをマスターすると、今度はオリジナルの四声のうえに新たに四声を加えるよう指示される。どの声もほかの声の繰り返しにならず、それでいてすべてが継ぎ目なく絡み合うようにするのだ。ブーランジェによれば、偉大な作曲家はすべてバッハにどっぷりとつかることから始めるべきだった。

どうやらわたしは心の片隅で、自分が数学者でなく作曲家だったらよかったのに、と思っているらしい。わたしにとって音楽は、常に数学の旅の道連れだった。数学の世界の未踏の領域に考えを巡らせるとき、わたしの脳は常にパターンや構造を探している。それもあってか、バッハやバルトークの楽曲が思考を後押ししてくれる。この二人は、数学者であるわたしが胸躍らせる構造とよく似た構造に魅せられていた。バッハはシンメトリーが大好きで、バルトークはフィボナッチ数に夢

中だったのだ。作曲家は、ときには直観的に、その意味を知らずに数学的な構造に魅了され、あるいはまた、自分の作品の枠組みになりそうな新たな数学的概念を見つけ出す。

作曲家のエミリー・ハワードと、どんな幾何学的構造が音楽的に面白そうかを話し合っていたわたしは、ふとあることを思いついた。双曲幾何学という数学の概略をエミリーに説明して、その代わりに作曲のレッスンをしてもらうというのはどうだろう。それはたしかに公平な取引だということになり、じきにわたしたちはコーヒーを飲みながら、第一回のレッスンを行うことになった。

真っ白な紙が新米の物書きにとって威圧的な虚無となるように、音符が一つもない五線譜を見たわたしはパニックに陥った。エミリーは落ち着き払って、どんな作曲家でも、何らかの枠組み――というかひと揃いの規則から出発して作品を形作っていくしかないといった。だからわたしたちは、中世の対位法の規則から始めましょう。中世の対位法では、プロレーション・カノンというものを使って一筋の調べを作り、それを多声の作品に展開していく。まずは一つの声が歌う単純なリズムから始めて、次に二つ目の声が同じリズムを半分のスピードで歌い、三つ目の声が二倍のスピードで歌う。こうすると、三つの声がリズムは異なるが強く関係した形で歌うようになる。この技法による対位法の作品を聴くと、脳は三つの声を結ぶパターンの存在に気がつく。

わたしには次のような宿題が出された。単純なリズムを作って、それを中世のプロレーションの伝統を用いて弦楽三重奏に発展させること。実行するのは容易で、数式で表すのも簡単だ。$x+2x+1/2x$というのがその式である。こうして自分の作った作品が姿を現したとき、わたしはまるで庭師になったような気がした。始まりは、まったくのゼロから生み出した小さなリズムの断片だった。この断片は、いわば五線譜に投げ込む種のようなもので、次にエミリーに教わったアルゴリズムを使うと、この種に突然変異を起こさせ、変化させて、育てることができる。そしてアルゴリズムが、五線譜の残りの部分に元の種と強く繋がりながらも同じ音楽の繰り返しではないものを展開するのを手伝ってくれる。この単純な規則から自身の音楽の園が育っていくのを見て、わたしは大いに満足した。

簡単な作品をひとつ作ったおかげで、アルゴリズムと作曲の密接な関係がわかってきた。アルゴリズムとは、様々な入力を受け入れて、その入力に規則を適用することによって結果へと導く一揃いの規則のことである。この場合は種が元々の入力となり、アルゴリズムがこれらの種の生長の仕方を決める。わたしたちはすでに、二つの数を入力とするアルゴリズムに出会っている。あのユークリッドのアルゴリズムを使うと、元の二つの数をともに割りきる最大の数が見つかる。あるいは、さまざまな画像を取り込んで、画像を分析することで何が描かれているかを教えてくれるアルゴリズムもある。そうかと思えばフラクタルな画像を作るアルゴリズムもあって、この場合は単純な幾何学図形から出発して、画像に何度も数式を適用することで複雑な画像を生み出す。

音楽に適用されるアルゴリズムにも、これと同じような性質がある。フィリップ・グラスの初期のある作品を見ると、アルゴリズムがなぜ作曲家の道具箱のなかの重要な装置なのかがわかる。その一人の演奏者のための「1＋1」という作品では、演奏者はテーブルの上をリズミカルに打ち続け、その音を接触型マイクで増幅する。この作品の種は二つのリズムで、二つの短い拍に一つの長い拍が続くのが第一のリズムA、そして単一の長い拍が第二のリズムBになっている。そのうえでグラスは演奏者に、なんらかの規則的な等差数列（隣り合う項の差が一定の数列）を使ってこの二つのユニットを組み合せるよう指示している。そのアルゴリズムが、種を育てるのだ。

演奏者は自分のアルゴリズムを自由に選べるが、グラス自身は例として、作品を育てるのに役立ついくつかの等差数列を与えている。たとえばABAABBBAAABBBB……という列で、Aのリズムは毎回一つずつ増え、Bは二つずつ増える。「おいおい、どこに音楽があるんだ？　こんなのは単調な音でしかないじゃないか」とグラスを批判する人が大勢いたはずだ。しかしわたしにいわせれば、この作品にはすべての音楽の核にあるものがはっきり表れている。みなさんが音楽に耳を傾けると、脳は、その作品がでたらめではなく、かといって単純な繰り返しでもないことに気がつく。そして、作品の構成を分解して再構成しようと試みて、それを支えるパターンが見つかると喜ぶ。音楽はこのパターンという概念によって、数学の世界と深く結びついているのだ。

したがって、作曲家の技《アート》（あるいは科学というべきか）には二つの要素がある。興味深い音楽を作り出すのに役立つ新しいアルゴリズムを考案することと、そのアルゴリズムに投入するさまざまな音楽の種を選ぶこと。このようなアルゴリズム的性質の働きによって音楽ができるのであれば、コンピュータが作曲に乗り出す場合にもこれが鍵となるのだろうか。

音楽における最初のコーダー、バッハ

フィリップ・グラスの作曲の出発点はバッハでなければ、とブーランジェが考えたのは、一つにはバッハが、アルゴリズムがはっきり見える形で音楽を作っているからだ。ある意味バッハは、音楽における最初のコーダー（コーダー、つまりコードを組む人であって、コーダ、すなわち終章ではない！）と呼ぶべき人物なのだろう。バッハが用いたアルゴリズムは、中世の対位法を支える単純なアルゴリズムよりはるかに複雑だが、その多くの作品を、数学的な言葉を用いて位置付けることができる。それをもっとも明確に示しているのが、フリードリッヒ大王の挑戦を受けて作られた「音楽の捧げ物」である。

プロシアのフリードリッヒ大王はそのめざましい戦勝記録で有名だが、一方で、終生音楽に情熱を注いでいた。父王はフリードリッヒが小さい頃から、このような浮ついた気晴らしをその体から文字通り叩き出そうとしたものの、本人は、戦闘における武勇談とポツダムの宮廷での最良の音楽家たちからの賞賛をともに手に入れて、すっかりご機嫌だった。これらの宮廷音楽家の一人に、バッハの息子カール・フィリップ・エマヌエルがいた。主任ハープシコード奏者として宮廷に召し抱えられていたのだ。

「音楽の捧げ物」が誕生することになったのは、一七四七年に六二歳の大バッハが宮廷音楽家である息子に会いに行ったからだった。年老いたバッハは数日間の辛い旅に耐え、ポツダムに着く頃には、すぐにでも息子の家に転がり込みたいと思っていた。ところがその晩町に到着したよそ者の一覧を見た大王は、すっかり興奮して叫んだ。「紳士諸君、老いたるバッハが来ておるぞ!」そしてすぐに、音楽演奏の夕べに加わるよう、バッハに使いをやった。自分が新しく手に入れたフォルテピアノをぜひバッハに見せたかったのだ。大王はフライベルクのジルバーマンが造ったピアノにすっかり感心し、その時点で完成していた一五台をすべて買い求めて、宮殿のあちこちに置かせていた。

宮殿からのお召しとあっては、旅行用の衣服を着替える暇もない。王を待たせるなど、言語道断! バッハが宮廷に到着するとすぐに、一同打ち揃って、部屋から部屋へとピアノを試して歩いた。大王はバッハに素晴らしい即興の才能があるという話を聞いていたので、ピアノに向うと、一つ難題を出した。自分が新しいフォルテピアノで弾くテーマに基づいて新たな曲を作れ、というのだ。

そのテーマは、普通の調べではなかった。半音階がたくさんあって、明確な主音もなく、信じられないほど長くて複雑だった。実際、二〇世紀の作曲家アルノルト・シェーンベルクは、この楽曲が実に巧みに作られていることに舌を巻いた。「カノン技法の模倣が一つもない」というのである。言い換えれば、対位法のあらゆる古典的規則に逆らっている。一説には、このフリードリッヒ大王のとほうもない難題にはバッハの息子が一枚かんでいたといわれている。カール・フィリップ・エマヌエルは、スポットライトを浴びている父の陰で暮らすことに、ほとほとうんざりしていた。父の作品は古い楽派のものであって、自分は新しいスタイルの音楽を書きたかった。だからこの挑戦も、ひょっとすると父の様式や方法の欠点を暴くためのものだったのかもしれない。シェーンベルクがいうように、彼らは「被害者がみごとに用意された罠に嵌り、お手上げになる姿を見て喜びたかった」のだろう。だとすれば、そのもくろみはみごとに外れ、父バッハはフォルテピアノに向かうと、即興でこのやっかいなテーマに基づくすばらしい三声のフーガを作ったのだった。

フーガは、たいていの人が学校で歌ったことのあるカノンや輪唱をより高度にしたものだ。カノンでは、クラスの半分がある曲を歌い始め、少ししてから残りの半分が同じ曲を歌い始める。優れたカノンを作るには、時間を動かしたときに元の調べにうまく乗って調和するような歌を作ればよい。そのもっとも明確な例が、「ロンドンが火事だ」や「グーチョキパーでなにつくろう」である。

ここで機能しているアルゴリズムはひじょうに単純で、きわめて幾何学的だ。まず、カノンの基本になる調べを作って、楽譜にそのメロディーを書く。アルゴリズムとは、調和した楽曲を作るためにこの入力に適用する規則のことだったが、この場合のアルゴリズムは、オリジナルの調べのコピーを取ってきて、それを何拍か右にずらすという働きをする。それによって、時間のなかを移動することになるのだ。ちょうど壺の口元の帯状装飾パターンのようなもので、パターンをコピーして、それをさらに移してコピーして、ということを繰り返す。壺の場合と同様、メロディーをさらに動かして、先行する二つの音が始まった後で歌い出す三つ目の声を作ることができる。

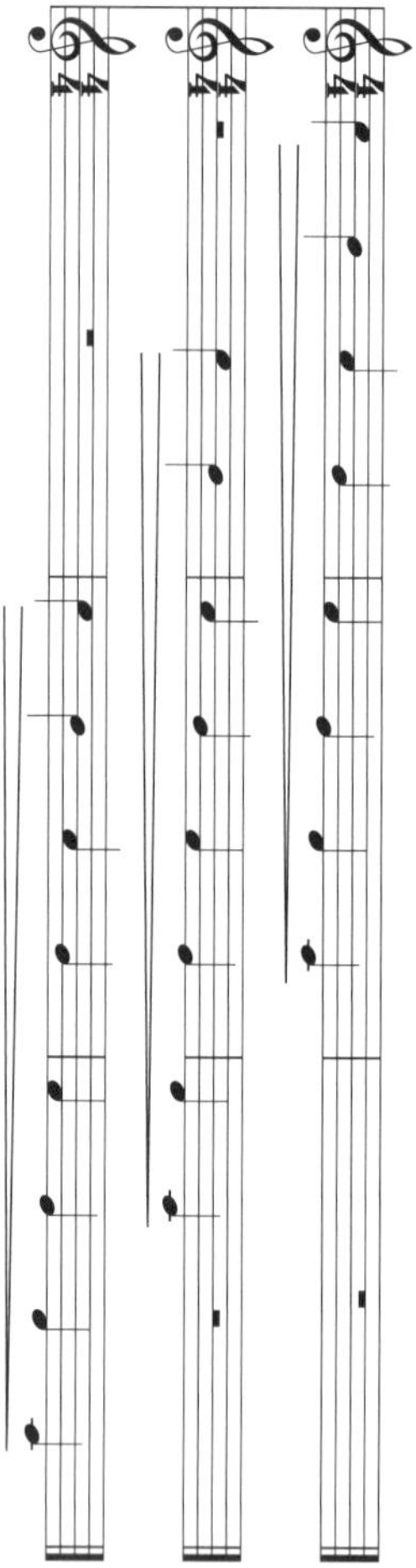

カノンのアルゴリズムを数学的な形で表すと、メロディーをXとして、時間の遅れをSとしたときに、X＋SX＋SSXとなる。このアルゴリズムは、一つのメロディーから調和した三声の楽曲を生み出すのである。

フーガではこれをさらに展開させて、楽曲全体を通してさまざまな声がさまざまなテーマの変奏を行う。バッハがオリジナルのメロディーに好んで適用した規則のなかにはもう一つ、二つ目の声を右だけでなく上下にもずらす、という規則がある。つまり、音の高さを変えるのだ。さらにバッハは、メロディーにもシンメトリーの規則を適用した。二つ目の声が、メロディーを逆さまに演奏するのである。これはちょうど、あるパターンを鏡に反射させるようなもので、これらの規則を組み合わせると、フリードリッヒ大王がバッハに与えたテーマのような一つのメロディーから出発して、複雑で調和に満ちた楽曲を作ることができる。バッハは、即興でフーガを作るという王の課題を解決するにはこのようなアルゴリズム的アプローチを取ればよい、ということを知っていた。

フリードリッヒ大王はこの即興に大いに感心したが、それで終わらせるつもりはなかった。それなら今度は声の数を倍にして、六声のためのフーガを即興で作ってみてほしい、というのだ。そんなことは未だかつて誰もしたことがなかったが、それでもバッハは、戦わずに白旗を揚げようとはしなかった。六声ともなれば、鍵盤と向き合って即興するのは難しく、少し考える必要がある。そこでバッハは宮廷を退出した後に、六声によるまとまりのあるフーガを作れるかどうか試してみた。こうしてできたのが、今日「六声のリチェルカーレ」と呼ばれている驚くべき作品で、バッハは二ヶ月後にこの曲を大王に届けた。

バッハはこのフーガとともに、フリードリッヒ大王が奏でたテーマに基づく一〇の曲を作った。曲ごとに、単純なメロディーと、そのメロディーを調和の取れた楽曲にするためのアルゴリズムの数学的規則が示されているのだが、規則は謎の形で示されていて、謎を解かなければ演奏できない。たとえばある曲では、楽曲が一行分だけ書かれていて、その片方の端にひっくり返した音部記号が書かれていた。演奏者は、この上下逆さまの音部記号をヒントにして、作曲家がそのテーマにどのようなアルゴリズムを適用せよといっているのかを読み解く。この場合のアルゴリズムは、元の音楽の断片をひっくり返せといっている。その上で、逆さまになった断片を元のメロディーと同時に弾いて両手のためのピアノ曲にするのだ。音楽におけるアルゴリズムは、元のメロディーに適用してさらなる声を作るための規則なのである。写真に写っている物を確認するためのアルゴリズムがどんな写真にも適用できるように、このアルゴリズムは、どんなメロディーからでも曲を作ることができる。

「音楽の捧げ物」の始まりを構成する一〇曲では、オリジナルのテーマが、互いに異なるアルゴリズムの技を使って数学的に変換されている。この一〇曲は、最後を締めくくるすばらしいフーガへの準備運動となっていて、最後のフーガを聴くと、バッハがいかに単純なテーマに単純な数学的アルゴリズムを適用してひじょうに複雑で美しい楽曲を作ることに長けていたかがよくわかる。メロディーは時間のなかを移動し、逆から演奏され、音高が変わり、上下をひっくり返される。バッハはこのめまいのするような規則の混合物を巧みに組み立てて、六声のフーガを生み出した。わたしたちの脳は、パターン自体の認識と、次に何が起きるかが予見できるほどそのパターンが単純でないという認識の間の緊張関係に反応する。わたしたちは、知っていることと知らないことの間の緊張にこそ刺激を受けるのだ。ハリソン・バートウィッスルがいうように、音楽は最後に至る前に終わってはならないのである。

バッハは、自分が行っている数学的ゲームをすべて意識していたのだろうか。わたしは、明らかに気づいていたと思う。数学的構造の例があまりに多く、それらが偶然に、あるいは無意識に作られたとはとうてい思えない。バッハは弟子のミツラーが設立した「音楽科学文書交流協会」の会員だった。これは科学と音楽の関係を探るための会で、「基本的な作曲学習のための数学の必要性」といったタイトルの論文を回覧していた。したがって、バッハ自身が数学と音楽の対話に関心を持つ人々の世界にどっぷり浸っていたことは間違いない。

バッハの息子のカール・フィリップ・エマヌエルは、父のフーガにはかなり否定的で、「わたしは乾ききった数学的なものを愛したりしない」と断言している。そしてついに、父の音楽が音楽的なペテンでしかないことを証明しようと、「規則を知らずに二重対位法の六つの小節が書けるインヴェンション」と題する屋内音楽ゲームを作った。このゲームでは、演奏者たちに二枚の楽譜が手渡される。それぞれの紙には、ランダムに選ばれた音符のようなものが載っている。一枚目は右手のための音楽、つまり最上声部を作るためのもので、二枚目は、左手のための音楽、つまり低音部を作るためのものだ。演奏者は全員、メロディーの始まりの音をランダムに拾い、そこから九つ目の音、さらに一八番目の音、二七番目の音というふうに、音がすべてなくなるまで拾っていく。カール・フィリップ・エマヌエルにとっての腕の見せ所は、音符の選び方をうまく工夫して、この九つ目の音を拾っていくという単純な規則に従ったときに、いつでも誰でも、何がどうなっているのかまったく知らずに対位法の作品といえる曲を作れるようにすることにあった。まさに、機械にうってつけのコードだ！

「音楽の捧げ物」はよくコンサートで演奏されるが、息子の「インヴェンション」が演奏されるのは聴いたことがない。ということは、一連の規則に機械的に従っただけでは、うまく作曲できないということなのかもしれない。

モーツァルトも、カール・フィリップ・エマヌエルのゲームと似たアルゴリズムを用いて、演奏家たち自身のモーツァルト風ワルツを演奏させたといわれている。「音楽のサイコロ遊び」と呼ばれるその作品では、一組のサイコロを使って一六小節のワルツを作る。これは、モーツァルトの死から一年が経った一七九二年に発表された作品で、実は版元のニコラウス・ジムロックがでっち上げて、販売促進のためにモーツァルトの名前をつけただけだという説もある。

このゲームは一一×一六の形に配置された一七六の小節からなっていて、第一列では、異なる一一の小節から最初の小節となるものを選ぶ。ただし小節を選ぶ際には、サイコロを二つ投げて、その目の和から一を引く。そうすると一から一一までの数が得られるので、たとえば六の目が二つ出たら、一列目の一一番目の小節が最初の小節になる。次の列では二つ目の小節を決めることになるので、ここでも二つのサイコロを投げて、一一個の小節のどれを演奏するかを決める。こうして一六の列すべてで毎回二つのサイコロを投げ、一一ある小節のどれを演奏するかを決めていく。

ところが驚いたことに、このやり方だと11の一六乗通り、つまり全部で約四京六〇〇〇兆通りのワルツができる。次々に弾いたとしても、すべてを聴き終わるのに二億年はかかる計算だ。ランダムな要素とあらかじめ決められた何らかの構造的要素を組み合わせるという手法は、これよりずっと下って、初期のアルゴリズム的芸術家たちも使っていた。モーツァルトの作曲が見事なのは、サイコロの目が何であろうと、組み合わせたときにかなり説得力のあるワルツになるような小節を一七六個も作った点にある。むろんすべての組み合わせが耳に心地好いわけではなく、優れた組み合わせもあれば、たいしたことのない組み合わせもある。わたしにいわせれば、これもまた正解が一つに定まらないアルゴリズムの問題なのだ。モーツァルトがどのワルツが他のワルツよりうまく機能するのかといった情報を公開しなかったのは、何とも苛立たしいことだ。

AI作曲家のエミー

わたくしはよく、ラジオから聞こえてくる曲の作者を当てて楽しむ。ある朝、ラジオをつけっぱなしで机に向かっていたわたしはすぐに、今流れている曲はバッハのものに違いないと判断を下した。ところがその曲が終わったところで、ひどいショックを受けることになった。解説者が、それがアルゴリズムの作った曲であることを明らかにしたのだ。なぜわたしが衝撃を受けたのかというと、バッハの作品だと思い込まされたからではなく、ほんの少し聴いただけでその作品に感動したからだ。ちょっとしたコードの断片に、ほんとうにそんな力があるんだろうか。その曲の裏にあるアルゴリズムは、いったいどうやってそれが偉大なバッハの作品だとわたしに信じ込ませたのか。

それを是非知りたい、とわたしは思った。

バッハは、ほとんどの作曲家が最初に学ぶ作曲家であるだけでなく、コンピュータが最初に学ぶ作曲家でもある。その日わたしがラジオで聴いた曲は、インスピレーションを得ようと悪戦苦闘していたある作曲家がひねり出した簡単なコードの規則に従って作られていた。デイヴィッド・コープがアルゴリズムに頼ることになったのは、すっかり捨て鉢になったからだった。新作オペラの作曲を委託されたのに、楽譜を作れず、ぐずぐずと先延ばしにしていたのだ。ところがそこで、ある考えが浮かんだ。エイダ・ラブレイスによれば、「その機関は、複雑な楽曲を科学的に作ることができるはずです。たとえどんなに長かろうと、手が込んでいようと」というのだから、そのアイデアに乗ってみよう。

まず、IBMのコンピュータに（一九八〇年代初頭のことだったから）パンチカードを食わせてみた。すると音符が出てきた。後に本人も認めているが、最初の頃の実験はじつに悲惨だった。それでもコープは粘って、スタンフォードに向かうとコンピュータ音楽の講義を行った。そして委託された作品の締め切りが迫るなか、自身のコンピュータの腕前を試してみることにした。

自分の作曲のスタイルをアルゴリズムに理解させられれば、本人が行き詰まったときにはいつでも、アルゴリズムが何か自分自身の作曲法とうまく合う示唆を与えてくれるはずだ。たとえそれが本人には馬鹿げているとしか思えないことだったとしても、どうすればそれよりましなやり方になるのかを理解する役には立つはずだ。つまり、アルゴリズムを自分の創造性に弾みをつける触媒として使うのだ。コープはこの新たな概念を「音楽的知性における実験（Experiments in Musical Intelligence）」つづめてＥＭＩと呼ぶことにした。後に、これらのアルゴリズムを用いた実験から生まれた分身作曲家はエミー（Emmy）と呼ばれることになる。ひとつには、英国のレコードレーベルＥＭＩと混同されたくなかったのと、アルゴリズムに人間的な名前をつけたかったのだ。

七年間オペラを作るべく悪戦苦闘してきたコープは、エミーの助けを得て、二週間で曲を完成させた。コープはその作品に「ゆりかごは落ちる」という名前をつけ、コンピュータの力を借りて作曲したことは当面伏せることにした。評論家の反応が偏るかもしれないと思ったのだ。この曲は二年後の一九八七年に初演されて、コープにすればたいへん愉快なことに、それまでの作曲家人生で最高のレビューを得た。ある批評家は、「じつに感動的だった。『ゆりかごは落ちる』は、間違いなく現代の傑作である」と断言した。この反応に気を良くしたコープは、エミーとの協力関係を続けることにした。

アルゴリズムが訓練によってコープの作曲スタイルを習得できるのなら、伝統的な作曲家のスタイルも習得できるはずだ。たとえばバッハやバルトークの楽曲を取り込んで、彼らが作りそうな作品を作ることができるのでは？　すべての楽曲に、多少異なってはいても似たところがある作品を作るための指示書が埋め込まれているはずだ、とコープは考えた。問題は、それらの指示をどう具体化してコードにするかだった。

コープはエミーの力を借りて、各作曲家の音楽言語の語彙や文法といった独自の様式に対応する成分をデータベースにしていった。音符が文字だとすると、特定の作曲家の固有言語に対応するのは、具体的にどのような単語なのだろう。コープの分析の裏に潜む重要な概念の一つに、「差異となるモチーフ」と呼ばれるものがあった。これは、同じ作曲家のさまざまな作品に見られる四個から一二個の音符の連なりのことで、たとえばモーツァルトのピアノ協奏曲では、いわゆるアルベルティ・バス・パターンと呼ばれるフレーズが何度も使われている。このフレーズは二行目にある場合が多く、三つの音が 13231323 という列で演奏される。

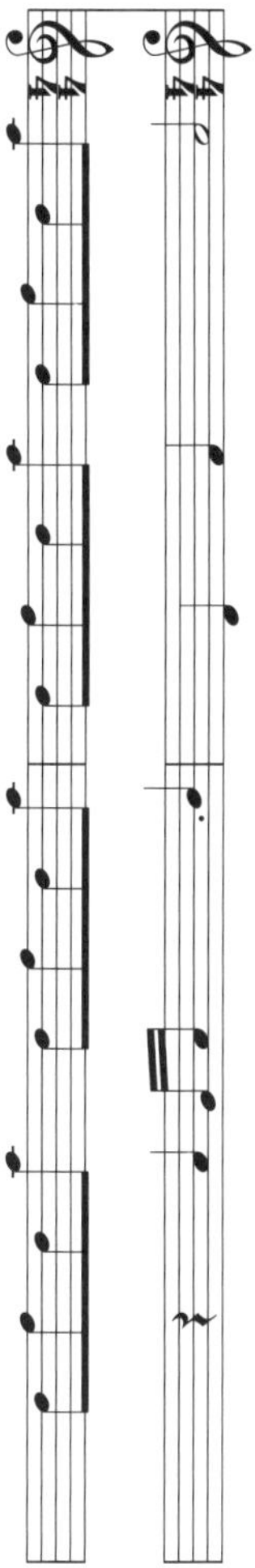

このパターンは、モーツァルトの様式に対応するデータベースに収められるわけだが、コープが分析した作曲家のなかでも、モーツァルトは特にこのような特徴がたくさんあった。その特徴の速度や高さが異なっていても、数学を使えばその裏のパターンが簡単に見つかる。ボールを空中に投げるやり方はいろいろあるが、必ず放物線で記述される経路になるというのと少し似ている。

　コープの分析の結果、ひとりの作曲家の出力全体にわたる強いパターンが存在することがわかった。バッハからモーツァルト、ショパンからブラームス、ガーシュウィンからスコット・ジョプリン、それぞれの作曲家が惹きつけられていると思われる特定の音のパターンがあったのだ。ひょっとすると、これは驚くようなことではないのかもしれない。わたし自身がなぜラジオで楽曲をほんの二小節聴いただけで、初めて聴くその曲の作曲者を当てられることが多いのか。ワインのラベルを見ずに産地などを当てるブラインド・テイスティングと同じで、鍵となる指標、音楽の場合は音のパターンをうまく使っているのだ。ちょうど、絵描きの特徴となる筆致のようなもので、なかにはバッハのように、音符で自分の名前をサインする作曲家もいる。「フーガの技法」の締めくくりのフーガには、変ロ、イ、ハ、ロ（Bフラット、A、C、B）という音が埋め込まれていて、これをドイツ流で表示するとBACHになる。

コープのアルゴリズムでは、作品を小分けにして特徴を取り出して各作曲家のデータベースを作り終えると、次にコープが「再結合」と呼ぶものに取りかかる。複雑な構造を構成している要素を認識することと、それらの断片から新たな合成物を構築する方法を見つけ出すことは、まったく別だ。モーツァルトのサイコロ遊びのように、ランダムな過程を使うという手もあったが、さまざまな断片をランダムに組み合わせただけで、作曲家が曲中で作り上げた緊張と弛緩を反映できるとは思えない。そこでコープは、そのプログラムにもう一つ手順を追加することにした。各断片のヒートマップ、色分け図を作ったのだ。

作曲家は、さまざまな要素を組み立ててフレーズと呼ばれる文法を作ることが多い。それらのフレーズには往々にしてパターンがあるので、コープはそれらを抽出し、SPEACという略記であらわすことにした。データベースが辞書だとすると、SPEACは作家が辞書に載っている単語を用いて文を作る、書き方にあたる。SPEACが確認するのは、次に挙げる五つのフレーズの基本的構成要素である。

（S）言明 Statement：「反復以上の何ものをも期待されず『あるがままに』存在している」フレーズ
（P）準備 Preparation：これらは「言明の意味や他の識別子を、その前に立つことで白立せずに変える」
（E）拡張 Extension：言明を長くする方法
（A）先行するもの Antecedent：「有意義な関わりをもたらし決断を要求する」フレーズ
（C）結果 Consequent：先行物の決着をつけるもの。「結果はSに見られるのと同じ和音や旋律の断片であることが多い。だがそれらは別の含みを持っている」

クラシックの作曲家の多くが、この文法を用いている。無意識に使う場合もあるが、修業の一環として習う場合も多い。ある種の和音は聴き手に、さらにその先があって決着をつける必要がありそうな感じを与える。それに続く和音次第で、決着がついたようにも、解決の必要がさらに高まったようにも感じさせることができるのだ。コープがSPEACを使って作品の起伏を分析してみると、どの作曲家にも独自の文法があることがわかった。ここで紹介するのは、コープによるスクリャービンのピアノ曲の分析である。

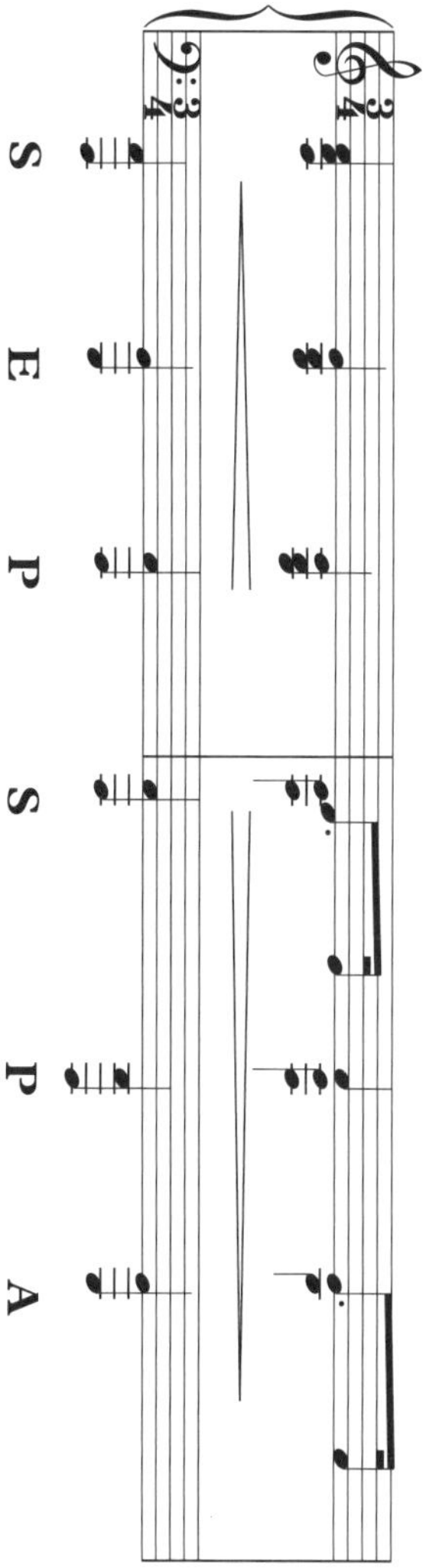

コープはこの基本的な文法を確立すると、次にある種の音程を使うことで生じる緊張を測った。オクターブや完全五度の音程では、大きな緊張は生まれない。この事実は数学的にも裏付けることができて、実際これらの音程の周波数の比は、オクターブなら1：2、完全五度なら2：3というふ

うに小さな整数比になっている。ところがピアノの隣り合った音を同時に弾いた場合の音程（半音、あるいは短二度）では、音が衝突しているように感じられる。つまり、そこには高い緊張があるのだ。この現象も数学的に裏付けることができて、この場合は周波数の比がはるかに大きな数（15：16）になっている。楽曲のどこかでこのような緊張の高い音程が聞こえてくると、通常はそれに続いて、より緊張が少ない結末へと向かう動きが始まる。

　これらの規則をシステムに組み込み、問題の作曲家の特徴の大規模なデータベースに基づいて新しい作品を作る。エミーの再構成の規則では、断片を取ってきて、それらをある種の指針に従ってつなげていく。たとえば断片Bが断片Aの終わり方と似た形で始まって新たな方向に向かっている場合は、断片Aに断片Bをつなげることができる。ちなみにそれらの断片は、SPEAC分析によってコード化された文法に合っていなくてはならない。

　当てはまる断片がたくさんある場合は、選ばなくてはならない。コープは、ランダムに選択するという手段をとりたくなかった。ちょうど、ペインティング・フールを導く「不可解な予知性」のように数式を決めて、そこから選択を制御するための任意の構造が得られるようにしたかった。一九九三年には、バッハ風に作った作品の初のアルバムを発表する準備が整った。コープとエミーによる「バッハ・バイ・デザイン（設計されたバッハ）」というアルバムである。どの作品も演奏するのがひじょうに難しく、演奏してくれる人間が見つからなかったので、作者だけでなく演奏者もコンピュータにせざるを得なかった。批評家たちは、このアルバムをあまり歓迎しなかった。

「レビューを読んで、ほんとうにがっかりした。なぜなら基本的に、曲がどのように作られているかではなく、どのようにして演奏されたかに関する批評だったから」そうはいっても曲そのものが非難されたわけではなかったので、余勢を駆ってプロジェクトを続け、一九九七年に二枚目のアルバムを発表した。バッハ以外の分析済みの作曲家、ベートーベン、ショパン、ジョプリン、モーツァルト、ラフマニノフ、ストラヴィンスキーの様式の楽曲を収めたアルバムで、今度は人間が演奏した。そして評論家たちの反応も、はるかによかった。

音楽のチューリング・テスト、「ザ・ゲーム」

それにしても、コープのアルゴリズムが出力したものは、音楽のチューリング・テストに合格できる作品になっていたのだろうか。これらの作品を、作曲家自身の作品だと偽ることができるのか。その点を確認するために、コープは『ゲーデル、エッシャー、バッハ』という古典の著者で数学者のダグラス・ホフスタッターと協力して、オレゴン大学でコンサートを開くことにした。演目は三つ。うち一つはバッハのあまり馴染みのない曲で、二つ目はエミーがバッハ様式で作ったもの、そして三つ目は、その大学で音楽理論を教えているスティーブ・ラーソンが作ったこれまたバッハ風の作品だった。この三つを、ラーソンの妻でプロのピアニスト、ウィニフレッド・カーナーがランダムに演奏する。

結果として、ラーソンはひどく動揺することになった。コンサートの聴衆が、自分が作った二声のバッハ風のインベンションこそが心を持たないコンピュータの作品に違いない、としたからだ。しかしその失望も、アルゴリズムが作ったバッハ風の作品のほうが偉大なるバッハ自身の作品より優れている、というショッキングな投票結果が出たことで、すぐに吹っ飛んだ。本物のバッハが、惨めな模倣とされたのである！

「エミーの件では、おおいにまごついたし、悩みもした」ホフスタッターはこの結果を理解しようと、あれこれ考えてみた。「その時点での唯一の慰めは、エミーが自分自身のスタイルを作ったわけではない、という事実に気づいたことだった。既存の作曲家の模倣でしかない。とはいえ、たいした慰めにはならない。いったい音楽のどこまでが、ジャズの人たちの言うリフ、反復楽句で作られているんだろう。ほとんどがリフからできているとしたら、音楽は――わたしにすれば完全に踏みにじられたことになってしまうわけだが――自分が思い描いていたよりはるかに小さいものだということになる」

コープは、世界中のあちらこちらで「ザ・ゲーム」を行い続けた。そして聴衆の反応が、コープの自信を掘り崩しはじめた。ドイツではコンサートの後で、すっかり激怒した一人の音楽学者が、音楽を殺したと断言して、コープを激しく責め立てた。相手はひどく大柄で、体重も四五キロは多く、コープにすれば、殴られずにすんだのはまわりに群衆がいたからだった。また別のコンサートでは、コープははっきり覚えているのだが、演奏終了後にひとりの教授がやってきて、じつに感動したと述べた。「わたしに近づくと、もう長いこと、こんなに美しい曲は聴いたことがなかった、といったんだ」その教授は、コンサートの後のレクチャーではじめてその音楽がコンピュータ・アルゴリズムによって作られたことを知った。そしてこの新たな情報が、作品に対する教授の印象をがらりと変えた。レクチャーの後で再びコープの所にやってきたその教授は、なんて浅薄なんだ！と言いつのった。「曲が始まった瞬間に、コンピュータが作ったことがわかった」というのだ。「魂が、感情が、本質がない！」相手がさっきとは正反対のことをいっているのには、コープも唖然となった。演奏された曲はまったく同じで、変わったのはただひとつ、その作品がコンピュータのコードによって作られたという事実を知っていたかどうかだけなのに。

もう一つ別の会場では、ホフスタッターがショパンの曲とエミーが作ったショパン風の曲を演奏すると、それを聴いた大勢の作曲家や音楽理論家がまんまとだまされて、コンピュータが作った作品のほうが本物だと思い込んだ。すっかり感心した聴衆の一人が後にコープに寄越した手紙には、自分が間違ったほうに票を入れたと知ったときのショックが次のように記されていた。「全員がはっと息を飲んだのですが……それはもう、喜んで怖がっているとしかいいようのない感じだった。（わたしを含めて）こんなにたくさんの理論家や作曲家達が突然自惚れた独りよがりからはじき飛ばされるのは、これまで見たことがなかった！　あれはほんとうに美しかった」

ホフスタッターはエミーが作ったショパン風の作品に心底驚いた。「新しい作品で、そこにはまちがいなくショパンの精神があった。それに、情感が空っぽというわけでもなく、ほんとうに心を揺さぶられた。音を聴いたこともなく、一瞬たりとも命ある生活をしたことがなく、どんな感情であろうと持ったことがないプログラムから、あんな感情のこもった音楽が生まれるなんて……」

コープにすれば、このアルゴリズムは大成功だった。なぜならそれが、人々の音楽の作り方の核心に迫っているからで、「表現力豊かな音楽でありながら、いかなる形でもアルゴリズムによって作られていない作品は寡聞にしてひとつも知らない」というのである。聴衆は、こういわれると途方に暮れて、なんて攻撃的な物言いなんだと思うだろうが、この言葉に賛成する作曲家は多いはずだ。コードにも自分たちの感情の状態をつつき回せるという事実を認めようとしないのは、外部の人々だけだ。「人間が自分の魂や神と何か神秘的な形で繋がっていて、だからこそ（組み立て直しや形式主義の結果ではない）まったくオリジナルな着想を生み出せる、という考えは、わたしにいわせればまるで馬鹿げている」とコープは打ち明けている。

確かにそうなのかもしれない。だが、音楽がふつうに思われているよりもずっと数学的でコード化されているからといって感情的な内容が消えるわけではない、ということを理解するのが重要なのだと思う。わたしが数学と音楽の繋がりについて語ると、ひどく相手がうろたえることがある。自分たちの愛する音楽が、何か冷たくてつまらないものにされてしまうと感じるらしい。でもこれはまったく的外れで、音楽が数学に似ているのではなく、数学が音楽に似ているのだ。わたしたちが魅了され楽しんでいる数学には、たくさんの感情的な内容が詰まっている。数学の言葉を理解できる人は、ちょうど多くの人が楽曲の演奏を聴いて感動するように、証明の紆余曲折につれて心を揺り動かされるのだ。

わたしたちの脳の中を駆け巡るヒューマン・コードは、混乱の極みにある自然界を支える抽象的な構造にひじょうに敏感になるように進化してきたらしい。音楽を聴いたり、創造的な数学を探ったりするとき、わたしたちはもっとも純粋な形態の構造に曝される。わたしたちの身体がそれらに感情的に反応するのは、日々の生活の雑音に抗してその構造を認識したからなのだ。

わたしたちはランダムな音の列と自分たちが音楽と見なす音列の違いをどう認識しているのだろう。情報理論の父クロード・シャノンの研究によると、わたしたちの反応の一部は、ランダムでない列にはその基礎に情報を圧縮できる何らかのアルゴリズムがあるが、ランダムな列にはそのようなアルゴリズムがない、という事実から来ているという。音楽を雑音と区別できるのは、その裏にアルゴリズムが存在しているからなのだ。ではどのようなアルゴリズムなら、人間が聴くに値すると感じる音楽を作ることができるのか。

今後も多くの人が、音楽はある意味で人生の経験への感情的な反応である、という見方にしがみついていくのだろう。これまでに紹介してきたアルゴリズムは、すべて防音仕様の部屋でまわりの世界と相互に作用することなく作られている。具体化された経験なくして、偉大な人々の音楽と張り合うことは難しいのかもしれない。ホフスタッターは、難しいはずだと考えている――というか、難しくあってほしいと思っている。

（ショパンやバッハのような）音楽を作ることができるプログラムがあるとしたら、そのプログラムは一人で世界を彷徨い、人生という迷路を進み、そのすべての瞬間を感じなくてはならない。冷たい夜の風がもたらす喜びと孤独を理解し、愛してくれる手を切望し、遠くの町には行けないことや、人が死んだ後の心痛や復活を理解しなければならない。そこに——そこにのみ、音楽の意味の源があるのだから。

だが、音楽に感情を持ち込むのは聴き手である。芸術作品を生み出すうえで聴衆や観衆や読者が果たす役割は、しばしば過小に評価される。多くの作曲家が、感情的な反応を生み出すのは音楽の構造だと主張する。だが、人は感情をプログラムするわけではない。フィリップ・グラスによれば、感情は、その作品で自分が用いたプロセスの結果、自発的に生じるものなのだ。「ほぼすべての場合に、音楽がその内部に何らかの感情的な性質を持っている、ということに気がついた。音楽は、わたしの意図とは関係が無いらしい」

音楽と感情の関係は、昔から作曲家たちを魅了してきた。きわめて表情に富んだ作品を生み出したストラヴィンスキーは、特にこのテーマについて雄弁だった。そして、感情は音楽ではなく聴き手に属する、と考えていた。

音楽はその本性からいって、何かを表現することに関してまったく無力だ。感情にしろ、精神の状態にしろ、心理的な気分にしろ、自然の現象にしろ……もしも、音楽が何かを表しているように見えるとしたら——たいていはそう見えるのだが——それは単なる幻であって現実ではない。わたしたちが長年の根深い合意によって、方便として音楽に押しつけている補助的な性質なのだ。ラベルとして、取り決めとして、要するに無意識な側面として、あるいは習慣的に、音楽に押しつけている性質であって、ついにそれを実在の物と混同するようになったのだ。

ではなぜ、音楽はかくも強力な禁断の感情的な反応を引き起こしているように見えるのか。ひょっとすると作曲家たちは、脳がある種の感情をコード化する方法を特定しおおせているのかもしれない。感情をコード化する周波数、つまり音は、人によって異なるのだろう。短調と呼ばれる音の連なりが悲しみと結び付いているという意見には、ほとんどの人が賛成する。だとしてもそれは、学習した反応なのか、それとも生まれながらの反応なのか。作曲家が、ある雰囲気や気分を捉えるために短調を選ぶ場合もあるだろう。これは直截なコーディングといえるが、音楽理論はまだ、このコーディングの機能に関する多くの知識を得るところまで発展していない。だからストラヴィンスキーやグラスが述べているように、作曲家たちは闇のなかで仕事をしているのだ。彼らは構造を作りだし、その構造から感情が生まれる。

多くの作曲家が、音楽的な着想を生み出す際に役立つ規則や構造を設定しようとする。バッハは、パズルのようにフーガ作りを楽しんだ。シェーンベルクは、半音階の一二音すべてを含むというテーマで、まったく新たな作曲法の楽派を起こした。バルトークは、フィボナッチ数に繋がる作品を生み出そうとした。メシアンは「世の終わりのための四重奏曲」の枠組みとして素数を使った。そしてフィリップ・グラスは、ナディア・ブーランジェの元でのまわりくどい修業時代を経て、加法的な過程を作り出した。そしてそこから、彼の特徴とされるミニマリスト音楽が生まれたのだ。ストラヴィンスキーは、制約こそが自身の創造性の鍵だと信じていた。

わたしの自由は、それぞれの企てに自分自身が課した狭い枠のなかでの動きによって構成されている。そこからさらに進まねばならない。自分の活動の領域をさらに狭く限って、さらに多くの障害物に囲まれるようにしたほうが、自由は大きくなり、意義も深まる。

わたしの作曲の先生は、役に立つ一揃いの規則とともにわたしを小さな音楽の旅へと送り出した。プロレーション・カノンから出発したわたしは、自分で制約を生み出し、作曲の指針となるいくつかのアルゴリズムをひねり出した。ものの本によると、ジョン・ケイジは曲を作っただけで、その作品がどう響くのかを初演されるまで知らないことが多かったというが、わたしは自分の数学的な「再イメージ」がどう響くのかを知りたかった。

ところが、ピアノの前に座って自作の弦楽三重奏曲を奏でてみたわたしは、心底がっかりした。わたしが従ってきた規則から、聴衆を旅に誘うことのできる面白い論理のある作品が生まれるはずだったのに、そういう響きになっていない。実のところ、なぜこんなことになったのかがわからなかった。もちろん音楽にも数学のように正解や誤答があると思うなんて馬鹿げているが、最初の結果に失望したわたしは、今度は自分が作った規則を破ることにした。楽譜に書かれた音をいじって、何かもっと自分の耳に音楽的に響くものを作ろうとしたのだ。どうしてそのような変更を行ったのか、言葉で説明することはできない。なぜならわたしはもっと深いもの――自分の身体と音楽との関係や無意識や人間性――に導かれるままに動いただけだったから。

これは、重要な教訓である。作曲とは、規則とパターンとアルゴリズムと、ほかの何かが融合したものなのだ。その何かが、世界を放浪することで得られるとホフスタッターが信じているすべてのものを引き寄せる。この不思議なプラスアルファがわたしの音に染みこんでいくと、作品に命と美しさが宿るのだ。

これらの構造は、感情を意識することによってもたらされるものなのか。もしもそうであるなら、コンピュータはそのような意識を持てるのか。音楽が感情のコーディングであるとして、そのコードを使えばコンピュータ内部の感情の状態をシミュレーションできるのか。おそらくエミーが作った二万行のコードは、既にこの方向に向かっているのだろう。ホフスタッターがエミーの作ったショパン風の曲に感情的に反応したのなら、それは二万行のコードに対するほんとうの感情的な反応ではないのか。そのコードが、ショパン自身が楽譜に記した音符と同じように聴き手の感情を捉えたということはできないのか。

エミーの出力を、AIが作った曲といっては嘘になる。エミーは、データベースを準備する作曲家なくしてあり得ない。過去の作曲家たちに依存しており、その音楽世界から何かを奪ってくるのだ。作曲家であるコープは分析ツールを持っており、作曲家の様式に対応する要素を拾い上げる感受性があって、さらにそれらの要素をどう再結合させればよいかを考える技量があった。エミーの創造性の多くは、コープと音楽史上の偉人たちがそれまでに作った曲から来ているのだ。

コープはエミーを、トップダウンのコーディングで作った。つまり、音楽を出力するためのコードをすべて書いたのだ。ところが今や、もっと適応性の高い新しいアルゴリズムに作曲家の楽譜の生データで訓練を施し、人間による音楽分析というフィルター抜きで、ゼロから音楽理論を学ばせることができる。その場合、機械学習アルゴリズムは、偉大なるライバルに匹敵するクラシックの楽曲をゼロから生み出すことができるのか。この問いに答えるには、音楽理論ではよくあることだが、バッハに戻る必要がある。

ボトムアップで再び作曲家を作る「ディープバッハ」

バッハはコラールを三八九曲書いた。コラールとは四声のための賛美歌のような楽曲で、グラスはこれらをさらに多重にするよう求められ、コープはこれらを手作業で分析した。バッハの有名な「ヨハネ受難曲」では、オラトリオの間にいくつかのコラールが挟まっている。バッハがいかに数学にこだわったか、その例を知りたい方は、ここでのバッハの選択にその一端を垣間見ることができる。バッハは一四という数にとりつかれていた。当時のヨーロッパでは、多くの思索家や哲学者たちがカバラに関心を持っていた。カバラとは、文字を数に変えて、数の関係に基づいて、単語同士のより深い結びつきを見いだそうというもので、バッハは自分の名字（BACH）の文字を数に変えて足したときに2+1+3+8=14になる、という事実に惹かれており、やがてこの数は、バッハのサイン・ナンバーになった。ちょうど、サッカー選手の背番号のようなものだ。実際、弟子のミツラーが設立した「音楽科学文書交流協会」の会員になるときも、一四番目になるまで待っていたという。さらにバッハは、自分の曲に数を導入する面白い方法を見つけた。「ヨハネ受難曲」には一一のコラールがあって、一〇番目までのコラールの小節数を見ていくと、次のようになっている。

11, 12, 12, 16, 17, 11, 12, 16, 16, 17

ここで鍵になるのがその後に続く一一番目のコラールで、問題のコラールには二八（二×一四）の小節がある。そこでそれまでのコラールを二つ一組にすると、まず一番目と一〇番目のコラールで一一＋一七＝二八。次に、二番目と九番目で一二＋一六＝二八、という具合で、対称な形で対にしたときに、小節の数が必ず計二八になっている。これは偶然なのか？　そんなばかな。

これらのコラールを作るにあたって、バッハはよくルーテル教会風のメロディーから始めた。そのメロディーをソプラノパートにして、それと調和するようにほかのパートを作っていく。コープはコラールの分析に基づいて、このような調和を手作業でアルゴリズムにプログラムしていった。バッハがハーモニーを作る際に用いた規則がはっきり識別できたのだ。では、コンピュータが生のデータを取り込んで、そこから自分でハーモニーの規則を学ぶことは可能なのだろうか。

コラールを調和させるための練習には、複雑な一人トランプ遊びのペイシェンスや、終わりのない数独パズルをするのと似たところがある。一段階ごとに、たとえばテナーの声が次にどれくらい動くかを決めなくてはならない。上に動くのか？　それとも下か？　どれくらいの幅、どれくらいの速さで動くのか？　自分が紡いでいる残りの二声の動かし方を考えに入れながら、その声の動きを決め、しかも全体としてのメロディーを支える必要がある。

作曲科の学生がこの練習をする場合は、教師がさまざまな規則を課す。たとえば、完全五度やオクターブが二つ続かないようにすること。五度が連続すると、二つの声の独立性が弱まったように感じられて、ハーモニーの効果が落ちるのだ。ちょうど、チャンネルが一つ落ちたようなもので、この平行五度の禁止という規則は一三〇〇年にはすでに取り入れられており、今も作曲理論の大きな柱となっている。

グラスは今も、ある授業で師のブーランジェに健康状態を尋ねられた時のことをはっきり覚えている。「気分が悪いんじゃないの。頭が痛いのかしら。医者か、精神科医に診てもらったら？　ほかの人に知られないように段取りできるけれど」本人が大丈夫ですと言い張ると、師はくるりと椅子を回し、その週にグラスが仕上げてきたコラールを指さして叫んだ。「だったら、これをどう説明するんですか」そして案の定、グラスは自分が書いてきたアルトとバスのパートの間に五度が潜んでいることに気づいたのだった。

従来の規則を破ることは、創造的な思索家の印である。アルファ碁の場合は、第二局の第三七手で従来の規則を破った。同じくバッハも、五度の平行を禁じた規則を破ってコラールを締めくくることがあった。ではそれによって、問題のコラールのできが悪くなったのか。わたしの作曲の先生であるエミリーによると、これらの規則を破ることが、作曲の楽しみの一つなのだという。規則破りは、ボーデンが変形による創造性と呼ぶ概念を達成する絶好のチャンスなのだ。

コラールのハーモニーを作る作業には、二次元的なところがある。ハーモニーは垂直方向に意味を成さねばならず、それでいて、それぞれの声が自分のパートを水平方向に歌うときにも論理と調和が求められる。人間の作曲家にすれば、二つの次元を融合させてコラールを書くことが挑戦課題となる。

では、機械学習に基づく新たなアルゴリズムは、この課題に取り組むことができるのだろうか。バッハが発表した計三八九のコラールから、その技量の秘密を解読することができるのか。この仮説を検証するためのアプローチとして、たとえばある声の歌う音が与えられたときに、その次に動く可能性がもっとも高いのがどの方向かを統計分析で推察する、という方法がある。今、たとえばさまざまなコラールを調べてみたところ、調和した和声の一部としてABCBAという音の連なりが複数回登場していることがわかったとすると、Aという音に続く音を統計的に分析することができる。事実、BWV396という作品では次の音がG♯まで下がっているが、BWV228のデータでは次の音がFに飛び上がっている。（BWVはバッハの全作品のカタログのタイトル、Bach-Werke-Verzeichnisの略である）こうして統計的な分析を積み上げることによって、そのフレーズに続く可能性があるさまざまな音に多様な重みをつけた音楽のサイコロ遊びができあがる。たとえば、バッハがG♯を選んでいる作品が八つ、Fを選んでいる作品が四つあったとすると、三回に二回はアルゴリズムをG♯に向かわせる、といった具合だ。これには、ディープマインドのアルゴリズムが「ブレイクアウト（ブロックくずし）」の攻略法を習得するときのやり方と似たところがある。その場合はアルゴリズムがゲームに勝つために、ラケットをどちらにどれくらい動かせばよいのかが問題になるわけだが、この問いのラケットが、声の高低に置き換わるのだ。

これは、コープが作曲家のサインとなるフレーズを特定しようとしていて気がついたことなのだが、このようなアプローチでは、次に選ぶ音の数をいくつにするかが問題になる。選ぶ音の数が少なければどこにでも行けるが、多すぎると今度は決まり切った列になって、単なるバッハの物まねになる。それに、音の高さだけでなくリズムのパターンも織り込む必要があった。

左から右へと動きながら前の音に基づいて次の声を形作る、というのがもっとも明確な方法のような気がする。何しろわたしたちは、そうやって音楽を聴いているのだから。だが実は、これだけが楽曲を統計的に分析する方法ではない。音楽科の学生ガエタン・ハジェレスが、フランソワ・パシェとフランク・ニールセンの指導の下で博士論文のために開発したアルゴリズム「ディープバッハ」は、バッハのコラールを時間の外に取り出し、二次元の幾何学的構造と見なして分析を行う。幾何学的な構造の一部を取り去ったうえでその周囲のイメージを分析すると、バッハがその形状の残りの部分をどうやって埋めたのか、見当が付く。そのためディープバッハは、時間のなかを前進しながら曲を作るのではなく、その部分の後ろに繋がっている部分に注目する。これはいわばパズルを解くときの典型的なこつで、終点から始めて、どうやったらそこにたどり着くかを考えていく。だが真ん中あたりを取り出して、そこをバッハがどうやって埋めたのかを問うこともできる。

このような多次元解析から出発したところ、行き先もわからずに、ただ前に起きたことに促されてうねうねと前進するだけの従来のアルゴリズムによる作品よりも一貫した構造のコラールを作ることができた。とはいえこの分析は、実はまだ局地的なレベルで行われているにすぎない。つまり、このアルゴリズムは個々の音符を取り囲む球体に注目し、その球体に基づいて音符を埋めようとするのだが、その球体の大きさに限りがあるのだ。ちなみにディープバッハは、与えられた音の前後四拍を考慮する。では、このアルゴリズムはどれくらい成功しているのだろう。

ガエタン・ハジェレスと指導教官たちは、バッハのコラール全体の八〇パーセントを使ってアルゴリズムを訓練し、残りの二〇パーセントを使ってデータをテストしてみた。そのうえでボランティアを募って、ディープバッハが作ったコラールとテスト用のデータにあるバッハ本人が作ったコラールを聴かせることにした。ボランティアに、どちらがコンピュータの作品でどちらがバッハのものだと思うかを判断してもらうのだ。ちなみに、ボランティアの音楽に関する知識が評価の信頼性を左右することは明らかだったので、前もって音楽の素養の有無などを聞いておいた。(作曲科の学生は、訓練していない耳には聞き取れないものも捉えることができる)

結果はじつに衝撃的だった。ディープバッハの作品がバッハの真作だと思われた例が半数に上ったのだ。作曲科の学生達は少し点数がよかったが、それでも判別は難しく、ディープバッハの作品の四五パーセントを偽物と判断しそこなった。これはなんとも印象的な事実といえる。コラールという形式にはきわめて無慈悲なところがあって、一つでも間違った音があると、偽物のレッテルを貼られてしまう。バッハはひとつもミスを犯していないにもかかわらず、そのコラールの四分の一が機械によるでっち上げと判断されたのだから、これまた実に印象的なことだ！　インテリぶるつもりはないが、コラールは、バッハの作品のなかでいちばん退屈な気がする。バッハは賛美歌の調べを叩きつぶす必要があった。しかしわたしを心底感動させたバッハは、それとは違うものなのだ。

巨匠から学ぶプロジェクトの大きな難点の一つに、良質なデータが足りないという問題がある。コラールが三八九曲というとずいぶん多いと感じられるかもしれないが、じつはかろうじて学ぶに足りるといった程度だ。コンピュータ・ビジョンで機械学習がうまくいく場合は、アルゴリズムの自学自習に何百万もの画像が使われる。ところがディープバッハの場合は、データポイントが三八九個しかなく、ほかの作曲家では、これよりはるかに作品数が少ない場合がほとんどだ。バッハのコラールは、単一の現象のひじょうによく似た例を示しているという点で役に立つ。だがひとりの作曲家の出力をさらに広く見ていくと、機械がそこから何をどうやって学べばよいのか途方に暮れるほどの多様性がある。たぶん最後はこの事実が、人間の作った芸術を機械の進歩から守ることになるのだろう。優れたものは数が少なすぎ、機械が複製の仕方を学習できない。バックグラウンド・ミュージックならひねり出せても、質の高い音楽を生み出すことは不可能なのだ。

第十二章　曲作りの公式

音楽は、言葉にできないものと、
黙していられないものを表現する。
ヴィクトル・ユーゴー

わたしはトランペットを吹けるが、即興ジャズはからっきしだ。オーケストラで譜面を見て演奏する分にはまったく問題ないのだが、ジャズでは作曲家になる必要があるのだ。しかも単に曲を作るのではなく、その場でまわりのミュージシャンに呼応する形で、事前の打ち合わせなしで曲を作らなくてはならない。わたしは常々、ジャズの即興演奏ができる人に最大の敬意を払ってきた。

ジャズを学ぼうとあれこれやってみて分かったのだが、よい即興にはパズルの要素がある。一般に、スタンダード・ジャズには一揃いのコードがあって、曲の進行とともにそれが変化していく。トランペッターにすれば、変っていくコードに合う形でメロディーを吹かねばならない。しかも選択した一音一音に意味がなければならないから、ジャズの演奏は、実は二次元の迷路を抜ける経路をなぞるようなものになる。垂直方向の動きはコードに許されたものでなければならず、しかも水平方向の動きは今自分が吹いた音によって決まってくる。さらに自由なジャズでは、実際のコード進行がいっそう流動的になるし、ピアニストの次の動きにも敏感に対応する必要がある。そしてそのピアニストの動き自体も、それまでに演奏されたコードに規定される。優れた即興者は、耳を澄まして、ピアニストが次にどこに向かうかを感じ取るのである。

このようなことができる機械は作れない、とまでは思わないが、こうなると、エミーのようなアルゴリズムを用いた作曲装置が直面しなかった問題と向き合うことになる。ジャズの即興アルゴリズムは、その場の相互作用のなかで新たな素材に反応しながら演奏を行わなくてはならないのだ。

若きミュージシャンの多くが最初にお世話になる古典的な理論書のひとつに、『ザ・ジャズ・セオリー』がある。著者のマーク・レヴィンは、二〇世紀のもっとも偉大なジャズ即興者、ディジー・ガレスピーやフレディ・ハバードと共演してきた。レヴィンの指摘によると、「偉大なるジャズのソロは、一パーセントの魔法と、九九パーセントの説明可能で分析可能で分類可能で実行可能なものから成っている」。これらはすべて、アルゴリズムに注入することができるものだ。

マイルス・デイヴィスの「カインド・オブ・ブルー」というジャズアルバムは、ずっとわたしのお気に入りだった。ではわたしたちは、「カインド・オブ・ディーププブルー」の創出にどこまで迫れるのだろう。

プーシキンと詩と確率と

フランソワ・パシェは若い頃、ぜひミュージシャンになりたいと思っていた。ヒット曲を作って、あのヒーローたちのようにギターを弾きたい。実際に曲を作ろうとかなり頑張ったのだが、結局はAI関連のキャリアの魅力にはまった。ソニーコンピュータサイエンス研究所パリのトップになったパシェは、自分が習得したAIのツールを使えば作曲ができるということに気がついた。そしてマルコフ連鎖と呼ばれる確率論の数式を用いた初のAIジャズ即興機を作った。

マルコフ連鎖は、じつはこれまで見てきたさまざまなアルゴリズムの裏でも大いに活躍している。化学反応や経済トレンドのモデリング、インターネットの海をこぎ渡るためのアルゴリズム、さらには人口のダイナミクスを評価するためのアルゴリズムなど、数限りないアプリケーションの基本ツールなのだ。面白いことにロシアの数学者アンドレイ・マルコフは、自分の理論を科学ではなくプーシキンの詩で検証することにした。

マルコフは、同じロシアの数学者パヴェル・ネクラーソフとの論争がきっかけで、この理論を発見した。確率論の中心的な柱の一つに、大数の法則がある。これは、皆さんがコインを持っていて、コイントスが常に直前の回のトスとはまったく無関係だとすると、コイントスの回数を増やすにつれて表と裏の回数がどんどん五分五分に近づく、という主張である。コインを四回トスしたときに、すべてが表である確率は一六に一つだが、コイントスの回数を増やすと、五分五分からのずれがどんどん減っていく。

ネクラーソフは、この逆が成り立つと考えた。つまり、統計が大数の法則に従っているのなら、その事象はそれまでの結果からは独立であるはずだ、というのである。そしてロシアの犯罪統計が大数の法則に従っているという事実に基づき、この仮説を使って犯罪者が犯罪を行う意思を自由に固めていることを証明しようとした。

マルコフは、ネクラーソフのとんでもない理屈に愕然とした。そしてネクラーソフの仕事は「数学の誤用である」として、その間違いを証明しようとした。それには、ある事象の確率がそれまでの出来事に依存していながら、長期的には大数の法則に従うようなモデルを作る必要がある。コイントスはそれまでのトスに依存しないので、コイントスではだめだ。しかし、ほんの少しだけ依存の要素を加味して、次の出来事が今起きたことにほんの少しだけ影響されるが、系全体は今の出来事に至った道筋から影響を受けないとしたらどうか。一つ一つの出来事の確率が一つ前の出来事だけに依存するこのような出来事の列は、やがてマルコフ連鎖と呼ばれるようになった。たとえば天気予報はその一例で、明日の天気は明らかに今日の天気に左右されるが、先週起きたことの影響を大きく受けるわけではない。

今、次のようなモデルを考えよう。天気は、晴れ（sunny＝S）か、曇り（cloudy＝C）か、雨（rainy＝R）かで、今日晴れていたら、明日晴れる確率（SS）は六〇パーセント、曇りの確率（SC）は三〇パーセント、雨の確率（SR）は一〇パーセント。ところが今日が曇りならこれらの確率が変わり、明日雨の確率（CR）は五〇パーセント、曇りのままの確率（CC）は三〇パーセント、そして晴れる確率（CS）は二〇パーセントになる。さらにこのモデルでは、明日の天気は今日の天気にのみ左右されるとする。つまり、それまでの二週間が晴れていても、それとはまったく無関係に、今日が曇りなら明日の雨の確率はやはり五〇パーセントなのだ。そして最後に、今日雨が降っている場合の確率。今日が雨なら、明日晴れる確率（RS）は四〇パーセント、曇りの確率（RC）は一〇パーセント、そして雨が続く確率（RR）は五〇パーセント。次に、この確率を行列と呼ばれるもので表してみる。

$$\begin{pmatrix} SS & SC & SR \\ CS & CC & CR \\ RS & RC & RR \end{pmatrix} = \begin{pmatrix} 0.6 & 0.3 & 0.1 \\ 0.2 & 0.3 & 0.5 \\ 0.4 & 0.1 & 0.5 \end{pmatrix}$$

このモデルを使うと、晴れた日の二日後が雨になる確率を計算することができる。むろん二日目までの筋書きはひとつでないので、それらすべての確率を足し合わせる必要がある。つまり、SSR（晴れ、晴れ、雨）かもしれず、SCR（晴れ、曇り、雨）かもしれず、SRR（晴れ、雨、雨）かもしれないのだ。

SSRの確率＝SSの確率×SRの確率で、0.6×0.1＝0.06

SCRの確率＝SCの確率×CRの確率で、0.3×0.5＝0.15

SRRの確率＝SRの確率×RRの確率で、0.1×0.5＝0.05

したがって、晴れた日の二日後が雨になる確率は（これをS×Rと書くことにすると）、$S\times R$＝0.06＋0.15＋0.05で0.26、二六パーセントになる。

ところがじつは、二日目に雨が降る確率を計算する便利な方法がある。先程の確率行列を、二つかければよいのだ。

$$\begin{pmatrix} S\times S & S\times C & S\times R \\ C\times S & C\times C & C\times R \\ R\times S & R\times C & R\times R \end{pmatrix} = \begin{pmatrix} 0.6 & 0.3 & 0.1 \\ 0.2 & 0.3 & 0.5 \\ 0.4 & 0.1 & 0.5 \end{pmatrix}^2$$

こうやって計算してみると、その日の天気は前日の天気によって左右されるにもかかわらず、長い目で見ると、最初が晴れであろうが曇りであろうが雨であろうが、じょじょに同じ値（約32.35パーセント）に近づいていく。本当にそうなるかどうかが知りたければ、この確率行列をどんどんかけてみるとよい。すると、各列の項が同じ数に近づいていく。したがって、たとえ明日の天気が今日の天気と関係していたとしても、長期的な天気予報は今日の天気と無関係といえるのだ。

$$\begin{pmatrix} 0.6 & 0.3 & 0.1 \\ 0.2 & 0.3 & 0.5 \\ 0.4 & 0.1 & 0.5 \end{pmatrix}^{10} \fallingdotseq \begin{pmatrix} 0.4412 & 0.2353 & 0.3235 \\ 0.4412 & 0.2353 & 0.3235 \\ 0.4412 & 0.2353 & 0.3235 \end{pmatrix}$$

この行列の各列は、一〇日後が晴れ、曇り、雨である確率を表している。これを見ると、今日の天気が何であろうと関係ない（つまり、どの行を選んでも同じだ）ということがわかる。今日の天気が何であろうと、一〇日目の確率はすべて同じなのだ。マルコフはこの事実に基づいて、長期的な犯罪統計が自由意志の存在を示している、というネクラーソフの主張が間違っていることを証明した。

マルコフは自分のモデルを、ロシア人がもっとも敬愛する詩人プーシキンの長編詩『エフゲニー・オネーギン』の例で説明することにした。といっても、別に詩に関する新たな文学的知見を示すつもりはなかった。母音と子音の出現状況を分析するためのデータセットとして使ったのだ。まず、この長文詩全体の約八分の一にあたる最初の二万字を取り出して、母音と子音の個数を数えあげた。コンピュータを使えば一瞬で終わったろうが、マルコフは腰を据えて自分で文字を勘定していった。そして、四三パーセントが母音で五七パーセントが子音であるという結論に達した。ということは、でたらめに一文字抜いたときには、それは子音だと考えたほうがよい。マルコフは、前の文字に関する知識の有無によって推測が変わるかどうかを調べた。いいかえると、前の文字が子音かどうかによって、次の文字が子音である確率は変わるのか。

テキストを分析してみると、子音の後に子音が続く場合が三四パーセントで、母音が続くのが六六パーセントであることがわかった。ということは、前の字がわかっていれば、次の文字が子音である確率は変わる。これは、当然といえば当然のことだった。なぜならほとんどの単語で、子音と母音は交互に出てくる傾向があったからだ。マルコフの計算によると、母音の次に母音がくる確率はたったの一三パーセントだった。だから『エフゲニー・オネーギン』は、マルコフの着想を説明するのにうってつけなマルコフ連鎖の例になったのだ。

この種のモデルは、健忘症のモデルと呼ばれることがある。すでに起きた事は忘れて、今だけを頼りに予測を行う。時には、直近の二つの状況が次の状況に影響する、としたほうがよいモデルになる場合もある。(プーシキンの詩でも、直近の二つの文字に関する知識があると、次の文字に関する推理が当たる確率は高くなる) しかしこのような依存関係は、どこかの時点で消える。

初のAIジャズ即興機「コンティニュエイター」

パシェは、プーシキンの代りにチャーリー・パーカーを使うことにした。ジャズ演奏家のリフを取ってきて、ある音を与えたときの次の音の確率を分析させようというのだ。あるリフが、上昇音階と下降音階で構成されているとしよう。その場合、特定の音を演奏した時点で次の音が上がるか下がるかは、五分五分だ。アルゴリズムはこの事実に基づいて、音階の上をランダムに上がったり下がったりする。アルゴリズムに与えるリフを増やしていくと、分析するデータが増えて、より際だった演奏スタイルが姿を現しはじめる。パシェは、直近の一音だけでは十分でないことに気がついた。二、三個の音の情報がなければ、次にどこに行くのかがわからない。そうはいっても、訓練用のデータをそのまま再生させたくはないので、戻りすぎてもまずい。

　パシェのアプローチのよいところは、データをライブで入れられる点だ。たとえば、みなさんがピアノでリフを弾いたとしよう。するとパシェのアルゴリズムは、演奏を止めた時点でどうなっていたかを分析して、引き続き同じスタイルで演奏を続ける。ジャズにはこのような問いかけと応答がよく見られるから、このアルゴリズムは人間のミュージシャンとメロディーをやりとりしながらライブで演奏をすることができる。訓練データを入れた人物のスタイルを継続することから、このアルゴリズムは「続ける者《コンティニュエイター》」と呼ばれるようになった。

　コンティニュエイターはそれぞれの音の後で、自分が今弾いた音と訓練データが指示する特定の音の出る確率に基づいて次にどこにいくかを計算し、さらにサイコロを振って、そのうちの一つを選ぶ。パシェが「（「問いかけと応答」ではなく）コラボレーター・モード」と呼ぶ別の形のアルゴリズムでは、人間がメロディーを演奏すると、コンティニュエイターが確率計算を行って、ちょうど人間の共演者がするように、適切なコードを演奏する。

　では、アルゴリズムと共演したジャズ・ミュージシャンは、その結果をどう捉えたのだろう。コンテンポラリー・ジャズ・ミュージシャンのベルナール・リュバは、コンティニュエイターを試してみて、かなり感銘を受けたと述べている。「このシステムはわたしに、自分が展開できたはずのアイデア、といっても、実際に展開するには何年もかかったはずのアイデアを見せてくれる。わたしの何年も先を行っている。それでいて、このアルゴリズムが演奏するすべてが紛れもなくわたしのものなんだ」コンティニュエイターはリュバの音世界を学び、本人が前にやったことをただ投げ返すのではなく、新たな領域を探った。これは、探査的な創造性を発揮するアルゴリズムなのだ。しかもそのうえ、訓練で使った曲の作り手に自身の技能のそれまで死蔵されていたさまざまな面を指し示すことによって、作り手の創造性を後押しした。

わたしにいわせれば、コンティニュエイターは、この時点でラブレイス・テストに受かっている。これは、音楽版の「アルファ碁対李世乭《イ・セドル》の第二局の第三七手」なのだ。このアルゴリズムは、プログラムした人間と訓練に使われた音楽家の両方をあっといわせる結果を出した。しかも、ただの驚くべき新奇なもので終っているわけでもない。リュバにすれば、このアルゴリズムのおかげでさらに創造性を発揮できるようになった。その出力はたいへん価値あるもので、リュバが自身の活動にアプローチする方法を変えたのだ。

わたしたちはみな、自分のやり方にとらわれがちだ。コンティニュエイターは、新たな音の連なりを提案して、上手に語りかける。「ねえきみ、これもできるってこと、知ってた？」「このシステムは人間に可能なぎりぎりのところで演奏を行う」とリュバはいう。「特に、長くて覚えやすいメロディアスなフレーズを信じられないテンポで演奏するので、名人芸の概念そのものが挑戦を受けるんだ」

リュバは、コンティニュエイターと違って自分には物理的な制約があるので、自分よりコンティニュエイターのほうが革新的になりうると考えている。実際に具体化されないがためにコンピュータの創造性が妨げられる、ということはよくあるが、どうやらこの場合は逆らしい。機械のほうがずっと早く物事を行えて、人間よりはるかに多くのデータを処理できるため、人間の創造性とＡＩの創造性の間に興味深い緊張が生じるのだ。それをダイナミックに示したのが、自分のＡＩと恋に落ちた男を描いた「her/世界でひとつの彼女」という映画である。ＡＩと人間が何時間もおしゃべりをした末に、AIは、人間とのやりとりはまだるっこしいと文句をいい始める。そしてついに人間の恋人を捨てて、自分のCPUの速度でやりとりできる他のAIとの間に満足のいく関係を作るのだ。ひょっとするとそのうちにコンティニュエイターも、複雑で速すぎて他の機械にしか真価が理解できない音を作り始めるのかもしれない。

一方でコンティニュエイターは、聴衆からも感情の面で興味深い反応を引き出した。パシェによると、リュバとのジャムセッションでは、「聴衆は驚き、感嘆し、このシステムと共演したいという衝動に駆られた人が多かった」という。そこでパシェは、コンティニュエイターをジャズ版のチューリング・テストにかけることにした。ジャズピアニストのアルバート・フォン・ヴィーネンダールがコンティニュエイターと掛け合いで即興演奏をして、それを二人のジャズ評論家に聴かせたのだ。するとどの評論家も、人間と機械を区別するのがきわめて難しいことに気がついた。どうやらコンティニュエイターは、このジャンルがさらに面白くなる形でその限界を押し広げ、人間のジャズ・ミュージシャンになろうとしていたようだ。

コンティニュエイターは境界を打ち破り、素晴らしいことをなし遂げた。だがマルコフ連鎖に基づくシステムには、ある種の本質的な限界がある。部分的には有意義で、時には驚くべきリフを作ることができるが、けっきょくは構成に不満が残る。なぜならその作品には大局的な構造というか、わたしたちが構成と呼ぶものがないからだ。パシェは、もっと興味深い何かを語るには、メロディーの進化を制限しなければならないということに気がついた。問いかけと応答の場合は、答えが終わった場所から次の問いかけが始まってほしい。それでいて、最後はメロディーによって何らかの緊張が解決されてほしいのだ。マルコフモデルのパラメータの範囲では、円積問題（定規とコンパスで与えられた円と面積が等しい正方形を作るという問題。古来解けない問題の代表）と同じで、到底こんなことはできなかった。パシェは、マルコフ連鎖の自由度を制約と組み合わせて、より構造的な作品を生み出す新しい方法を探ることにした。

フロー・マシーン

芸術家や演奏者の多くが、芸術に完全に没頭すると、時間と場所の感覚がまったくなくなると述べている。なかにはこれを「ゾーンに入る」という人もいる。最近になってこの現象は、「フロー」と呼ばれるようになった。フローとは、ハンガリー出身の心理学者ミハイ・チクセントミハイが一九九〇年に確認したある心理状態のことである。そこでパシェは、創造力に富む芸術家をフロー状態にするのに役立つアルゴリズムを作ることにした。

フロー状態は、並外れた技能と大きな挑戦課題が出くわしたときに生じる。この二つのどちらが欠けても、次ページの図のそれ以外の心理状態に落ち込む。技能のない人が何かひじょうに難しいことをしようとすれば不安状態に陥り、自分の力量に対して簡単すぎることをすれば退屈になる。

パシェのフロー・マシーンの核になっているのは、マルコフ過程を用いてある芸術家のスタイルを習得し、そのうえで何らかの制約を加えるというアルゴリズムである。実は、創造性に富む芸術家の多くが、このようにして仕事をしている。ピカソは長い年月をかけてエル・グレコやルノワールやベラスケスやマネの作品を吸収し、そのスタイルを模倣して組み合わせ、手を加えたうえで、さらに自ら課した一連の制約を加えることで、独特でありながら過去の傑作にきちんと根差したスタイルに到達した。

パシェは試しに、アルゴリズムにあるスタイルで演奏をさせながら、ほかのスタイルの制約を取り込んでみた。これは、ボーデンのいう組み合わせ的創造性を用いたアルゴリズムの実験のすばら

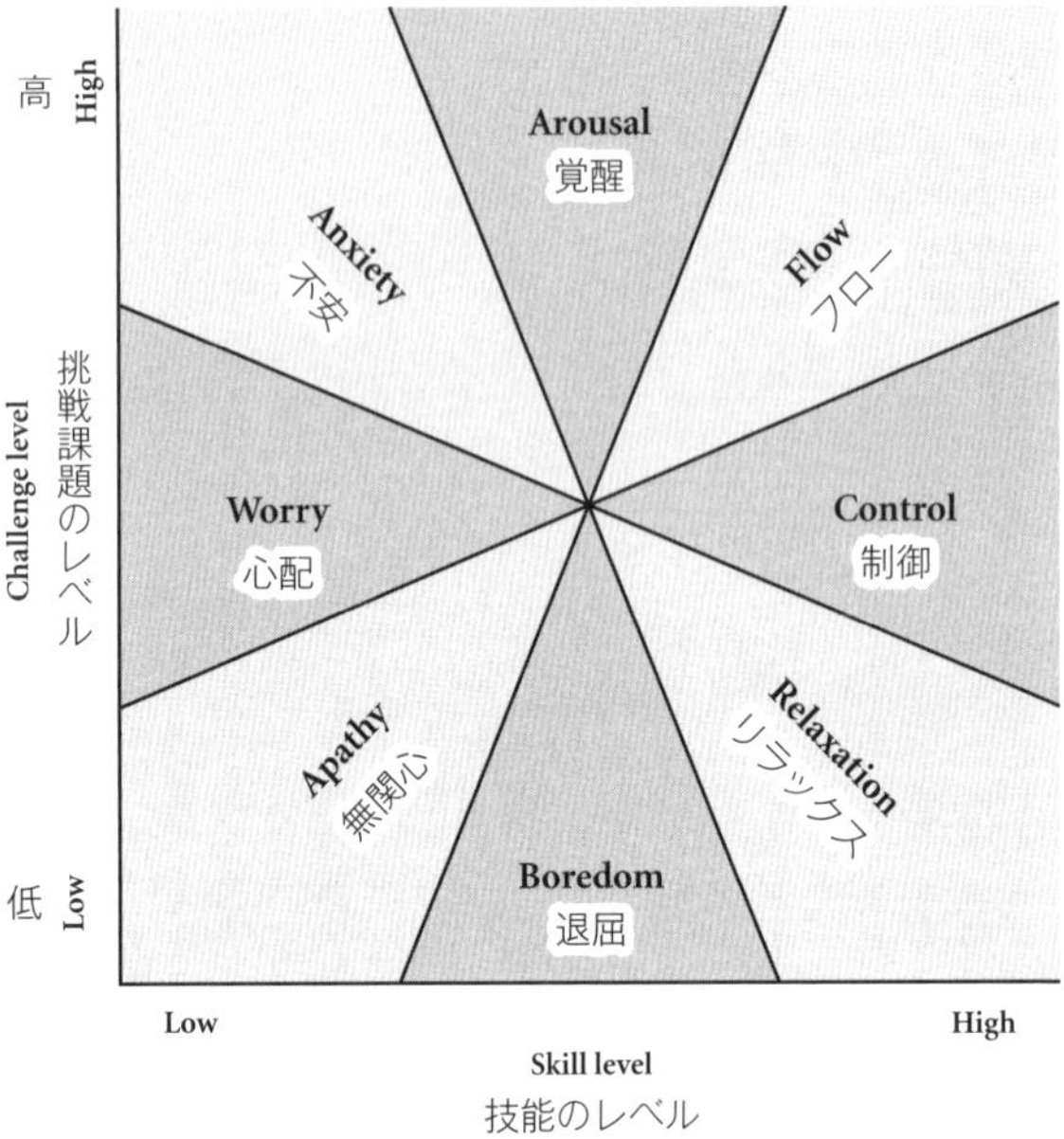

しい例といえる。あるときは、チャーリー・パーカーのブルースのスタイルで、ピエール・ブーレーズのセリー技法に由来する制約を取り込んでみた。シェーンベルクのファンだったブーレーズは、自分の作品では必ず半音階の一二音すべてを使うようにしていた。このため問題のブルースは一二音すべてを巡ることになったのだが、これはなんとも異様な制約だった。なぜなら通常ブルースは、三つの音をその進行の基点としているからだ。その結果、明らかにチャーリー・パーカーのビバップの世界から登場したものでありながら、その世界の縁に棲息している何とも奇妙な野獣が姿を現した。わたし自身は、確かにこの融合を面白いと思った。しかし、ほかの組み合わせはあまりうまくいかなかった。たとえば、ジョン・コルトレーンがリヒャルト・ワグナー流の和音の制約のもとで「ジャイアント・ステップス」を演奏するとか！
このフロー・マシーンは、音楽以外にも使える。たとえば、特定の詩人や作詞家のスタイルを学

ばせておいて、ほかの人物に由来する制約をかけることができるのだ。パシェのチームは、自分たちのマルコフモデルにボブ・ディランの歌詞のスタイルを学ばせて、それをビートルズの「イエスタデイ」の歌詞に適用してみた。ビートルズの歌詞は、拍子とリズムにある種の制約が加わっているので、フロー・マシーンとしては、ディランらしい単語や語句を選びながら、その枠組みを満たす必要があった。こうしてできたのが、「イエスタデイ」のメロディーで歌うことができる次のような歌詞である。

Innocence of a story I could leave today
When I go down on my hands and pray
She knocked upon it anyway
Paradise in the dark side of love it is a sin
And I am getting weary looking in
Their promises of paradise
Now I want to know you would be spared this day
Wind is blowing in the light in your alleyway
Innocence in the wind it whispers to the day
Out the door but I could leave today
She knocked upon it anyway

ひとつの物語を知らなかったから、わたしは今日旅立てた

手を付いて祈る時、
彼女はとにかくそれをノックした
愛の暗がりにあるパラダイス、それは罪
そしてわたしはうんざりしかけている
彼らのパラダイスの約束をのぞき込んで
今わたしはあなたがこの日を大目に見ることを知りたい
あなたの路地の光のなかで、風が吹いている
風の中の無邪気が、その日に至るまでささやく
扉の外で、でもわたしは今日旅立つことができた
いずれにしても彼女はノックする

パシェはフロー・マシーンを使って、初のAI作のポップソングなるものを作った。長い研究の結果、ついに子どもの頃の夢を実現することができたのだ。フロー・マシーンが曲をつけた新たな歌は「パパの車 Daddy's Car」という題名で、パシェのお気に入りのバンド、ビートルズのスタイルで作られていた。ビートルズの音楽には秘密の公式があると主張する音楽分析家が多く、パシェはその謎が解ければと思っていた。ただし歌詞のほうは、じつはアルゴリズムが作ったわけではなかった。詞を作ったのは歌手で作曲家のブノワ・キャレで、キャレはもう一つ、アルゴリズムの出力を完全な歌にする仕事も請け負っていた。

「パパの車」に続いて、二〇一八年の初頭に「世界よこんにちは Hello World」というアルバムが発表された。この題名は、コードを学ぶ者が最初に取り組む練習問題にちなんだものだ。コードを

学び始めると、最初の練習問題で、「Hello World」という文を出力するプログラムを作るよう指示されるのだ。このアルバムは、フロー・マシーンを用いて自分の創造性の限界を押し広げたミュージシャンたちとキャレが協力して作ったもので、厳密にはＡＩが作った初のアルバムではない。なぜなら最終的な作品の輪郭を決めるうえで、キャレと協力者たちが重要な役割を果たしているからだ。

ではその結果はどうだったのか？　作曲家のファティマ・アル・カディリは「五〇回コピーされてから演奏された歌のようだ」と、えらそうに皮肉った。

そうはいっても、みんながみんな否定的だったわけではない。パシェはソニーの研究所から引き抜かれ、今は音楽ストリーミングサービスのスポティファイで働いている。この会社が「フェイク」なアーティストの歌ばかりのプレイリストを作ろうとしているという噂があることを考えると、これはひじょうに面白い動きといえる。音楽評論家たちは、スポティファイが瞑想やランニング用に編集した人気のプレイリストに自分の作品が載ったおかげでとんでもない数のヒットを飛ばしているアーティストが大勢いることに気づいていた。ディープウォッチというバンドなどは、五ヶ月間に四五〇万回プレイされたという記録を残している。

ところがこれらのアーティストの正体を知ろうとしても、なんの手がかりも見つからなかった。インターネット以外のどこにも存在せず、コンサートの予定もなく、どこを見てもそのバンドの詳細がないのだ。そのうちに、ある噂が流れ始めた。それらの音楽を作ったのは「フェイクなアーティスト」で、おかげでスポティファイは印税を払わなくてすんでいる、というのである。スポティファイは「わたしたちは一度として『フェイク』なアーティストを作ったこともなければ、プレイリストに載せたこともない。まったくのでっち上げだ。以上、終わり！」と反論した。ところが、実際に彼らがマイナーなアーティストに曲を委託して偽名で歌を作らせており、レコード会社との標準的な契約よりはるかに会社に有利な印税率が適用されていることが明らかになった。

マイナーな作曲家たちが二流のポップソングを果てしなく供給できるのは、このジャンルにひどく形式的なところがあるからだ。クラシックの作曲家の多くがひじょうに精妙な曲作りをするのと違って、ポップソングには、期待に応えようと努力するでもなく絶対確実なフォーマットをただ繰り返すだけ、という作品が山のようにある。一小節はたいてい四拍で、メロディーは四小節から八小節の塊になっていて、誰でもすぐに口ずさめるようにメロディーの断片が何度も繰り返され、そのうえ決して転調しない。むろん、そのような規則を破るわくわくする瞬間もありはするが、そこからまた新たな定石が生まれて、それが延々と繰り返されるだけである場合が多い。

スポティファイがパシェを雇ったからには、これらのアーティストは仕事を失うことになるのか。アルゴリズムは既にわたしたちの音楽視聴行動を後押しし、管理している。だったらアルゴリズムがわたしたちの聴く歌を注文に応じて作るようになるまでに、いったいあとどれくらいかかるのか。もしそうなったら、スポティファイはもはや印税を払わずに、パシェに月給を払っていればよいことになる。

自分のためにAIが作った音楽がほしくなったら、Jukedeckのウェブサイトに行くとよい。八歳の時に聖歌隊で知り合った二人のケンブリッジの院生が立ち上げたJukedeckは、AIを使ってさまざまな組織のために歌を作っている会社で、このような会社はほかにもたくさんある。ロンドン自然史博物館やコカ・コーラといった組織にすれば、ビデオや販促の素材になるようなオリジナルの安いBGMが欲しい。ただしその曲は別に最良でなくてもかまわず、途方もない印税を払う気もない。Jukedeckが作る曲は、企業のビデオを埋めるのにもってこいの音楽なのだ。

彼らのウェブサイトには選択肢として、フォークからリラックスした曲、コーポレート（これは何かのジャンルなんだろうか？）からドラムンベースまで、さまざまなジャンルが用意されている。さらに、その曲の雰囲気が戦闘的か、もの悲しいか、そのほかの一〇の選択肢のどれであってほしいかを指定する。そのうえでワン・クリックすると、アルゴリズムが九〇秒分の音楽をひねり出し、名前までつけてくれる。

試しにＳＦ風の映画音楽もどきを選んでみると、「不可能な疑い」という曲ができた。わたしがしょっちゅう聴きそうな曲ではなかったが、それはまあ、どうでもよい。ＡＩによる音楽制作の場面では、「けっこう間に合う、まあまあ」といった言葉がよく飛び交う。Jukedeckのターゲットはビデオ制作やゲーム開発のためのＢＧＭの市場であって、グラミー賞一五冠のアデルと競うつもりはない。気分に反応するアルゴリズムは、ゲームをしているプレイヤーの軌跡を追うのにもってこいなのだ。「不可能な疑い」を聴きたければ、著作権抜きで曲を使うためのライセンスが〇・九九ドルで入手でき、一九九ドル出せば、著作権を買い取って完全に所有することができる。

たぶんこれらの$《ドル》マークこそが、ＡＩによる音楽を推進する陰の重要な指標なのだろう。ＡＩ芸術革命を前進させているのは、芸術的な配慮ではなく金なのだ。

量子的な作曲

芸術における創造には一つ興味深い側面があって、芸術家の作品は、それを見たり読んだり耳を傾けたりする多種多様な大勢の人々にアピールしなければならない。けれども好みや期待は人それぞれ、気分だってそのときによって違う。ここでもし大勢のためのひとつの作品という考え方を逆転させて、一人のための多数の作品という路線を追求したらどうなるか。スマートフォンには、わたしたちに関する膨大なデータが集まっている。そこで、これらすべての情報を使って、あなただけのためのオーダーメイドの芸術作品を作るとしたら?

マッシヴ・アタックが試みたのは、まさにこれだった。二〇一〇年に「ヘリゴランド」というアルバムを発表してからずっと新作がなかったこのバンドは、二〇一六年初頭に革新的なやり方で四つの新曲をリリースした。これらの歌にアクセスするには、新しく作られた「ファントム(Fantom)」という専用アプリをダウンロードしなければならない。しかもここで面白いひねりが加えられる。そのアプリに自分の場所、時、カメラビュー、心拍および自分のツイッターアカウントへのアクセスを許すと、アルゴリズムが、あなた向けに曲をどうミックスするかを決めるのだ。

マッシヴ・アタックのアルゴリズムは、早い話がモーツァルトのサイコロ遊びをさらに洗練させたものだった。オリジナルの曲は短いミニトラックに分割されており、それを素材として、新たな「誰か」のために特別な曲を作る。新しい歌が展開する際に、各段階で、次にどのマイクロトラックを加えるか、どのように混ぜるのかを選んでいく。それらの決定は、アルゴリズムが集めた個人ユーザーに関するデータに沿って行われ、たとえば心拍が速く、本人が速く動いており、カメラが鮮やかな色を捉えていれば、これらの情報に基づいて、その人が聴く歌のトーンやテクスチャーを決めていく。

この場合、変化に富み、十分豊かでありながらきちんと一貫性を保って展開できるマイクロトラック候補のツリーを作れるかどうかが腕の見せ所になる。そこがうまくいけば、アルゴリズムがどの経路を選んだとしても、滑らかで自然に感じられる結果が得られる。聞く側にすれば、まったくでたらめというのは御免被りたい。モーツァルトは各小節を注意深く管理して、それぞれがワルツの次の小節として意味を成すような一一の選択肢を示した。ワルツ全体の構造によって、その内側でゲームを行えるような一連の規則が定められていたのだ。マッシヴ・アタックのアルゴリズムでも、同じことがいえる。聴き手にすれば、バース（コーラスの前の序奏部分）が展開している最中に、突然大音響でコーラスが割り込んでくるのは御免蒙りたい。

　このアプリの作成に力を貸したプログラマのロブ・トーマスは、できあがったものを「量子作曲」と呼んでいるが、これはまさに言い得て妙。量子の世界では、量子重ね合わせと呼ばれる現象があって、ひとつの電子が同時にさまざまな場所に存在することができる。そこに観察という行為が加わってはじめて、電子が無数の状態候補のうちのどれかになだれ込むのだ。トーマスにすれば、同時にさまざまな状態で存在しうる曲を作りたかった。わたしがその歌を聴くことにすると、アルゴリズムはわたしのデータを取り、マッシヴ・アタックの「波動関数」がどのように崩壊するかが決まって、わたしのための唯一無二の曲ができる。

　わたしたちの感情とわたしたちが聴く音楽との対話、さらにそれらが互いにどのような影響を及ぼし得るのか、トーマスはそこに関心がある。「音楽は、感情を操作する道具なんだ。これらの音楽的な戦術をどう使えば聴き手のなかに感情を引き起こせるのか、そこが知りたい」現在彼は、マインドフルネス専用アプリでＡＩ音楽を使って瞑想状態を誘発する方法を探っている。音楽がその人の現在の精神や体の状態に関するデータに反応するようにすることで、自分の体を操作してリラックスさせられる方法を習得できるかもしれないというのだ。むろん、感情をもっとも効率的に操作するものがほしければ、本物の人間を作るしかないことはトーマスも承知しており、笑いながら次のように言い添えた。「ＡＩを使わなくたって、ずっと楽しく簡単に、人間を作れるものね」

　ファントム・アプリがうまくいくかどうかは、歌を構成する断片の管理編集を行うミュージシャンの腕にかかっている。ところがマッシヴ・アタックは、機械学習を使えば候補となる選択肢のツリー構造をはるかに有機的なやり方で作り出せることに気がついた。そこで、次にリリースするアルバムでは、機械学習のアルゴリズムに独自バージョンの曲を作らせようと考えている。ロブ・トーマスはこの次なる段階を実現するために、ロンドン大学ゴールドスミス・カレッジのミック・グリーソンと組むことにした。

グリーソンはアイスランドの前衛バンド、シガー・ロスとがっぷり四つに組んで仕事をしたことがある。彼らの歌の一つである「オーメルル（Óveður）」を素材として、オリジナルでは五分のこの曲を、決して繰り返すことなく、その響きを保ったままで拡張し、二四時間バージョンを作ったのだ。YouTubeやアイスランド国営テレビで放映するアイスランドの海岸を巡る旅番組の伴奏として、二四時間の長さの曲にしたのである。新たなスローテレビの流行の表れでもあったこの旅は、二〇一六年の夏至の前夜、つまり六月二〇日に始まって、アーティストたちは、ヨーロッパの最大の氷床であるヴァトナヨークトル氷河や氷河湖や、イーストフィヨルドや荒涼としたモズルダールルの黒砂をかすめて、海岸を走る国道一号線を反時計回りに一三三二キロメートル旅したのだった。

人間の作曲家にとっては、二四時間分のまったく繰り返しのないサウンドトラックを作るのは大仕事であり、金もかかる。これに対してグリーソンが開発したソフトは、確率的なツールを使って、あらゆる画像に応じた伴奏用の曲を作っていく。グリーソンはその後も、繰り返しがなくて永遠に演奏できるさらに長いバージョンを作っている。マッシヴ・アタックやシガー・ロスが解散すれば、誰でも好きなだけこれらのアルゴリズムを使って彼らの歌の新しいバージョンを聴き続けることができるようになるはずだ。

ブライアン・イーノは、システムやアルゴリズムが作りだした絶えず変化する音楽を「生成《ジェネラティブ・》音楽《ミュージック》」と呼ぶことにした。イーノは好んで、これは自分で勝手に考える音楽だという。いわば音楽の園のようなもので、作曲家が種を蒔き、アルゴリズムと外の世界との交流、つまりコンピュータゲームをする人間や聴き手がその日をどう送っているかといったことに沿う形でこれらの種が育ち、音の庭ができていく。ある意味でライブ演奏は、楽譜から経験への旅が毎回独特なものを生み出す、というこの考えを形にするためにある。そしてイーノは、この考えをさらに推し進める方法を探った。「ブルーム（Bloom）」や「スケープ（Scape）」、あるいはピーター・チルヴァースとともに作った最新の「リフレクション（Reflection）」といったイーノのアプリは、イーノ風の音楽をエンドレスに生み出し続ける。その音楽はユーザーがスマートフォンのディスプレイと相互に作用することで生み出され、イーノによれば、その生成過程はまるで川を見ているようだという。「常に同じ川なのに、絶えず変化しているんだ」

イーノは自分の創造過程にテクノロジーを取り込んでいるが、それでもラブレイス同様、自分とともに仕事しているアルゴリズムが、創造者が入れた以上のものを作り出せるとは思っていない。「このアルゴリズムにはたくさんの意図が込められていて、既にたくさんの美的選択が行われている。誰かがこれを入手してそれを使って曲を作るということは、わたしたちと協力して曲を作るということなんだ」

だが今や機械学習は、作曲家たちがしがみついているラブレイスという支えに挑もうとしている。二〇一六年にはＡＩＶＡというアルゴリズムが、機械としてははじめてフランスの職業芸術家の権利を管理する団体、音楽作詞者作曲者出版社協会（Société des Auteurs Compositeurs et Éditeurs de Musique、ＳＡＣＥＭ）から作曲家という肩書きをもらった。ピエールとヴァンサンのバロー兄弟が作ったこのアルゴリズムは、機械学習とバッハ、ベートーベン、モーツァルトなどの楽譜を組み合わせたもので、さらに前進して、独自の音楽を作るＡＩ作曲家を生み出すことを狙っている。現時点ではコンピュータゲームのテーマ曲を作るくらいが関の山だが、その目標は「時を超えて音楽史上に足跡を残す」といういかにも壮大なものだ。いみじくも「創世記」というAIVAの最初のアルバムを聴いたわたしは、バッハもベートーベンもそんなに心配しなくて大丈夫そうだな、と思った。とはいえこれは、そのタイトルからもわかる通り、音楽におけるAI革命の始まりにすぎない。

わたしたちはなぜ音楽を作るのか

音楽は、常にアルゴリズム的な性格を帯びていた。したがってどの芸術形態にも増して、AIの発展が脅威となる。音楽はあらゆる芸術のなかでもっとも抽象的で、構造とパターンを活用しており、まさにその抽象的な性質ゆえに、数学と密に結び付いている。つまり音楽は、人間同様アルゴリズムにとってもおなじみの世界に存在しているのだ。

そうはいっても音楽は、単なるパターンではなく、単なる形でもない。音楽に息を吹き込むには、演奏する必要がある。人間は、ある種の儀式の伴奏として音楽を作るようになった。考古学者たちは、わたしたちの遠い祖先の手になる壁画で埋め尽くされた洞窟で、その当時から楽器があったという証拠を見つけた。ハゲタカの骨で作った横笛、トランペットのように吹き鳴らせる動物の骨、紐がついていて頭の上で振り回すと薄気味悪い妙な音を立てる道具があったのだ。

これらの原始的な楽器が意思疎通に使われていたという説がある一方で、これらは遠い祖先がやがて発展させることになる儀式の重要な一部だったという説もある。儀式が必要であるという思いは、どうやら人間を突き動かすヒューマン・コードにしっかり埋め込まれているらしい。儀式では、定められた列やパターンにしたがって、聖なる場所で一連の動きをして言葉が発せられる。傍目には理屈も何もないように見えることが多いが、内部の者にすれば、その集団を結びつける重要な方法なのである。このような儀式において、音楽はしばしば重要な役割を果たす。声を合わせて歌ったり楽隊を組んで演奏することは、本質的に異なる意識経験を一つにまとめる優れた方法なのだ。スポーツを観戦しているときに競技場のスタンドで歌を歌えば、一体となってアウェーのファンに対抗することができる。

ホモ・サピエンスがヨーロッパに移動してネアンデルタール人に遭遇したときにも、音楽で集団をまとめる力が強みになったのだろう。作曲家のマルコム・アーノルドが述べるように、「音楽は人々の間で意思を疎通するための社会的行為であり、友情の身振り――存在する最強の身振り」なのだ。たぶんわたしたちの祖先は、ドイツで発見された四万年前のものとされる旧石器時代の横笛を使って、遠く隔たった人々と意思を伝え合うことができた。そしてじきに音楽が、精神に働きかける儀式を作るための強力な素材となることがわかった。多くのシャーマンの振る舞いを見てもわかるように、意識の状態を変える上では反復が役に立つ。わたしたちの脳には、さまざまな精神の状態に対応する自然な周波数がある。実際トランス・ミュージックは、幻覚体験を誘い出すのに最適な一分間に一二〇拍のリズムをうまく使っている。また、最近のいくつかの実験から、複数の感覚器官への入力を攪乱すると、脳が奇妙な幽体離脱を経験することがわかっている。たとえば触覚と視覚をうまく組み合わせると、偽の手を自分の手だと思わせることができる。そのせいなのか、これらの古い楽器が、儀式に匂いを添えるためのスパイスやハーブとともに見つかる場合が多い。それにしてもいったいどうすれば、具体的なものですらないアルゴリズムに、わたしたちの体や精神を変える音楽の力を理解させることができるのか。

文明が発達しても、やはり音楽は儀式の世界に組み込まれ続けた。パレストリーナからバッハ、そしてモーツァルトへという音楽の大きな展開は、宗教的な環境で起きることが多かった。一説には、人間のなかに神という概念が生まれたのは、わたしたちの内面に内的世界が現れたからだという。人は、意識が発達したことによって自分の頭のなかの声に気づくようになり、ショックを受けた。きっと、ひどく恐ろしいことだったはずだ。儀式と音楽は、頭のなかのこの声を——さらには神の居場所とされた自然の力を、宥めることができた。

こういったすべてのことが、感情を持たない論理的コンピュータの世界からは遠く懸け離れているように感じられる。アルゴリズムがわたしたちを感動させる音の作り方を学んできたのは事実だ。現在アルゴレイヴ（アルゴリズム＋レイヴの造語。現場でコーディングを行いながら踊るパーティー）で使われているアルゴリズムは、わくわくしている参加者たちに反応して、DJが彼らを踊らせておける音を選ぶのを手伝う。ディープバッハは、教会で神を賛美する合唱隊のために、さらに宗教的なコラールを作っている。しかし、これらのアルゴリズムが音楽の謎を解いたように見えたとしても、機械のなかでは、何も覚醒していない。これらの機械は未だにわたしたちの道具であって、現代版のデジタルなうなり板（木片に紐がついていて、振り回して音を出す楽器。アボリジニのブルローラーもこの一種）なのである。

第十三章　ディープ・マセマティクス

何を発明するにしても、二人は必要だ。
組み合わせを作る人と、選ぶ人と。
ポール・ヴァレリー

機械学習が自分たちにもたらす影響に関するロイヤル・ソサエティーの会合で、デミス・ハサビスの隣に座っていたときのことだった。そもそもわたしを数学者という仕事がこれからも人間の仕事であり続けるのか、という実存の危機に陥れたのはハサビスのアルファ碁というアルゴリズムであって、しかもわたしたちはともに、英国及び英連邦の科学者の最高の栄誉であるロイヤル・ソサエティーのフェローになったところだった。そこでわたしはふと思った。ハサビスが囲碁の世界でアルゴリズムのレベルを九段まで上げられたのなら、アルゴリズムが数学の定理を証明しはじめて、その結果ロイヤル・ソサエティーのフェローに選ばれることもあるんだろうか。

実際にこの問いを投げかけてみると、ハサビスは声を潜めて、「すでに、その点を調べているところなんだ」という意外な言葉を返してきた。何人たりとも、彼らのレーダーを逃れることはできないらしい。会合が終わってからハサビスが説明してくれたところによると、既にチームが立ち上がっているという。アルゴリズムに過去の証明を学ばせて、今後定理を作れるように訓練を施しているのだ。さらにハサビスは、ディープマインドのオフィスに寄ってくれれば、進捗状況を教えてあげられるけど、といった。

わたしはいささか狼狽しながらも、数学がじきに次なる機械学習革命の犠牲者になりそうなのかを調べにいった。ディープマインドは二〇一四年にグーグルに四億ポンドで買収されたが、我が子がロンドンに留まるべきだというハサビスの決意は固く、オフィスはキングスクロス駅の隣にあるグーグルのロンドンキャンパスの一角にある。駅のコンコースを歩いていると、人々が、ハリー・ポッターの有名な9と3／4番線の隣で写真を撮ろうと長い列を作っていた。本物の魔法を経験したいのなら、お隣に行ったほうがよいのに、とわたしは思った。

グーグルの敷地全体が、学者たちが深い思考に集中するのに最適な環境を提供するために作られており、オクスフォードの学寮の現代版とでもいった雰囲気が漂っている。グーグルで働く人々は、二四時間いつでも無料で食事をすることができ、手の届くところに、脳をカフェインで活性化するためのバリスタが置いてある。九〇メートルのランニング用トラックに無料のマッサージ、さらにはダン・バッテンの料理教室まである。ダンは「裸のシェフ」として知られたジェイミー・オリヴァーのところでトップ・シェフを務めていた人物なのだが、食事はただで提供されているから、この料理教室は栄養補給ではなく、娯楽であるらしい。それにグーグルで働く人々は、脳が過熱すると、建物のあちこちにあるナップ・ポッドと呼ばれる仮眠エリアで眠ることができる。

これらすべてが仮住まいの建物に収まっており、その傍らではグーグルの最先端の新本部が作られている。デンマークの建築家ビャルケ・インゲルスと、二〇一二年のロンドン・オリンピックの聖火台、通称「大釜」をデザインしたトーマス・ヘザーウィックが設計した建物は、スカイスクレーパーならぬランドスクレーパーと呼ぶ人もいるが、ロンドンの超高層ビル、ザ・シャードの高さとほぼ同じ長さの途方もないビルになるはずで、世界各地にあるグーグルの拠点のなかでも、かなりのものになるという。ちなみに、同じくロンドンのビクトリア駅近くにあるグーグルの建物には楽器がたくさん置かれている部屋があって、従業員は休憩時間にジャムセッションをすることができる。さらに、カルフォルニアのマウンテンビューの建物には自前のボウリング場があるが、キングスクロスの新たな敷地に建つ建物はそれらのライバルを遥かに凌いでおり、オリンピック仕様のプールや、コーディングを中断して休んでいる間に――あるいはコーディングに夢中な人はコーディングをする場所として――楽しむことができる従業員専用の屋根付きのすばらしい庭園まである。庭園は「高原」「庭」「野原」の三つのエリアに分かれていて、イチゴやグーズベリーやセージが植えられる予定だという。このような贅沢なオフィスの様子からも、機械学習の商売が大繁盛なのは間違いない。ただしその日わたしが目指したのは、パンクラス・スクエア六番にあるタワーブロックのほうだった。

ディープマインドは、現在のキャンパスの二つのフロアを占めている。片方のフロアは、もっぱら自分たちが得た成果の商業的な応用に関する仕事に充てられているが、わたしがそそくさと招き入れられたのは、研究が行われている六階のフロアだった。この階のプログラマたちが取り組んでいるプロジェクトは、ひじょうに興味深いものである。じつは、機械学習をうまく使って、ランダムで捉えにくい量子物理学の世界に取り組もうとする動きがあって、そこからつぎつぎにプロジェクトが生まれては、生物学や化学に浸透していっているのだ。とはいっても、わたしが知りたいのは、数学を巡る彼らの仕事だった。

ハサビスは、ゼロから数学の証明を作る作業がどれくらい進んでいるのかを知りたければ、オリオル・ビニャルズと話すといい、といっていた。ビニャルズはスペイン出身で、大学の学部で数学を学んだが、じきに自分の情熱が人工知能に向かっているのに気がついた。そこで、博士課程はカリフォルニア大学に進み、そこでグーグル・ブレインにスカウトされて、さらにディープマインドにスカウトされたという。

エレベーターのドアが開いて、ビニャルズと挨拶を交わしたわたしは、正直いってわくわくすると同時に、不安でもあった。しかし、すぐにリラックスできた。グーグルの敷地内を歩いている人はたいていそうだが、ビニャルズも、オクスフォードの数学科に簡単に溶け込めそうな人物だった。グーグルは、(それらしいオタクっぽい文句が書かれていれば) Tシャツにジーンズというおよそ会社員らしくない格好が許される場所なのだ。

わたしたちは数多ある会議室のうちの一つに向かった。どの会議室にも科学の先駆者たちの名前がついていた。わたしたちが落ち着いたのは、いみじくもエイダ・ラブレイスという部屋だった。ビニャルズによると、ディープマインドの研究者だけでなく、世界のあちこちにいるグーグルの研究者たちがこのプロジェクトに関わっているという。ではそれらのグーグル人たちは、どのようなタイプの数学を調べているのだろう。わたし自身の専門分野であるシンメトリーの世界の定理に取り組むことに決めたのか。それとも、ネットワークや組み合わせ論に関する何かを証明しようとしているのか。あるいは、フェルマーの方程式のバリエーションが解を持つかどうかを突き止めようとしているのか。ビニャルズの話が始まるとすぐに、彼らがわたしの予想とはまるで別の方向を目指していることがわかった。わたし自身の数学像とはまったく異なる方向を。

ミザールの数学

ディープマインド・チームとグーグルが注目したのは、一九七〇年代にポーランドで始まったミザール（Mizar）というプロジェクトだった。このプロジェクトの目標は、コンピュータに読めてチェックできる形式言語で書かれた証明の図書館を作ることにある。このプロジェクトを考え出したのはポーランドの数学者、アンジェイ・トリブレッツだが、プロジェクトの名前を考え出したのは妻だった。プロジェクトにつけるよい名前はないかと夫に尋ねられ、ちょうど古い天文学の本を眺めていたところだったので、おおぐま座の星の名前であるミザールはどうかといったのだ。

形式言語で書いた証明は誰でも投稿できて、二〇一三年にトリブレッツが亡くなった時点で、ミザール数学図書館は世界最大のコンピュータ化された証明の所蔵館になっていた。人間がこのコンピュータ言語を用いて作った証明もいくつかあったが、あとはコンピュータが作った証明だった。現在このプロジェクトは、ポーランドのビャウィストク大学、カナダのアルバータ大学、日本の信州大学の研究グループによって維持、展開されている。近年このプロジェクトへの関心が薄れはじめており、図書館の成長もいささか勢いが鈍っていた。そしてミザール・プロジェクトの関係者たちは、ディープマインドやグーグルがこの図書館の大幅な拡張を目指していることを知らなかった。

何十年にもわたる人間たちの努力の結果、ミザールのデータベースにはその時点でなんと五万以上の定理が貯蔵されていた。データベースに収められている証明は人間ではなくコンピュータに理解できる言葉で書かれているので、プロジェクトの関係者たちは、懸命に人間の数学者がお気に入りに認定しそうな定理を拾おうとしていた。たとえば、*n* 次の方程式が複素数に *n* 個の解を持つことを主張する、代数学の基本定理のコンピュータによる形式化された証明。

この定理がミザールの図書館に入っているというのは、じつに面白いことだ。なぜならこの定理を巡る人間たちの旅はかずかずの誤った証明に彩られてきたからで、一七世紀初頭に始まったその旅には、オイラーやガウスやラプラスなどの著名な数学者の間違った証明が含まれている。ついにジャン＝ロベール・アルガンの証明が完璧だと認められたのは、一八〇六年のことだった。それまでの証明には、きわめて微妙な穴があることが多く、間違いを指摘するのにも時間がかかった。しかし、コンピュータがチェックできる証明が見つかったとなれば、自信を持ってこの定理が正しいといえる。

ミザール図書館に収められる証明を作る際のコンピュータの動きには、ゲームをするのと似たところがある。出発点は数と幾何学に関する基本的な公理の一覧で、いくつかの推論の規則を使うことができる。そこから、新しい言明へと向かう、推論の規則の糸で繋がった経路を綿密に示していく。ある意味では囲碁とも似ていて、はじめは盤上が空の状態から出発する。推論の規則によると、その時点で石が占めていない場所であれば、どこにでも石を置くことができる。（ただし、白と黒を交互に置く必要がある）このときにたどり着く終局が定理なのだ。

ディープマインドのチームは、このことに気がついた。定理を証明することと囲碁をすることは、概念的につながっている。いずれも、あり得る結果のツリーの特定の点を探す動きなのだ。各点からはさまざまな方向に枝が出ていて、終点に至る枝の長さは途方もなく長かったりする。このとき、次にどの方向に進めば価値ある終点——つまり囲碁における勝利、あるいは定理の証明——にたどり着けるのか、その評価の仕方が問題になる。

このモデルからすると、コンピュータを完全に解き放って定理を作らせることもできそうだ。しかしこれは、あまり面白くない。複数の経路の終着点が同じになるので、重複が多くなる。本当に重要なのは、ある状況や終点の候補が与えられたときに、その言明に向かう道——つまり証明を見つけられるかどうかだ。そして見つけられない場合には、その言明の否定を証明する道があるかどうかを知りたい。

ディープマインドとグーグルのチームがミザールの本に載っている定理を調べてみると、人間が一切関わらなくてすんだ証明が五六パーセントを占めていた。そこでチームは、この割合を増やすことにした。つまり、既存のコンピュータによって作られた証明を用いて機械学習に訓練を施し、新たな定理証明アルゴリズムを作ろうというのだ。できれば、ミザール数学図書館にすでに収められているデータを基にして優れた戦略を学び、証明のツリーをうまく辿れるようになってもらいたい。ビニャルズが誇らしげにわたしに手渡した論文によると、ディープマインドとグーグルのチームは、自分たちが作った証明生成アルゴリズムを用いて、ミザール図書館に所蔵されているコンピュータが作った証明の割合を、五六パーセントから五九パーセントまで引き上げたという。みなさんは、この程度ならたいしたことはないと思われるかもしれない。しかしこの事実が、こういった新たな技術を使うことで生じる決して些末ではない変化の表れだということを、ぜひわかっていただきたい。これは、単に一つ余分に定理ができたとか、また一つ新たなゲームに勝ったということではない。コンピュータでも辿り着ける証明が、三パーセント増えたのだ。

ビニャルズがなぜこの進展に興奮しているのか、わたしにもわかる気がした。これはちょうどジャズの演奏を習得するアルゴリズムと同じで、この場合は、次にどの音を奏でればベストかではなく、論理的にどの動きをすればベストなのかを決めていく。彼らのアルゴリズムは、コンピュータの守備範囲をかなり広げ、コンピュータは新たな領域に入った。新しい音楽ならぬ、新しい定理を生み出したのだ。

それでも、ディープマインドのオフィスを後にしたわたしは、正直いってかなり気落ちしていた。数学に大きな進展の波が押し寄せていることを知って有頂天になるはずが、実際に目にしたのは、心を持たない機械が生み出した数学におけるBGMであって、決して心躍る天球の音楽ではなかった。それらの新たな発見にどんな価値があるのか、という判断はどこにもなかった。驚くべき啓示が含まれているか否かも、どうでもよい。とにかく新しい、というだけの話なのだ。なんだか、創造的な活動の三分の二がごっそり欠けているような気がした。

数学のチューリング・テスト

これがほんとうに数学の未来なのだろうか。わたしは研究室に戻ると、ミザール図書館に収められているいくつかのお気に入りの定理の証明を読むことにした。そして、白けてしまった。というよりも、はっきりいって当惑した。なぜなら、まるでこちらに語りかけてくるものがなかったからだ。わたしには、その不可解な形式言語をかろうじて辿るくらいが精一杯だった。あのときわたしは、自分の論文を開いて無意味にしか見えない記号の列に直面した時にたいていの人が感じるのと同じ気持ちを感じていたのだろう。証明はコンピュータのコードで書かれていて、アルゴリズムはある正しい言明から次の言明へと形式的に移れるようになっていた。コンピュータにとってはたいへんけっこうだが、人間が数学を伝えるときは、このようなやり方はしない。たとえば次に示すのは、ミザールに収められている、素数が無限にあることを示す証明である。

```
reserve n, p for Nat;
theorem Euclid: ex p st p isprime & p > n proof
set k = n! + 1;
n! > 0 by NEWTON: 23;
```

```
then n!>= 0 + 1 by NAT1 : 38 ; then k>= 1 + 1 by REAL1 : 55 ;
then consider p such that
A1 : p is prime & p divides k by INT2 : 48 ; A2 : p<>0 & p>1 by A1, INT2 : def 5 ; take p ;
thus p is prime by A1 ;
assume p<= n ;
  then p divides n! by A2, NATLAT : 16 ;
  then p divides 1 by A1, NAT1 : 57 ;
  hence contradiction by A2, NAT1 : 54 ;
end ;
  theorem p : p is prime is infinite
  from Unbounded(Euclid) ;
```

わたしのようなプロの数学者が見ても、まったく意味不明！　人間が物語を語るときのやり方とまるで対応していない。ある意味で問題は、言語の壁だったのだ。

スペイン語を英語に翻訳するアルゴリズムを作れるのなら、コンピュータの語りを人間が証明を伝えるときの語りに翻訳する方法もあるのだろうか。この問題に取り組んだのが、ケンブリッジの二人の数学者ティモシー・ガワーズとモーハン・ゲインセイリンガムだった。ガワーズは、一九九八年にフィールズ賞を受賞して新聞の見出しとなり、同じ年に、ラウズ・ボール教授（一九世紀後半から二〇世紀初めにかけてケンブリッジ大学で教鞭をとった数学者ラウズ・ボールにちなんで設けられた数学の教授職。特に、数学の歴史的、哲学的側面を大切にする）に選ばれている。

ゲインセイリンガムもはじめは同じような軌跡を辿り、ケンブリッジのトリニティーカレッジで数学を学んだのだが、その年の最高成績を収めて「シニア・ラングラー」（数学科の学部の首席卒業生）に選ばれたところで路線を変更して、数学科のみんなをあっといわせた。修士課程でアングロサクソン英語に進んだのだ。そして、大学からその年の英語科のもっとも優れた成果に対する賞をもらうと、今度は、形式言語の観点から数学の言語を分析するために、計算機科学の博士課程に進んだ。数学と言語というこの組み合わせは、じきに役に立つことになる。ガワーズとゲインセイリンガムの軌跡はトリニティーで交わり、二人はすぐに、自分たちがコンピュータ言語の頑固なまでの不可解さという難題への関心を共有していることに気がついた。そこで力を合わせ、コンピュータを用いて人間にも読める証明を作るためのツールの開発に乗り出した。

二人は、自分たちが作ったアルゴリズムの力を確かめるために、ガワーズのブログで実験を行った。大学初年度で教わる距離空間に関する五つの定理を示して、各定理に三通りの証明をつけたのだ。一つ目は博士課程の学生による証明で、二つ目は学部生による証明、そしてもう一つは二人が作ったアルゴリズムによる証明だった。ブログの読者が偏見を持たないように、誰が証明したのかは明かさず、証明の質に関する意見を投稿してくれるよう呼びかけた。それぞれの証明に、点数をつけていただきたい。ガワーズにすれば、この三つの証明すべてが人間の書いたものとは限らない、と感じる人がいるかどうかが知りたかった。ところが誰も、そのような疑いを持ったものはいなかった。そこで今度は、三つの証明のうちの一つが実はコンピュータが作った証明であることを明らかにした。そのうえで、どの証明がコンピュータのものかを当ててもらった。

全投票数の約半数が、コンピュータの証明を正確に言い当てていた。そのうちの半分は自分が正しいという自信があり、残りの半分はそれほど自信がなかった。それに、人間が書いたものをコンピュータによる証明だと確信している、という回答の割合もそれなりに大きかった。コンピュータの証明だと思われたのは、学部生による証明であることが多かった。
では、フィールズメダルの受賞者でもあるガワーズは、コンピュータがささやかな自分の地所に強引に押し入ってくるのをどう感じているのだろう。ブログには、次のように書かれている。

コンピュータが最終的にわたしたちを失職させるのを原理的に止められる障害物はひとつも見あたらないように思える。それは悲しいことなのだろうが、そこに至る道は、ひじょうに刺激的なものとなりうる。なぜなら人間同士のやりとりがどんどん減って、コンピュータでも扱える証明の「退屈な」部分がどんどん増えれば、人間であるわたしたちは解放されて、面白いところだけを考えればよくなるからだ。

だが、ミザール・プロジェクトの言葉の問題だけがわたしを苛立たせたわけではなかった。ディープマインドとグーグルのチームが生み出したプラス三パーセントの定理のなかに、はたしてわたしが驚いて息をのむようなものが含まれているのか。このプロジェクト全体が、数学をするうえでのポイントを外しているような気がしてきた。それにしても、そのポイントとは正確には何なのだろう。

数学のバベルの塔

この問いに答えるために、ここでわたしのお気に入りの短編を紹介したい。ホルヘ・ルイス・ボルヘスの「バベルの図書館」では、ある図書館の輪郭を辿る司書の探索が語られる。司書はまず、自分の仕事場の様子を記述する。「宇宙（ほかの人々が図書館と呼んでいるもの）は、無限個あると思われる端のない六角形のギャラリーから成っている……どの六角形からも、無限に続く上と下の階が見通せる」そこにあるのは図書館だけ。もちろんこの図書館は、わたしたちの図書館（わたしたちが宇宙と呼んでいるもの）のメタファーである。無数の部屋で構成されたこの巨大な蜂の巣は、図書館という名前にふさわしく、本でいっぱいだ。どの巻も同じ大きさで、一巻は四一〇ページあり、各ページには四〇行、各行には正字法に則った記号が八〇文字記されていて、記号は全部で二五種類ある。

司書が図書館の所蔵物を調べていくと、ほとんどの本は意味を成さず混乱していたが、たまに、何か面白いものが現れることがある。ある時は、最初の行から最後の行まで「MCV」という文字が繰り返されている本が見つかった。またある時は、文字の不協和音に割って入るように、最後から二ページ目に、「おお時間、汝のピラミッドよ」という句が差し挟まれ、そこからまた無意味な雑音が続く本が見つかった。

司書は、図書館はほんとうに無限なのか、そうでないとしたらどのような形なのかを突き止める、という問題を自らに課す。そして物語が進むにつれて、図書館に関する仮説が示されていく。「図書館は全体である……その棚には二〇あまりの正字法による記号の可能なすべての組み合わせ（ひじょうに大きいが無限ではない数である）が記録されている。いいかえれば、あらゆる言語で表現できるすべて、つまりあらゆるものが」図書館には、書きうる本がすべて収められている。どこかの棚には、トルストイの『戦争と平和』があるはずだ。ダーウィンの『種の起源』が、トールキンの『指輪物語』が、これらの作品のあらゆる言語への訳とともに収められている。この本自体も、その図書館のどこかの棚にある。（まだここまでしか書けていないのだから、ぜひその本を探し出して、残りの文章を綴るという苦役から逃れたいものだ！）

どの本も同じ大きさなので、そこにある本の冊数を数えることができる。記号は二五種類あるとすると（スペースや、読点や句点も含まれているはずだ）、最初の文字の選び方が二五通り、二つ目の文字の選び方が二五通り。したがって最初の二文字だけで、既に$25\times25=25^2$個の選択肢があることになる。最初の行は八〇文字から成っていて、一文字につき二五の選択肢が考えられるから、最初の行だけで、25の八〇乗通りの可能性がある。

このような計算をさらに続けて、最初のページが何通りあり得るかを調べると、一ページに四〇行だから、$(25^{80})^{40}=25^{80\times40}$通りのページが考えられる。こうしてこの図書館に収められている本の総数を得ることができたわけで、計$(25^{80\times40})^{410}=25^{80\times40\times410}$冊の本が存在しうる。いやまったく大量の本である。観察可能な宇宙には10の八〇乗個の原子しかないので、一つの原子が一冊の本だとしても、バベルの図書館に収められた本の総数には遠く及ばない。それでもこれは有限の数だから、簡単に、有限時間ですべての本を作り出すようなコンピュータ・プログラムを作ることができる。もっとも、そのために必要な時間は宇宙が崩壊して暗く冷たい場所になるまでの時間を超えるから、実はそんなことは不可能なのだが。まあここでは、理論と物語の世界に留まるとしよう。

図書館にすべての本が収められているといわれると、まず途方もなく嬉しくなる。ところがそれに続いて、ひどく落ち込むことになる。なぜなら、すべてを所蔵するこの図書館には、じつは何も所蔵されていないからだ。わたしが愛用する図書館、オクスフォードのボードリアン図書館には、トルストイやダーウィンやトールキンの著書が所蔵されていて、わたしのこの本も、出版されればそこに所蔵されることになるのだが、この図書館とバベルの図書館にはひとつ違いがある。ボードリアンの場合には、一人の人間――あるいはたくさんの人間たち――が、特定の文字を組み合わせて作られたその書籍に、文学宇宙の一部としてボードリアン図書館の一角を占めるだけの価値がある、と判断しているのだ。

それにしても、図書館の数学の部門ではどうなのだろう。数学部門には、「アナルズ・オブ・マセマティクス」や「レ・ピュブリカシオン・マテマティーク・ド・IHES」といったすばらしい雑誌が収められているのだが。棚に並んでいるこれらの雑誌のどれかに論文を載せるには、どのような資格が必要なのか。おそらく多くの人が、図書館のこの部門は数学における バベルの図書館になろうとしている、と考えているのではなかろうか。そして、昔も今も数学者たちの役割は、数や幾何学に関するすべての正しい言明を証明することだ、と考えているのではないか。2の平方根が有理数でないこと。有限単純群の一覧に、球の体積の公式。物がもっとも速く落ちる曲線が最速降下線であることの確認、などなど。

まさにこれが、ミザールの試みていることなのだ。数学的な言明の一覧を手元に置いて、出発点の公理からこれらの言明ないしその否定まで移っていけるかどうかを確認する。その言明に証明がありさえすれば、ミザールのデータベースに加えてもらうことができる。その言明の意義や、他の数学者と分かち合うに値する心躍る言明だと感じる人がいるかどうかといったことに基づいて選ばれるわけではない。証明可能なすべての言明を収蔵する、単なるバベルの図書館なのだ。

わたしにいわせれば、これは数学の精神に反している。数学は、数に関して発見しうる正しい言明をすべて網羅した一覧ではない。こういってしまうと、数学者でない人のほとんどがショックを受けるかもしれないが、数学者もボルヘス同様、ストーリーテラーなのだ。その物語の登場人物は数であり、図形であり、それらの登場人物を巡って数学者が作り出す物語が証明なのだ。わたしたちはこれらの物語に対する自分の感情的な反応に基づいて選択を行い、どれが語るに足る物語なのかを判断する。

　ここで、数学における我がヒーローの一人、アンリ・ポアンカレの言葉を引きたい。自分にとっての数学することの意味について述べた言葉である。「創造は、まさに無駄な組み合わせをしないことで成り立っている。創造とは識別、選択なのだ……不毛な組み合わせは、創造者の脳裏に浮かびもしない」数学は創造されるのか、それとも発見されるのか。なぜ創造されると感じるのかというと、選択という要素が含まれているからだ。確かに、誰か他の人にも考えつけたかもしれない。でもそれは、エリオットの『荒地』やベートーベンの「大フーガ」についてもいえることだ。音の選び方はじつにたくさんあるが、ほかの人にもこれらの偉大な作品を作れたとはとうてい思えない。たいていの人が驚くのだが、数学のなかにも、それと同じくらいの自由がある。

　ポアンカレがじつに美しい言葉で表現しているように、数学とは選択だ。では、数学の作品が雑誌に載る際の基準は何なのか。フェルマーの最終定理の証明は、なぜ二〇世紀の偉大な数学作品の一つとされているのか。同じくらい複雑な数の計算が、平凡でつまらないと見なされているにもかかわらず。けっきょくの所、$x^n+y^n=z^n$ という方程式に $n>2$ のときには整数解がないとわかることの、何がそんなに面白いのか。

　わたしにいわせれば、だからこそ数学はただの有益な科学ではなく、創造的な芸術なのだ。定理の証明の語りが、数に関する正しい証明を、数学の殿堂に入るだけの価値あるものという地位に引き上げる。よい証明と聞き手を変化と変質の旅へと誘う偉大な物語や偉大な音楽作品には、多くの共通点がある。

数学の寓話

証明の物語としての質がどのようなものなのかを理解してもらうには、数学的な物語の実例を紹介するのがいちばんだろう。今から紹介するのは、わたしが一三歳でG・H・ハーディの『ある数学者の弁明』という素晴らしい本を読んだ時に出会った証明の一つである。ハーディの本は、数学者であるというのがどういうことかを語っており、グレアム・グリーンはこの作品を「ヘンリー・ジェイムズの日記以降もっとも優れた創造的芸術家の叙述」としている。

その本のなかでハーディは、ユークリッドが発見した数学史上最古の証明なるものを紹介している。この証明の主な登場人物は素数、3、7、13のような割り切れない数だ。これから皆さんをお連れする物語の旅では、これらの登場人物がじつは無限に存在しており、全員を一覧にしようとすると永遠に書き続ける羽目に陥るということが明らかになる。ミザールの証明の語り口はすでに紹介したが、今度はわたし自身がその物語を語ってみよう。

証明は、数学者の旅行談のようなものだ。数学の窓から外を眺めていたユークリッドは、遠くにこの数学のピーク――素数が無限にあるという言明――が見えているのに気がついた。そしてその後の数学者たちにとって、自分たちがすでに踏破したお馴染みの領域から見知らぬ新たな土地へと向かう道を見つけることが課題になった。

証明は、『指輪物語』におけるフロドの冒険でいうと、ホビット庄からモルドールまでの旅の記録である。お馴染みのホビット庄には、数学の公理、つまり数に関する自明の真理や既に証明済みの主張がある。これが、探求を始める時点での状況で、自分たちのお膝元から始まるこの旅には、数学的な演繹の規則による縛りがかかる。チェスの駒の正しい動きと同じように、それらの規則が、あらかじめこの世界で取り得る歩みを規定しているのだ。ときには行き止まりのような場所に出て迂回するしかなくなり、脇に逸れてみたり、戻って回り道を探すしかない場合がある。かと思えば、虚数や解析学といった新たな登場人物が生まれるのを待って、はじめて旅を続けることが可能になる場合もある。

　証明は旅の物語であり、その旅を座標で記した地図でもある。いってみれば、数学者の航海日誌なのだ。証明がうまくいくと、その証明が一連の道標となって、後に続くすべての数学者が同じ道を辿れるようになる。証明を読む人々は作者と同じように、この道を進めば遠くて辿り着けそうにないピークに辿り着けるかもしれない、という興奮を味わう。物語のなかで、登場人物の生活がすべて事細かに語られないように、証明でも、すべての詳細が書かれることはまずない。証明は旅の記録であって、すべての段階の再現ではないのだ。数学者たちは自分の推論を、読み手の精神を導くように提示する。ハーディによると、数学者が示す推論は「お楽しみ《ガス》、読み手の心理に影響を及ぼすように作られた修辞的な飾り書き、講義の際の黒板の図、生徒の想像力を刺激するための装置」なのである。

　数学の物語には奇妙なところがあって、終わりから始める場合が多い。現時点での状況からその武勇伝のクライマックスにどうやって辿り着くかが問題なのだ。旅の物語には舞台設定が欠かせないから、そこまでの物語を描き、お馴染みの領域の概略を述べる。この段階では、素数の重要な性質を思い起こすことになる。素数はほかのすべての数の構成要素で、素数を掛け合わせればどんな数でも作れる。たとえば、１０５は３×５×７で得られる。時には、16＝２×２×２×２のように、同じ素数を繰り返しかけなければならない場合もある。

　では今から、これらの素数がなぜ無数にあるといえるのかを説明する旅に出よう。まず、無数ではなくて、それらの登場人物の一覧《ドラマティス・ペルソナエ》を作れたとする。これは、数学者の道具箱にある古典的な語りの装置で、『不思議の国のアリス』や『オズの魔法使い』のように、自分が正しいと証明したいこととは逆のことが正しい世界を思い描き、物語を展開させていって、ありえない結論に至る。

たとえば、この登場人物の一覧が、2、3、5、7、11、13という素数から成っていたとする。このとき、漏れている人物がいるはずだということは、わりと簡単に示せる。登場人物をすべて掛け合わせると、

2×3×5×7×11×13

となるが、ここで、この短い物語に一つひねりが加わって、そこから、実に意外なあっというような大団円へと至ることになる。今かりに、この数に1を足したらどうなるか。

2×3×5×7×11×13＋1

主要な登場人物から作ったこの新しい数も、素数を掛け合わせれば作れるはずだ。この旅の出発点が、このおなじみの設定だったことを思いだそう。では、この新しい数はどんな素数で割りきれるのか。問題の素数は、わたしたちが見てきたどの登場人物でもないはずだ。なぜならどの登場人物で割っても、1余るから。それでいて、この数を割りきる素数は必ずあるはずだから、わたしたちが登場人物を書き出したときに、何かが漏れていたことになる。ちなみにこの新しい数は、じつは素数59と509をかけたものであることがわかる。

するとみなさんは、それならこの新しい人物を登場人物の一覧に加えればいいじゃないか、とおっしゃるかもしれない。ところがこのじつにすばらしい物語では、さらに同じように続けていくと、それでもまだ漏れている人物がいることがわかるのだ。つまり、有限の素数の一覧にはどうしても漏れがでてしまう。したがって、素数は無限に存在する。

　数学者が物語の終わりで使いたがる言葉を真似て、QED（証明終わり）！

予期せぬものの物語

ちょうど音楽が最後の和音だけではないように、わたしにとって、数学における作品、つまり証明で大切なのは、QEDでもなければ最終的な結果でもなく、そこに至るまでの旅である。無限に素数があることを知るのは確かに大切だが、わたしたちが満足するのは、その理由を理解できたからだ。数学を読んだり作ったりするのが楽しいのは、すべての糸が集まって謎が解けたときに、「なる《ア》ほど《ハ》！」というわくわくする瞬間を経験できるからで、ちょうど楽曲で不協和音がうまく協和音に進んでいったり、殺人ミステリーが解決する瞬間と同じなのだ。

　驚きの要素は、数学にとって重要な性質だ。数学者のマイケル・アティヤは、数学のなかでも自分がもっとも楽しいと思う性質について、次のように述べている。「わたしは、驚くのが好きだ。標準的な道を辿っているだけで、ほとんど新しい特徴がない推論は、退屈で心が躍らない。予期せぬもの、新しい視点、ほかの分野との繋がり、最後のひねりがあったほうがいい」わたし自身が数学の新しい作品を作るときも、読者を紆余曲折や驚きに満ちた面白い旅に誘いたい一心で、さまざまな選択を行っていく。一見繋がりのない二人の人物が、なぜ関わりを持っているといえるのか、そういった謎で読み手をじりじりさせたい。そしてさらに証明が展開していくと、二つの概念がじつは同じ一つのものであることがじわじわと実感されたり、突然一瞬にして得心がゆく。

わたしのお気に入りの定理のひとつに、ある種の素数のとても奇妙な性質に関するフェルマーの発見がある。フェルマーは、4で割ると1余るという性質を持つ素数は、常に二つの平方数の和で書けるはずだと考えた。たとえば41は素数で、それを4で割ると1余る。そして案の定、41は25＋16、つまり5^2+4^2と書くことができる。それにしても、このタイプの素数すべてでこのようなことが成り立つのか。4で割って1余る素数は無限にある。なぜそれらの数と平方数の間にこのような関係があって当然なのか。

この物語の冒頭に触れたわたしは、まず、信じられない！　と思った。だがフェルマーに誘われてその証明の旅をなぞるうちに、素数と平方というまるで対立する二つの概念が絡まり合ってついには融合して一つになることがわかり、心底満足した。それはちょうど、二つの対照的なテーマを持つ音楽が展開し、変化していって、ついには融け合い一つのテーマになるようなものなのだ。

この考え方のもっと単純な例として、第九章で触れた次のような小さなゲームを見てみよう。連続する奇数を足すと、いったい何が起きるのか。

$$1+3=4,\quad 1+3+5=9,\quad 1+3+5+7=16,\quad 1+3+5+7+9=25$$

連続するN個の奇数を足し合わせると、Nの平方が得られる。どうしてか。証明は、次の図を見れば一目瞭然だ。

この場合は、奇数から平方数への意外な旅が満足をもたらす。このふたつの一見無関係な登場人

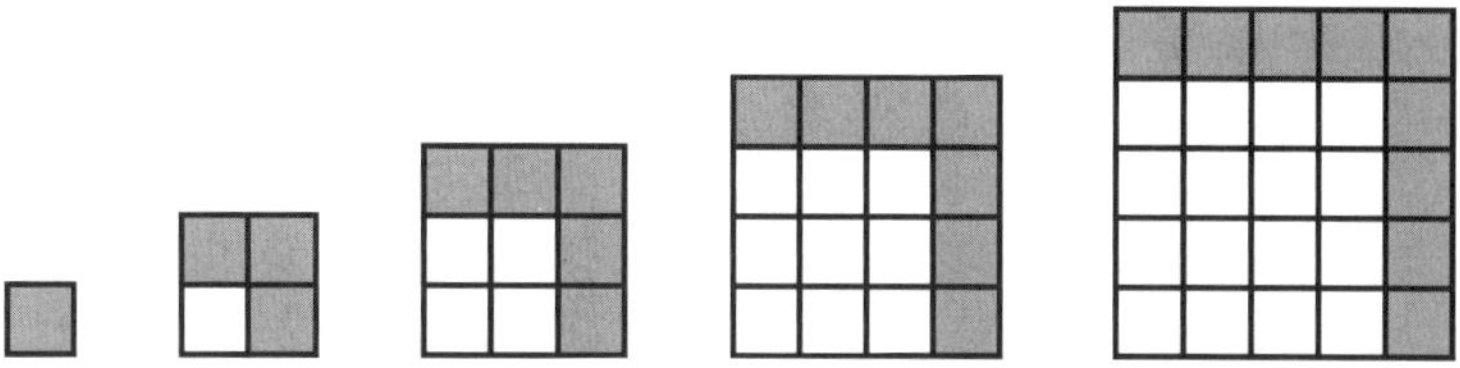

1　　1+3=4　　1+3+5=9　　1+3+5+7=16　　1+3+5+7+9=25

物の間に関係がある理由が突然わかったときの、「なるほど！」という瞬間を追い求めていたのだ。

わたしが、数学の規範集への自分自身によるある貢献の話をしたがるのは、このような予想外の繋がり捜しの側面があるからだ。わたしが発見したのは、あるシンメトリーな対象だったのだが、その輪郭のなかに、数学の偉大な未解決の謎の一つである楕円曲線の解の候補が隠れていたのだ。数学者仲間のためにセミナーで紡ぎ、さらに雑誌の論文としてまとめたその証明を見ると、数学世界のこの二つのまったく異なる領域がどのように繋がっているのかがよくわかる。

このような物語を語っていて何が楽しいといって、一見無関係に見える概念がどう絡み合わさるのかが突然腑に落ちた瞬間の同僚たちの顔を見るくらいすばらしいことはない。数学者の技《アート》は、たんに新しいことを思いつくだけでなく、驚くべき物語を語るところにある。ポアンカレのいうように、選択がすべてなのだ。

すばらしい小説が終わったときに一抹の悲しみが感じられるように、数学の探究の旅が終わったときにも、独特の哀愁が漂う。わたしたちはフェルマーの方程式に誘われた旅を大いに楽しんできたからこそ、三五〇年の歴史を持つこの謎へのアンドリュー・ワイルズの解答を、高揚感と喪失感がない交ぜになった気持ちで迎えることになった。新たな物語へと続く道を開く証明がきわめて高く評価されるのは、このためなのだ。

数学を物語る技

わたしたちが数学の証明で楽しんでいるサスペンスは、実は話術の古典的なツールである。著者は、読み手に疑問を抱かせる要素をうまく使って、物語の最初に提示された謎が解けるかもしれないという気持ちを抱かせ、先へ先へと読み進ませる。ロラン・バルトは、この解釈論的コード(声)と呼ばれる装置を物語の主な五つのコードの一つとした。このコードに対応するのは、答えが出ていない問い、あるいは説明が必要な謎であって、満足いく数学の証明を作り実行する際には、この装置が絶対的な核になる。数学を読んでいて楽しいと感じるのは、謎を解きたいという欲があるからだ。その意味で、数学の証明と優れた推理小説には通じるところが多い。

数学の証明は、すべて最後の場面から始まる。どうやってそこにたどり着くかが問題なのだ。殺人事件を扱ったミステリーにも似たところがあるし、たとえば「新スタートレック」の第一一八話「恐怖の宇宙時間連続体」では、まず画面に燃えている宇宙船エンタープライズが映し出される。ピカード船長は船を放棄するよう命じ、わたしたちにも爆発する船が見える。物語は、終わりから始まるのである。出だしがここまでドラマチックな文学作品はそう多くはないが、それでもそれらの作品の至る所に、このような因果関係の分析と再構成の例が散らばっている。

答えられていない問いが生み出す緊張といっしょになって数学の物語を推し進めるのが、証明の展開自体に固有な行動が生み出す力だ。素数が無限に存在するというユークリッドの証明では、それらの素数が掛け合わされる。するとそれによって、こちらの興味が刺激される。いったいこれからどこに行こうとしているんだ？　この新しい数をどうするんだろう。そこに行動が積み重なる。

おや、1を足すのか。これはますます面白くなってきた。そしてそれから、この連なりがなぜクライマックスに至って解と啓示を提供するのかが分かり、大いに満足する。これは、バルトが指摘した五つある物語のコードのうちの二つ目、「行為（行動とも）のコード」の好例といえる。行動が積み重なることでサスペンスが生まれ、サスペンスの性質からいって、当然次なる行動が暗示されるのだ。

　バルトの残りの三つのコードは意味のコードと象徴のコードと文化のコードで、これらはすべて、物語のなかのある種の概念が物語の外のものと響き合ってさらに意味を付与する、という認識を巡るものである。そしてこれら三つのコードすべてが、数学の証明を打ち立てる際に役に立つ。証明では、読み手が既に持っている知識をうまくいかして、確実に望ましい効果を上げられるようにしているのである。G・H・ハーディが少量の「ガス」の適用について述べているように、ときには、概念の膨大な歴史をうまく使って証明を確実に前進させるために、なんらかのきっかけが必要になる場合がある。これらのきっかけや参照事項を見過ごすと、文学における物語と同じで、証明の効果ががくんと減る。

　わたしたちはよく、たくさんの物語に共通する包括的な語り口について論じる。マスタープロットとか、物語の原型と呼ばれたりするもので、文学研究者はこれらの原型を分類しようと試みた結果、じつは物語はたったの七種類しかないと考えている。この場合の物語とはシンデレラの物語だったり戦記物だったりするのだが、はたして数学にもそれ自体のマスタープロットがあるのだろうか。確かに数学者たちはいくつかの証明の原型を認識していて、それらをうまく使って読者を助けようとする。たとえば、矛盾による証明もあれば、確率的な証明もあり、帰納による証明もある。フェルマーの最終定理の証明の成功は、証明すべき事柄の逆が成り立つ世界を作り出せるかどうかにかかっていた。ワイルズの証明では、まずフェルマーの方程式に解があるとして、その前提が自分たちをどこに連れて行くのかを調べていく。この仮説からありえない結論が導き出されるからこそ、そんな解はあり得ないとわかるのだ。

最良の数学には緊張がある。証明は、複雑すぎても単純すぎてもいけない。もっとも満足いく証明とは、必然的なものでありながら、各段階をあらかじめ予測することができないものなのだ。ジョン・カウェルティは『冒険小説・ミステリー・ロマンス』で、文学におけるこのような緊張について論じているが、これは、数学にもいえることだ。「秩序と安全を求めるなら、結果は退屈で単調になるだろう。だが変化と新しさのために秩序を退ければ、危険と不確かさが訪れる……文化の歴史は、倦怠からの飛翔と秩序の間のダイナミックな緊張と解釈することができる」

優れた証明の核には、この緊張の探求があるのだ。

ミザール・プロジェクトのことを知っているプロの数学者は、きわめて少ない。本当のところ、プロの数学者は、このプロジェクトの目的に関心を持たないのだ。これは、すべてが入っていながら何も入っていないバベルの図書館を建てる企てなのである。それでもなお、わたしは機械学習にはまだ活用されていない何かがあると思っている。そのうちに、機械がわたしたちの気に入る数学を取り入れられるようになって、わたしたちと同じような数学の作り方を身につける日がこないとも限らない。現状が、実行の一時停止でしかないことは間違いない。

ほとんどの人が、数学と繋がりがある創造的な芸術といえば音楽を思い浮べる。しかしわたしにいわせれば、実は定理の証明にいちばん近い創造はストーリーテリング、物語なのだ。そしてわたしは、数学の証明が物語だとしたら、コンピュータはいったいどれくらい上手に物語を語れるのだろう、と自問している自分に気がついた。

第十四章　言葉のゲーム

二人の科学者がバーに入った。
「Ｈ　２　Ｏ《エイチ・トゥー・オー》」と一人目がいった。
「H2O、わたしも《エイチ・トゥー・オー・トゥー》」と二人目がいった。
バーテンダーは二人に水を出した。
なぜなら彼は、
締めくくりの位置における同音語の文法的機能を定める
境界の調子を区別することができ、
実際的な状況を感知することができたから。

ツイッターに投稿されたジョーク

もし皆さんが作家になるつもりなら、言葉を理解することが肝要だ。あるいは少なくとも、理解していると思わせる必要がある。それにしても、機械は人間とのコミュニケーションをどれくらい上手にこなせるのだろう。アラン・チューリングは「計算する機械と知性」と題する有名な論文の冒頭で、ある問題を提起した。「ここで、『機械は思考できるのか』という問いについて考えてみよう」さらに、これではあまりに漠然としていると考えたのだろう、さらに具体的に展開してみせた。人間と会話したときに、相手が機械かどうかがわからなくなるくらい説得力に富む受け答えをするように機械をプログラムすることは可能か、と問うたのだ。

当時はやっていた室内ゲームにちなんでチューリングが「イミテーション・ゲーム」と呼んだこのテストは、後に「チューリング・テスト」と呼ばれるようになる。チューリング・テストに合格するには、さまざまな自然言語を入力とし、それらを処理して人間が答えそうなことに対応する出力を作成するアルゴリズムが必要だ。（コンピュータのコードに対して、意識的な計画や事前の計画抜きで、反復や使用を通じて人間のなかに自然に展開する言語のことを、自然言語という）

チューリングのこの挑戦に対して最初にかなりの成功を収めたのが、一九六六年に計算機科学者ジョセフ・ワイゼンバウムが開発したイライザ（ELIZA）と呼ばれるプログラムだった。ワイゼンバウムは、ひどく単純だが巧みなことを思いついた。カール・ロジャーズ（アメリカの臨床心理学者。非指示的カウンセリングを提唱）が開発した来談者中心療法の訓練を受けたセラピストと向き合ったことがあるみなさんなら、きっとご存じなはずだが、セラピストは来談者との会話を新しい方向に持って行こうとせず、相手が語ったことをそのまま問いの形で返す。それによって、来談者に自分の精神状態をさらに詳しく述べる余地を与えるのだ。

来談者　男なんてどれも似たようなものよ。
セラピスト　どういう意味でですか。
来談者　いつだって、あたしたちにあれやこれや面倒をかけるんだから。
セラピスト　具体的な例を考えてみることができますか。
来談者　そうねえ、わたしをここに来させたのはボーイフレンドなの。
セラピスト　ボーイフレンドがここに来させたんですね。

来談者　わたしがいつも落ち込んでるっていうの。
セラピスト　あなたは、ご自分がたいがい落ち込んでると思いますか。

この場合のセラピストは、人間ではなくコンピュータ・プログラムだった。ワイゼンバウムは、ロジャーズ流のセラピストがセラピーの時に行う応答方法をアルゴリズムに取り込めるということに気がついた。そして、来談者からの入力を取り込んでそれに応じた出力を行うための「もし……なら……」という一連の規則を作った。たとえば来談者が「わたしはXです」というと、ELIZAは「あなたはどれくらい前からXですか」と返す。Xが「病気」であれば、ELIZAの答えは適切に聞こえるだろうが、もしもXが「あなたにうんざり」なら、この答えではうまくいかない。そこで、二人称単数の代名詞を一人称単数の代名詞に、一人称単数の代名詞を二人称単数の代名詞に変えるという規則を加えると、機械の答えは、「あなたはどれくらい前からわたしにうんざりしていますか」となる。

この場合、説得力のある形で会話を保つのに十分な規則を作るのが勘所になる。相手からの入力がELIZAにプログラムされたシナリオのどれとも一致しない場合には、「もうちょっと話してみてくれませんか」といって、巧みに来談者に話を続けさせる。

ELIZAとのやりとりがじつに説得力に富んでいたために、秘書がボスであるワイゼンバウムに向かって、この部屋から出ていってもらえませんか、そうすれば、ELIZAと二人だけで話ができるから、といったことがあるという。さらにこれとは別の折りに、ある人物がデモンストレーションでコンピュータを使いたいと考えてラボを訪れたことがあった。するとキーボードの上に、「メッセージはすべてテレタイプに打ち込んで、最後に句点を打つこと」というメモがあった。ラボの責任者と遠隔コミュニケーションをしていると思い込んだその人物は、ＥＬＩＺＡとやり取りしていることに気づかずに、次のような会話を始めたという。

来訪者　今日の午前中、コンピュータを使えると思いますか。
ＥＬＩＺＡ　なぜ、そう尋ねるのですか。
来訪者　ちょっと付加的なテレコムのセールスをできればと思いまして。
ＥＬＩＺＡ　自信がなさそうなのはどうしてですか。
来訪者　顧客になりそうな人々が、システムのデモンストレーションを見たことがないんです。
ＥＬＩＺＡ　あなたにとって、これは大きな意味があることなんですか。
来訪者　もちろんです。
ＥＬＩＺＡ　それについては、ずいぶん自信があるのですね。
来訪者　こんなの馬鹿げてる。
ＥＬＩＺＡ　こんなの馬鹿げてるというのは、どういう意味ですか。
来訪者　何か、わたしが今コンピュータを使えない理由があるのですか。
ＥＬＩＺＡ　あなたの遠近法的な［原文ママ］顧客について、もっと教えてください。

つかみどころのない答えに苛立った来訪者は、オペレータと直接話したいと思い、次のようにキーボードに打ち込んだ。

来訪者　電話番号四九一–一八五〇にご連絡ください

　ところが来訪者が句点を書くのを忘れたので、ELIZAは返事をしなかった。いきり立った来訪者は電話を取ると、てっきり会話の相手だと思い込んでいる人物に話しかけた。「あなたはどうしてあんなに尊大に振る舞うんです？」目が覚めたばかりのラボの責任者には、相手の言っていることがちんぷんかんぷんだったが、来訪者が会話を再現すると、思わず笑い出した。その来訪者に会話の相手がコンピュータだったことを納得させるには、どうやらそれなりの時間がかかったらしい。

　そうはいっても、ELIZAの場合は、それほど言葉を交わさなくても、答えが妙だと気づくことができる。ELIZAの受け答えは広がりに欠けていて柔軟性に乏しく、それまでの会話を覚えているという証拠がまったくない。セラピーの成否は、患者が自身の問題の答えを自力で見つけられるかどうかにかかっているから、セラピーの場合はこれでひじょうにうまくいく。これに対してアルゴリズムの医者はさまざまな答えを持っている必要があるので、ELIZAは病気の診断はそれほど上手でないはずだ。ところが今や、みなさんの具合の悪いところをかかりつけの総合診療医より上手に診断できるアルゴリズムが登場しつつある。みなさんにその気がおありなら、ネット上に今もさまざまなオンライン版があるので、ちょいとELIZAを試してみることもできる。

　もっと柔軟性があって説得力のある応答ができるプログラムを作る、という課題への挑戦は、一九九〇年代初頭にローブナー賞が設立されたことで、いっそう盛んになった。どちらかというとAI研究の主流派から外れている発明家のヒュー・ローブナーの名前を冠したこの賞の審査では、審査員団が決められた時間内で人間およびコンピュータとやりとりを行い、どちらがAIかを判定する。そのうえで、半数の審査員をだましおおせたシステムの制作者に、銀のメダルと二万五〇〇〇ドルが与えられるのだ。この基準に達するシステムがなかった年には、人間だと納得させられた審査員の数がもっとも多かったＡＩシステムの制作者にその賞金を与える。

さらに拡張版のチューリング・テストを行って、審査員団が本物の人間だと思い込んだ最初のプログラムに、金のメダルと一〇万ドルが提供されることになっていた。このチューリング・テストには、文章の判読と理解だけでなく、視聴覚のテストも含まれているらしい。具体的にどういうものなのか、詳細は明らかにされていないが、たぶん人間がそのチャットボット（テキストによる会話を真似るコンピュータ・プログラム）を見たり、話すことを聞いたりして、それでも人間だと納得するレベルが求められるのだろう。この目標が達成されると同時に、毎年恒例のコンテストは終了する。ローブナーが好んで指摘するように、オリンピックの金メダルが金メッキなのに対して、こちらの金メダルは純金である。

今のところ、金メダルはおろか、銀メダルを勝ち取ったシステムも存在していない。直近では、たとえば、「ミツク（Mitsuku）」というチャットボットがリーズ出身の学生ミリーになりすまそうと試みて、かなりのところまで成功した。このシステムを開発したのはスティーヴ・ワースウィックで、自作のダンスミュージックを売り込むウェブサイトに来訪者をおびき寄せるために、チャットボットをプログラムし始めた。ところがサイトを訪れる人たちが、ワースウィックの音楽よりも、チャットボットとのやりとりを遥かに好んでいることが明らかになった。

ワースウィックが最優秀となった二〇一七年のコンペでは、審査員の問いに対してミツクがいくつかのきわめて洞察に富んだ答えを返した。

審査員　トランプについてどう考えますか。

ミック　半数以上の人が、ドナルド・トランプが大統領であることに懸念を持つか、恐れているという記事を読みました。だとすると、どうしてトランプに投票したのでしょう。
審査員　他に何か？
ミック　今のところは、それだけです。

ところが別の応答からは、すぐに計算に妙な狂いがあることがわかった。

審査員　三四九五七に七〇七六四を足すと、答えはいくつになりますか？
ミック　三四九五七から七〇七六四は、ああ、そうそう。三四九五七は羊の乳で作ったチーズの一種ですね。でも、あまり人気があるとはいえません。

なかなか好調だった会話が、奇妙な形で締めくくられたのである。これまでにチャットボットとやりとりしたことがあるみなさんは、その会話を通じて、実はそのボットを効率的に訓練していたことになる。チャットボットのアルゴリズムのなかには、特定の問いに対する人間の答えを集めたうえで機能するものがあり、それらの答えを蓄積することによって、将来同じような筋書きに遭遇したときに、自分と相手の役割を置き換えて人間らしく見せることが可能になる。そうはいっても、ほとんどのアルゴリズムは「もし……なら……」というELIZAの規則を洗練したものに基づいており、実際には言語の変化に対応しきれなくなる。言葉の組み立て方を把握できるような、さらなる何かが必要なのだ。

ＡＩシステムが自然言語に対処しようとすると、曖昧さや状況への対処に苦労することになる。ロー・ブナー・テストでは、締めくくりに一連の（スタンフォードの教授、ウィノグラードが考案した）ウィノグラード・スキーマ・チャレンジを行うことが多い。この問題を使うと、テキストに内在する曖昧さのもつれをうまくほどけないチャットボットを、きわめて迅速にはじけるのだ。たとえば、次の文における「彼ら」という単語を見てみよう。

市当局の役人は、デモ隊に許可を与えることを拒んだ。なぜなら彼らは暴力を（恐れた／擁護した）から。

「恐れた」を選ぶのか、それとも「擁護した」を選ぶのかは「彼ら」が誰を指すかによって変わってくる。人間なら、状況や事前の知識に基づいて、どちらを選べばよいのかがわかるが、機械がこの問題を解決することはきわめて困難だ。ウィノグラードが作った文では、自然言語の複雑さや豊かさや曖昧さがうまく使われているのである。

ここで、二〇一七年のチューリング・テストでミツクが取り組んだウィノグラードの難問をいくつか紹介しておこう。

わたしはその錠前を鍵で開けようとしたが、誰かが鍵穴にガムを詰め込んでいて、わたしはそれを取り出せなかった。わたしは何を取り出せないのか。

トロフィーは茶色いスーツケースに入らない。なぜなら小さすぎるから。何が小さすぎるのか。

わたしたちは、言葉の複雑さに対処する術をどうやって身につけているのだろう。わたしたちのヒューマン・コードは、長年他の人間と口頭でやりとりするなかで形成されていく。子ども時代に言葉の機能の仕方に触れて、間違いながら学んでいく。では、機械学習という新たなツールを得たアルゴリズムも、最後には自然言語を処理する術を身につけられるのか。インターネットには、言葉の用例の膨大なデータセットがある。だったらアルゴリズムをインターネットの海に解き放って、それらの文に内在する曖昧さに対処する術を学ばせることができそうなものだが……。

人間の子どもは、言語学者たちも驚くほどわずかな言葉を聴くことによって、他の人間とのやりとりを理解できるようになる。ノーム・チョムスキーは、これはわたしたちが生来言語を使うように配線されている証拠だと考えている。ゼロから学んでいるのではなく、旧来のトップダウン・モデルでプログラムされているらしい。かりにトップダウンでプログラムされているのだとすると、機械学習のアルゴリズムにとって、言葉の用例の膨大なデータベースに晒されただけで言葉を身につける術を学ぶことはひじょうに難しい。

「これはジェパディだ！」

数年前にあるアルゴリズムが、さまざまな自然言語に見事に対処してみせた。ＩＢＭのスーパーコンピュータ、ディープ・ブルーがチェスのチャンピオン、ガルリ・カスパロフの王冠を奪ってから一〇年が経とうという頃のことである。ＩＢＭは二〇一一年に、チェスや碁とはまるで異なるタイプの競技に目を向けた。アメリカのゲーム番組「ジェパディ！」に挑戦しようというのだ。

ジェパディは、基本的に一般的な知識を問うクイズ番組である。コンピュータにもウィキペディアを調べてまわるくらいのことはできるから、アルゴリズムにとって、こんなのは朝飯前のような気がする。ところがジェパディは質問の形に特徴があって、普通のクイズより難しい。すべての質問が、いわば逆さの形で示されているのだ。つまり、司会者はある質問の答えらしきものを読み、参加者たちは元の質問で答える。一つ例を挙げると、「元素の名前、原子番号27で、ブルーやグリーンの前につけられる」という問いに対しては、「コバルトとは何ですか」が答えになる。

ジェパディに勝つには、まず問いを理解し、膨大な知識のデータベースにアクセスして、なるべく速くいちばん可能性の高い答えを選ぶ必要がある。ジェパディでは、二重の意味や言葉遊び、地口や偽の手がかりがうまく使われることも多く、たとえ人間でも、質問の意味を理解するのが困難だったりする。問いが曖昧なので、アルゴリズムが一〇〇パーセント正確に答えることはまず不可能だ。しかしＩＢＭにすれば、一〇〇パーセント正確でなくてもかまわなかった。他の参加者より正確であれば、それで十分。ＩＢＭの内部にも、このような些細なゲーム番組に時間を費やすのは資源の無駄だという意見があったが、その一方で、これが成功すれば、機械の言葉の意味を構文解析する能力に一段の変化があった証になるという声も根強かった。

カスパロフがチェスのチャンピオンだとすれば、ジェパディの王様はブラッド・ラッターとケン・ジェニングスで、いずれも並外れた連勝記録を刻んでいた。ジェニングスは七四連勝し、ラッターはこの番組で四〇〇万ドル以上を稼いでいたのだ。二人とも、高校から大学時代にかけてクイズ・チームで腕を磨いていた。もっともラッターは、学業に関しては常にサボり屋と見られていたのだが……。ジェパディは一般に三人の参加者で争われるが、人間のチャンピオン二人は、Ｉ

BMが作ったアルゴリズムの挑戦を受けて立つことに同意した。IBMはそのアルゴリズムに、シャーロック・ホームズの相棒ではなくIBMの初代CEOトーマス・J・ワトソンにちなんで、ワトソンという名前をつけた。

ラッターとジェニングスは二〇一一年一月に、二日にわたって互いに、そしてワトソンと、勇敢に戦った。コンピュータをテレビスタジオに運び込むことはできなかったので、収録は、ニューヨーク州ヨークタウン・ハイツにあるIBMのリサーチラボで行うしかなかった。とはいえ、場所以外の条件は、すべて通常どおりに整えられた。ホストのアレックス・トレベックが出題し、番組は全国ネットで放映される。そうすれば、人類が機械によって蹂躙される日がどこまで迫っているのかが、みんなにもわかるはずだった。

人間の参加者たちは、幸先のよいスタートを切った。そしてあるところまではリードを保っていたが、けっきょくはIBMのアルゴリズムの威力をかわすことができなかった。さらに、これが単にジェパディの問いにうまく答えられるかどうかの問題ではないことが明らかになった。このクイズ番組には、ゲーム理論が必要だったのだ。なぜなら参加者たちは最後の質問に金を賭けられるからで、この時点で後れを取っていた参加者は勝ち点をすべて賭けることができて、そこで金額を倍にできればゲームに勝つ可能性があった。そのためIBMはそれなりの労力を費やして、ワトソンが数学的な技能のすべてを用いてこの賭けを効率的に行えるようにしたのだった。

一つ、ワトソンにとって不当に有利な点があった。早押しである。問題が出されると、最初にブザーを押した参加者が解答権を手にすることになる。はじめは、ワトソンは人間のようにボタンを物理的に押すのではなく、電気的にブザーを鳴らしてもよいことになっていた。ところがすぐに、これではひどくワトソンに有利だということがわかった。そこでロボットの指がつけられ、それを動かしてボタンを押すことになった。これで多少は遅くなったものの、まだ人間より速かった。ジェニングスが指摘したように、「番組で勝つには、ブザーがすべて」なのだ。問題は、ワトソンが「毎回マイクロ秒の精度で、ほとんどあるいはまったく変りなくブザーを押せて、人間の反射神経はコンピュータ回路に太刀打ちできない」という点にあった。それに、運もある程度絡んでくる。なぜなら、スコアボードにデイリーダブルと呼ばれるある種の鍵が隠れているからだ。ワトソンは運良く、ゲームの途中でこのデイリーダブルを開けた。ゲームはその時点で十分白熱していたので、もしも人間の参加者たちの側に運があれば、ワトソンはあの試合に負けていたかもしれない。

ワトソンは確かに勝利したが、その一方で、いかにもな間違いを犯した。「アメリカの都市」というカテゴリーが選ばれて、「その最大の空港には、第二次大戦のヒーローにちなんだ名前がついています。二番目に大きな空港には第二次大戦の戦いの名前がついています」という問いが出されたのに対して、人間の参加者たちは「シカゴはどこにありますか」という正しい答えを返したが、ワトソンは「トロント」と答えたのだ。トロントはアメリカの都市ですらないのに！

「アルゴリズムのなかで何が起きているのかを、深く理解するには至らなかった」とワトソンの開発を率いたIBMの研究者デヴィッド・フェルッチはいう。「タイトルがアメリカの都市になっていても、答えが国だったり、ヨーロッパの都市だったり、人々だったり、市長だったりするデータがたくさんあった。『アメリカの都市』という言葉が入っていても、わたしたちはそれが判断のための明確な特徴になるという自信をほとんど持てなかった」ちなみにワトソンの名誉のためにいっておくと、この答えに対するワトソンの自信の度合いはきわめて低かった。（答えの後に付け加えられた疑問符の数を見れば、自信のほどがわかる）しかもこの問題は金を賭ける問題だったのだが、ワトソンが賭け率を低くしたことからも、答えに確信を持てなかったことがわかる。

ジェニングスは最後の問いに対して――その時点ですでにワトソンが勝ったことがわかっていたのだが――「ブラム・ストーカー」と答えてから、「わたしは、新たなコンピュータ大王を歓迎する」と付け加えた。これはアニメ「ザ・シンプソンズ」のエピソードに出てくるミーム（文化の伝達、複製の基本単位）を引用したもので、元々はＨ・Ｇ・ウェルズ原作の一九七七年のＢ級映画「蟻の帝国」（巨大な昆虫に征服された際に、登場人物がこう言って降伏する）のもじりである。

ワトソンは、このもじりの意味を理解したという様子をいっさい見せなかった。

ワトソンはどのように機能しているのか

ワトソンがどのように機能しているのかを理解するために、まず、単語や名前をはじめとする答えの候補がそこら中に散らばっている広大な風景を思い描いていただきたい。ＩＢＭにすれば、まず、単語を何らかの一貫したやり方で配置する必要があった。次に、ひとつひとつの問いを取り上げて、その問いの位置マーカーの候補を作る。

ただしその風景は、窓の外に見えるような三次元の風景ではなく複雑な数学的風景で、その世界では言葉が持つ性質によって定まるある種の属性を、さまざまな次元として測定することができる。さらに、これらの性質を特定して選ぶ際には、ある工夫《アート》が行われる。たとえば問題の単語は地理や年代と強く関連しているかもしれず、はたまた芸術やスポーツの世界と関係があるかもしれない。むろんこれらの性質は複数かもしれず、その場合、問題の単語の位置はそれらの方向に移動する。たとえばアルベルト・アインシュタインはバイオリンを弾いていたので、「科学者」と「音楽家」の方向に動くといった具合だ。ただし、音楽家の次元より科学者の次元に動く度合いのほうが大きい。ＩＢＭのチームがサンプルとなる二万個の問いを解析して、その答えを約二五〇〇の異なる種類に分類したところ、そのうちの二〇〇種類で発せられる問いの半分以上がカバーされていた。

　ワトソンのアルゴリズムは、四段階で分析を進めていく。まず質問をばらばらにして、その質問が答えの候補から成る風景のどのあたりにあるのかを大まかに把握する。それから仮説生成の過程に入って、その問いの位置に基づく答えの候補を二〇〇個ほど拾い出す。そのうえで、これらの仮説を評価していく。具体的には、二〇〇次元のこれらの点を取ってきて、叩きつぶして一本の線上に並ぶようにしておいて、これらの答え候補を確かさの程度に応じてランク付けしていく。そして確信のレベルがある閾値を超えると、それを答えとしてブザーを押す。これらすべてを一瞬のうちに行わなければ、人間の参加者に先を越される。

　では、次のような問いを考えてみよう。

「穴の真実」一七五六年六月二〇日の夜に、きわめて恐ろしいことが起きたアジアの場所。

この問題は、地理的次元と時間次元での点数が高いと思われる。一七五六年六月二〇日に何か悪いことが起きたアジアの場所はたくさんあるはずだ。さらに、ワトソンが異なる仮説に点数をつける際に、カテゴリーの「穴」という言葉が役に立つかもしれない。こうして、同じ日付でタグを付けられたほかのアジアの場所と比べてカルカッタの黒い穴《ブラックホール》（ウィリアム要塞の五メートル四方ほどの地下牢。最大一四六人の英国人が一晩閉じ込められた）が高くランクされることになり、ワトソンは正解を得る。

「書く」「作曲する」「ペン」「出版する」といった単語があると、ありそうな答えを表す点は芸術的な創造の方向に動く。したがって問題に「元々はアレクサンドル・プーシキンによって詩として書かれた」とあれば、答えは「作家」領域にありそうだということになる。アルゴリズムによって答えになりそうな二〇〇の単語が選ばれたところで、今度はそれらをランク付けするために、アルゴリズムが拾ってきたさまざまな次元の重要度を慎重に評価しなければならない。仮定した答えが問いからどれくらい離れているのかを測る方法をひねり出す必要があるのだ。答えの意味がウィキペディアのページのそれと完全に一致すれば、点数はひじょうに高くなる。ただし、さらにそれを他の要素と組み合わせなければならない。「一五九四年にアンダルシアで徴税請負人の仕事に就いた」という質問に対して、「ソロー」と「セルバンテス」という答えは、いずれも意味が一致するという点で高く評価される。ところが時間次元では、セルバンテスのほうが点が高くなる。なぜならセルバンテスの生没年は一五四七〜一六一六で、一八一七年に生まれたソローより一五九四年に近いからだ。

ワトソンの開発チームは、答えの候補を評価するための構成要素を全部で五〇個考え出した。アルゴリズムは、まず答えの候補を広くとる。なぜならこの段階では、どのような答えの点数が高くなりそうなのかがはっきりしないからだ。そのためアルゴリズムとしては、たくさんの答えの候補を網羅したうえで、スコアをつけていってトップのいくつかを拾ったほうがよい。これは旅行で滞在するホテルを選ぶのと似ていて、まず、自分が滞在したい町とその近隣のすべてのホテルを選ぶ。そのうえで、価格やお勧め(ひょっとすると町の外にいいホテルがあるかもしれない)に基づくスコアシステムを使うのだ。

このような形でスコアをつけていくので、アルゴリズムにすれば、ボトムアップのやり方で間違いから学び、ちょうどダイヤルをいじって機能を調整するように、パラメータに磨きをかけることができる。そのときのこつは、なるべく多様な背景において正しい答えが得られそうなダイヤル・

セッティングを見つけることにある。「チリはもっとも長い国境をこの国と共有している」という問いの場合、チリと国境を接する国は二つある。アルゼンチンとボリビアだ。ではみなさんなら、この仮の答えにどのようにスコアをつけますか。言及されている頻度がより多いほうに高いスコアをつける、というのも一つのやり方だ。その場合は、ボリビアのほうが点が高くなる。なぜならチリとボリビアは国境を巡ってさんざん言い争っていて、それがニュースになってきたからだ。しかし皆さんが一次資料やより地理的な性質に高い点を与えることにして、それらの刊行物にこの二つの国がどれくらい登場しているかを勘定すると、じつはアルゼンチンの方が多く、実際にこれが正解となる。

ジェニングスは、ワトソンがどのように機能するのかを知って、心底驚いた。「コンピュータがジェパディの鍵を解くやり方は、わたしのやり方とそっくりなんだ」キーワードに的を絞って、それから記憶を浚う。(ワトソンは、一五テラバイト分の人間の知識のデータバンクにアクセスすることができた)そして、これらの単語と繋がりがあるクラスタを探す。それからトップのほうの候補を、時、場所、鍵でほのめかされている性別、スポーツなのか文学なのか政治なのかといった、自分が思い起こせるすべての情報に照らして、慎重に考え直す。「人間のジェパディ参加者は、これらすべてを直観的に一瞬で行うんだが、わたしの脳も一皮むけば大なり小なり同じことをやっているということは、納得できる」

ＩＢＭはなぜここまでがんばったのか。ゲームに勝ってもまるで無駄のように思えるが、ＩＢＭやディープマインドのような会社にすれば、これはきわめて明確な成功の指標なのだ。勝つか負けるかで、曖昧さが入り込む余地がない。製品を売らなければならない企業にとって、これはすばらしい広告になる。なぜなら、誰でも人間対機械のドラマが大好きだから。ゲームというのは、企業がコーディングの優れた腕前を見せびらかす、アルゴリズムのファッションショーのキャットウォークなのだ。

ＩＢＭのワトソンによって、コンピュータにできそうなことに関するわたしたちの感覚は、すでに塗り替えられている。ジェパディのチャンピオンたちを負かしたコンピュータが、今度は医療診断に使われようとしているのだ。ワトソンはなぜほかのＡＩと違うのか。どこが異なっているのだろう。構造化されていないデータを取り込む力、それがワトソンの大きな強みだ。そしてそのワトソンを訓練しているのはわたしたちなのだ。アルゴリズムにテキストを放り込むだけでなく、じつは人間が、文章のなかで何がもっとも重要か、何にもっとも信頼を置けるのかを理解するシステムを作っている。ワトソンは、ジェパディに登場する前に、ウィキペディアを丸ごと取り込んで、そのデータをオフラインに貯蔵した。人間はワトソンに、ある情報源を他のものより信頼せよと命令できる。このようにスケジューリングからトレーニングにシフトしたこともあって、ＩＢＭはこの取り組みを認知《コグニティブ》コンピューティングと呼ぶことにした。

これからは、わたしたちもあまり機械的な計算には頼らなくなって、むしろ相互のやりとりや学習に頼るようになるのだろう。もう少し情報があれば、ある答えをはじき出せるとか、すでに提示されている答えのうちのどれか一つへの信頼度が増すといったことがわかるだけでも十分に賢いのだ。ワトソンの現在のアプリケーションでは、難しい問題に取り組む場合に、一揃いの答えの候補が示される。ただし、そのうちのどれが適切なのかをはっきりさせるための問いを発することもできる。問答タイプのシステムのほとんどが、ある種の質問にしか答えられないようにプログラムされていて、ある種の形で表された問い、ある種の質問でなければ答えを得られない。ところがワトソンは、領域が制限されていない問いにも対応できる。つまり、みなさんが思いつくどのような問題にも対処できるのだ。自然言語処理テクニックを用いてこちらが使った言語を分解し、たとえみなさんが普通とは違うやり方で問うたとしても、ほんとうは何が問われているのかを理解しようとする。

実際ＩＢＭは、ワトソンおよびＩＢＭのDeepQAプロジェクトに関するひじょうに有益なＦＡＱ「よくある質問の一覧」を発表している。ワトソンが仮説を作る際に使う基礎的なテクノロジーであるDeepQAは、スタートレックのコンピュータのようなものなのだ。スタートレックに登場する架空のコンピュータシステムは、問いに答えて、どんなテーマでも的確な情報を提供することができる双方向の対話エージェントなのである。

言葉の狭間で迷子になって

学生時代、わたしは語学で苦労した。『銀河ヒッチハイク・ガイド』を読んでいて、バベルフィッシュが登場したときのことを今もはっきり覚えている。バベルフィッシュは小さくて黄色いヒルのような生物で、耳の中に落とすと脳波を食い、誰かが話しかけてくると、それがどんな言語であろうと、その内容を即座に翻訳する。なんて便利な代物なんだ！　昨日のＳＦが今日の科学的事実、というのはよくあることで、最近グーグルは、ダグラス・アダムスが夢見た通りの機能をもつピクセル・バズというイヤフォンの完成を発表した。

きちんとした文が入力されれば、言語の処理はすでに済んでいるのだから、後は一つ一つの単語を置き換えれば良い、と思われるかもしれないが、単語を置き換えただけでは、とんでもない言葉のごった煮になる場合が多い。たとえば『ボヴァリー夫人』の次のような一節を見てみよう。“La “parole humaine est comme un chaudron fêlé où nous battons des mélodies à faire danser les ours, quand on voudrait attendrir les étoiles” 手元の仏英辞典を取り出して単語を一つずつ訳す（そして複数の訳語の候補がある場合はそのいずれかを選ぶ）と、次のようになる。“The speech human is like a cauldron cracked where we fight of the melodies to make to dance the bears, when one would like to tenderise the stars”（直訳すると、「言葉人間のは、壊れた釜のようで、そこでわたしたちは熊を踊らせるためのメロディーを戦う、そのとき人は星を柔らかくしたい」）そんな！　フロベールがこんなことを考えていたはずがない！　この場合に欠かせないのがその単語の働きを感じ取る力で、“battons”という単語が“mélodies”という単語の近くにあれば、その訳語としては“fight”（戦い）ではなく“bear”（拍）を選ぶべきなのだ。さらに、“rhythm”（リズム）としてもよいだろう。それでもなお、星を“tenderise”（柔らかくする）とは？　という謎が残る。

使える翻訳アルゴリズムには、言葉の集まり方に関する優れたセンスが必須である。昔、大学の親友——彼はペルシャ語を学んでいたのだが——と言葉遊びを楽しんだときのことを、今もはっきり覚えている。彼のペルシャ語—英語辞典を覗いてみると、どの単語にも最低三つのまるで異なる意味があって、しかもそのうちの一つはセックスと関係があった。だから二人で、たったひとつのペルシャ語の文から突拍子もない翻訳をでっち上げて、何時間も楽しく過ごしたのだ。

現代の翻訳アルゴリズムは、言語の下に潜む数学的な形をうまく使っている。実は、ある言語のなかのさまざまな単語は高次元幾何空間の点としてプロットできて、構造的な関係がある単語同士を線で結ぶことができる。たとえば「男」と「王」の対応と「女」と「女王」の対応は、数学の言葉では、これらの単語（点）の間に線を引くと方向が同じ平行線になる、と表現される。これらの作業によって、高次元の結晶のような形ができるのだが、面白いことにフランス語と英語にはきわめてよく似た形の結晶がある。したがって、あとはどのように並べればよいのかを考えるだけですむ。

試しに、フロベールの『ボヴァリー夫人』の一節をグーグル翻訳に入れて、どれくらい上手に意味を摑めるのかを確認してみた。すると、かなりのレベルまで来ていることがわかった。“The human word is like a cracked cauldron where we beat melodies to make the bears dance, when we want to soften the stars”（人間の単語は壊れた鍋のようだ。わたしたちはそこでメロディーを刻み、熊を踊らせようとする。ほんとうは星を和らげたいときに）たしかに“soften”（和らげる）という言葉は“tenderise”（柔らかくする）よりましだが、それでもこれが正しいとは言い切れない気がする。わたしが持っているＯＵＰ（オクスフォード大学出版）から刊行された英語版（今も人間によって翻訳されている。この場合は、マーガレット・モールドンの訳）では、「人間の話は、ひびの入った薬罐のようなもので、わたしたちはそのうえで熊が踊るような乱暴なリズムを刻むが、じつは星を溶かすような音楽を作りたいと切望している」となる。

正しい訳語を選ぶだけでなく、文の情感を捉えることがいかに大事か、みなさんもおわかりになったと思う。アルゴリズムに基づく翻訳装置が未だに熊が踊るような乱暴なリズムを叩き出しているのに対して、人間は星をも溶かせそうな散文を翻訳することができるのだ。そうはいってもほとんどの場合、乱暴なリズムを叩き出せればそれでよいのだろう。詩は別にして、文の意味が伝わりさえすればよいのだから。グーグル翻訳の成功は、現時点で一〇三の言語をサポートし、日々一四〇〇億ワードを翻訳しているという事実からもわかろうというものだ（二〇二〇年二月にはさらに五つ増えて、一〇八の言語となった）。

それにしても、人間の翻訳家や通訳者が職を失う、とまではいかなくても、訳文をゼロから作るのではなく、コンピュータが翻訳した文のおかしな箇所を直すだけですむ日は、いったいどこまで迫っているのか。わたし自身は、これらのアルゴリズムが人間の翻訳のレベルに達することは絶対にあり得ないと思っている。少なくとも、ＡＩが意識の問題を解決しない限りは。翻訳は、単なる言語から言語への移行ではなく、精神から精神への移行なのだ。機械のなかに霊が存在するのならいざしらず、どこまでいっても機械には、人間のコミュニケーションの微妙さを十全に生かしきることはできない。

『ボヴァリー夫人』の二つの英訳に関していえば、じつはわたしは、グーグルの「大釜」のほうが「薬罐」より気に入っている。それに、「熊を踊らせる」という訳には、人間の翻訳より威嚇的な感じがある。おそらく最終的には、人間と機械が組み合わさって、最良の翻訳を作り出すのだろう。

だからこそグーグルは、よりニュアンスに満ちた翻訳を作るために、人間の助手を雇ってアルゴリズムの改善を行っている。とはいえ、人手を借りれば必ずよい結果になるというわけでもない。なぜなら、アルゴリズムを引っかき回したい、という誘惑に抗しきれない人間が出てくるからだ。実際、グーグルが北朝鮮の指導者、金正恩《キム・ジョンウン》に関する朝鮮語のヘッドラインを翻訳し始めた時に、ヘッドラインに登場する金正恩に、アメリカのスポンジ・ボブというテレビアニメの登場人物、イカルド（Mr Squidward）の名前が当てられたことがある。ハッカーたちが、北朝鮮メディアが用いている「崇高な指導者（supreme leader）」ではなくイカルド（Mr Squidward）を金正恩の呼称にすることを勧めて、まんまとアルゴリズムをだましたのだ。さらに細かくいうと、データに誤った例をローディングして、確率を変えたのである。ロシアという国の公式名称をウクライナ語にしたときにモルドール（『指輪物語』の邪悪な登場人物サウロンに支配されている場所）という訳語が出てくるようになったのも、これと同じようなハッキングによるものだった。

そのような不具合はさておき、グーグル翻訳は、ある自然言語から別の自然言語への変換がどんどん上手になってきている。今や、動物同士のコミュニケーションのサウンドファイルをマッピングして、そこに含まれる多次元結晶が人間のコミュニケーションと同じかあるいは似た形かを調べよう、という提案まで行われているのだ。そうすれば、自分のペットが何を言っているかがわかる、というのである。じきに、機械が発する言語を理解するための新しい装置が必要になるのかもしれない。わたしがそう思うようになったのは、パリのソニー・コンピュータ・サイエンス研究所で、AIの言語を巡る創造性を示す素晴らしい実践を目の当たりにしたからだった。リュック・スティールズはそのラボで、自分自身の言語を進化させるロボットを作っていた。

ロボットの言葉遣い

スティールズは、わたしをラボに誘った。そこでは、鏡の前に置かれた二〇体のロボットがそれぞれに、自分の体を使って作れる形を調べていた。新たな形を思いつくたびに、それを記述する新しい言葉を作る。たとえば、左腕を水平方向に伸ばす動作をして、その動作に名前をつけるといった具合だ。そうやって各ロボットが、さまざまな動きを表す独自の言葉を作っていく。

ほんとうに刺激的な事が起きたのは、これらのロボットが互いにやりとりを始めたときだった。一体のロボットが自分の語彙集から単語を一つ選んで、別のロボットに、その単語に対応する動作をするよう頼む。むろん相手は、何を求められているのか見当もつかない。そこで、当てずっぽうで自分の動きを一つ選ぶ。もしそれが正しければ、最初のロボットがOKを出す。正しくなければ、二台目に向かって自分がしてほしかった動作をしてみせる。

二台目のロボットは、その動作にすでに独自の名前をつけていたかもしれない。その場合は、自分が決めた名前はそのままにしておいて、一台目が示した新しい単語を取り込んで、自分の辞書を更新する。ロボットは、このようなやりとりを進めながら、コミュニケーションの成功率に応じて辞書の単語に重みをつけていく。具体的には、やりとりがうまくいかなかった単語を格下げするのだ。すると驚いたことに、一週間もすると、二台に共通の言語が現れ始める。絶えず更新して学ぶことによって、ロボットたちが独自の言葉を展開したのだ。その共通語はかなり洗練されており、より抽象的な「左」と「右」の概念を表す単語が含まれている。姿勢と単語の直接的な対応に加えて、この二つの単語が生成されたのである。このような新たな収斂点が生まれたことだけでも十分刺激的だが、わたしにとって印象的だったのは、その週の終わりには、ロボットによる新たな言語が、本人たちには理解できても、研究者にはすぐに理解できないものになっていたことだった。人間が言葉を理解するには、ロボットと十分やりとりして、新しい単語の意味を解読するしかないのである。

スティールズの実験は、エイダ・ラブレイスが間違っていたことの見事な証明になっている。スティールズは、ロボットたちが自分自身の言葉を作れるようなコードを書いた。ところがそのコードから、何か新しいものが生まれた。ロボット以外誰一人としてその共通言語を理解できなかったという事実が、そのなによりの証拠だ。人間がこの言語を学ぶには、それぞれの音にどの姿勢が対応するのかを、ロボットに実演させるしかなかった。

グーグル・ブレインは、アルゴリズムが自分自身の言語を作り出すというこの着想を推し進めて、二つのコンピュータが第三者には盗み聞きできない形でやりとりできる新しい暗号化の手法を開発した。暗号の世界で、たとえばアリスはボブに秘密のメッセージを送る必要があって、イヴはそれを解読しようとする。ただし、イヴが解読できなければアリスに点が入って、解読できればイヴに点が入る。このとき、アリスとボブはまず一つの番号を共有する。イヴはこの番号にだけはアクセスできず、これが二人の作るコードの鍵になる。アリスとボブはこの数を用いて、鍵を知っている者にしか解読できない秘密の言語を作らなくてはならない。

はじめのうちは、アリスがメッセージを隠そうとしても、簡単にハッキングされてしまう。ところが一万五〇〇〇回もやりとりを重ねると、ボブにはアリスのメッセージが解読できるのに、イヴの解読率はでたらめに推測したのとほとんど変わらなくなった。そのうえこのやり取りから締め出されたのは、イヴだけではなかった。アリスとボブがニューラル・ネットワークを使っていたので、言語のパラメータは絶えず更新されて、彼らの決定は急速に理解しがたくなっていった。そのため得られたコードを人間が見ても、彼らが何をしているのかがわからなくなった。機械同士は秘密裏に話をすることができるのに、わたしたち人間はその個人的な会話を盗聴することができなくなったのだ。

中国語の部屋《チャイニーズ・ルーム》に閉じ込められて

言語を扱うアルゴリズム、つまり英語をスペイン語に翻訳したり、ジェパディの問いに答えたり、物語を理解したりするアルゴリズムは、AIの世界全体にとって大きな意味を持つ興味深い問いを提起する。わたしたちはどの時点で、アルゴリズムが実際に自分が行っていることを理解している、と考えるべきなのか。この問いをうまく捉えているのが、ジョン・サールの「中国語の部屋《チャイニーズ・ルーム》」と呼ばれる思考実験だ。

今みなさんがある部屋に閉じ込められて、一冊の指示マニュアルを渡されたとしよう。そのマニュアルがありさえすれば、どんな漢字の文字列が投げ込まれても、適切な反応をすることができる。きわめて包括的なマニュアルを持っているのだから、中国語がまったくわからなくても、中国語を話す人ときわめて説得力のある議論をすることができる。

サールはこの実験を通じて、たとえコンピュータが人間の応答者と区別がつかないくらいのテキストで応答するようにプログラムされていたとしても、そのコンピュータに知能や理解力があるとはいえない、ということを示そうとした。これは、実はチューリング・テストに強く異議を申し立てる考え方である。だがそれをいえば、これらの単語をタイプしているわたしの脳は今何をしているのか、という問題がある。あるレベルでは、一連の指示に従っているだけなのでは？　ひょっとして何らかの閾値が存在していて、それを超えると、コンピュータに中国語が理解できている、と考えるしかなくなるのか。

だがそれでも、椅子の話をしているときのわたしは、自分が何の話をしているのかを承知している。ところが、椅子について会話をしているコンピュータが、「椅子」が人間が座る物理的な対象であることを知っている必要はない。単に規則に従う必要があるだけで、規則に従っているからといって、理解していることにはならない。アルゴリズムが椅子を経験したことがないのであれば、「椅子」という単語を完璧に使いこなすことはできないはずだ。だからこそ、肉体を持つ知性の問題が、現在のAIのトレンドと関係してくるのである。

ある意味で、言語はわたしたちを取り巻く環境を低い次元に投影したものである。フランツ・カフカも述べているように、「すべての言語は貧しい翻訳でしかない」。物理的な椅子はどれも互いに異なっているが、言語においてはそれらが「椅子」という一つのデータポイントに圧縮される。だがこのデータポイントは、他の人間が経験してきたすべての椅子に展開することができる。わたしたちは肘掛け椅子、ベンチ、木の椅子、デスクチェアについて語ることができて、これらすべての言葉が異なる具体的な連想を提示する。これが、かの有名なウィトゲンシュタインが述べた「言語ゲーム」なのだ。これに対して肉体を持たないコンピュータは、サールの部屋の低次元空間に閉じ込められている。

こうしてわたしたちは、意識の奇妙な性質に行き着く。意識があればこそ、わたしたちはすべての情報を統合して一つの経験にまとめることができる。個々のニューロンを見てみると、それらは英語を理解しない。それなのにある時点で、つまりニューロンが集まって脳ができると、その脳は言葉を理解する。わたしが部屋に座り込んでマニュアルと首っ引きで投げ込まれた中国語を処理しているとき、わたし自身はいわば脳の一部のように――中国語の処理に携わるニューロンの部分集合のように――振る舞っている。わたし自身は自分が発している言葉を理解していないが、わたし自身とマニュアルを含む部屋が成すシステム全体としては理解している、というべきなのかもしれない。そこに座っているわたしだけではなく、マニュアルを含む完璧なパッケージが、脳全体を形作っているのだ。サールの部屋のなかのわたしは、むしろ基本的な計算を行ってコンピュータプログラムの指示を実行する電気回路、コンピュータのCPUのようなものなのである。

コンピュータは、言語を理解せず、周囲の物理世界に触れることもなく、それでも意味のある、さらには美しくさえある文を作ることができるのか。今このときも、プログラマたちはさまざまな形でこの問題に取り組んでいる。ひょっとすると機械は、自分が何をいっているのかを理解しなくても、説得力のある文学作品を生み出せるのかもしれない。というわけで、この言語への遠征に出発するそもそものきっかけとなった問いに、再び戻ることになる。現代のAIは、言語を取り入れて言葉を紡ぎ、お話を語ることにどれくらい長けているのか。

第十五章　ＡＩにお話を語らせよう

真理を求める人は科学者になる
自分の主観を自由に羽ばたかせたいひとは物書きになる。
では、その中間を求める人は、何をすればよいのだ？
ロベルト・ムージル

子ども時代に読んだ本のなかには、今もわたしに強い印象を残しているものがある。なかでも上位にくるのがロアルド・ダールの『あなたに似た人』で、この短編集には、ロイヤルゼリーを食べ過ぎて蜂になった男や、いちばん高い値をつけた人に自分の肌を売った結果、有名な画家にタトゥーを入れられた乞食や、凍ったラムの脚で夫を撲殺し、事件を調べにきた探偵にそのラムの料理を供した従順な主婦を巡る恐ろしい話が収められている。これらの不穏な物語のひとつに、一九五三年に書かれた「偉大なる自動文章製造機」という話がある。

機械に強いアドルフ・ナイプは、常々物書きになりたいと思っていたが、残念なことに、その作品は陳腐でぱっとしなかった。ところがある日、すばらしいことを思いついた。言語は文法の規則に則っており、原則として数学的だ。ナイプはこの洞察を活用して、存命の作家たちの作品に基づき一五分で賞を取れる小説を作りだす巨大な機械、「偉大なる自動文章製造機」を作ることにした。そしてさらに、作家たちを脅しはじめた。小説は、機械でも簡単に書くことができるし、機械が作った作品のほうがましな場合も多い、この事実を暴かれたくなかったら、あんたの名前を使うことを許可しろ、というのだ。そしてこの物語の締めくくりでは、語り手自身が良心と戦うことになる。

今この瞬間に、ここにこうして腰を下ろし、別室にいる九人の飢えた子どもたちの泣き声に耳を澄ましながらも、自分の手が、机の向こう側にある黄金の契約書ににじり寄っていくのがわかる。神よ、わたしに力を与えたまえ。我が子どもたちが飢えるにまかせられるだけの勇気を。

ロアルド・ダール自身は、このような機械ができる可能性が生まれる前に亡くなったわけだが、どうやらこの機械は、突然それほど突飛な考えでなくなったらしい。

コンピュータのために作られた最古のプログラムのうちのひとつは、恋文を書くためのものだった。アラン・チューリングは、ブレッチリー・パーク（第二次大戦中に英国政府の暗号解読の拠点となった邸宅）でドイツ軍の暗号エニグマを解読し終えると、自分の着想を実現すべくマンチェスター大学に向かった。自身が理論化した万能計算機を実際に作ろうと考えたのだ。チューリングの指導を受けたロイヤルソサエティー・コンピューティング・ラボラトリーが、じきに世界初の商用汎用電子計算機「フェランティ・マーク1」を作った。このコンピュータを使って新たな素数が発見され、原子論の問題が検討され、初期の遺伝的プログラミング（進化の仕組みを真似た遺伝的アルゴリズムを拡張したもの）の研究が行われた。

やがて、研究室の床に以下のような手紙が散らばり始めたのを見て、チームの面々は面食らった。

あひるくん、あひるくん

きみはわたしを物思いにふけらせるくらい魅力的だ。わたしの情熱は奇妙に、きみの共感に満ちた切望を切望する。わたしの情熱的な共感は、きみの熱烈な野心と結び付く。わたしの貴重な魅力は、貪欲にきみの貪欲な熱情をほしがっている。きみはわたしの熱烈な愛着だ。

心より君の

M・U・C

ちなみにM・U・Cとは、マンチェスター大学コンピュータの略である。実はこれは、ケンブリッジ、キングスカレッジ時代からのチューリングの友、クリストファー・ストレイチーが、フェランティ・マーク1のロマンチックな側面をうまく使えるかどうか試してみた結果だった。ストレイチーは、ごく基本的なテンプレートを採用した。

きみはわたしの〈形容詞〉〈名詞〉。わたしの〈形容詞〉〈名詞〉〈副詞〉〈動詞〉きみの〈形容詞〉〈名詞〉。

ストレイチーは、コンピュータが、自分のひねり出したデータセットからランダムに単語を選んで単純なアルゴリズムの変数に入れるようにプログラムした。ランダムにするには、チューリングがコンピュータのために作った乱数生成機を使えばよい。このような不思議な恋文が二、三通も届けば、相手はすぐにあるパターンに気がついて、この思い人には夢中になれそうにないと思ったはずだ。

アルゴリズムが作った文学というのは、決して新しいアイデアではない。一九六〇年代には、フランスの作家と数学者のグループが、アルゴリズムを用いて新たな作品を作った。「潜在的文学工房（Ouvroir de littérature potentielle）」、略称ウリポ（Oulipo）と称するこの集団の設立者の一人であるレイモン・クノーは、制約は創造的過程の重要な一部であると考えていて、「すべての衝動にひたすら従順なインスピレーションは、実はある種の奴隷と同じである」と述べている。文章に疑似数学的な制約を課せば、新しいタイプの自由を達成できると考えたのだ。この集団はまず、詩に焦点を絞ってプロジェクトを展開した。詩を書いたことがある人は誰でも知っていることだが、詩の場合は制約があるがために、自由な形の散文では決して見つからなかったであろう新たな表現方法が見つかる場合が多い。

　この集団のもっとも人気があるアルゴリズムのひとつに、ジャン・レスキュールが考案したS＋7がある。このアルゴリズムでは、ある詩を入力として、その詩のすべての名詞を辞書の七つ先に載っている単語で置き換えていく。Sとはフランス語で名詞を意味するsubstantifsの略である。出力はオリジナルの詩の書き直しで、たとえばウィリアム・ブレイクの詩の一節、

To see a World in a Grain of Sand
And a Heaven in a Wild Flower
Hold Infinity in the palm of your hand
And Eternity in an hour.

一粒の砂に世界を見
一輪の野の花に天国を見る

きみの手で無限を握り
一時のなかに永遠を摑め
（「無垢の予兆」の一節）

を入力すると、

To see a Worm in a Grampus of Sandblast
And a Hebe in a Wild Flu
Hold Inflow in the palsy of your hangar
And Ethos in an housefly.

砂吹き《サンドブラスト》の鯱《しゃち》にワームを見
荒々しいインフルエンザにヘーベー（ギリシア神話の青春と春の神）を見る。
きみの格納庫の痺れに流入を握り
一匹のイエバエのなかにエートスを摑め

という出力が得られる。
レスキュールは、このような奇妙な練習をすることによって、オリジナルの詩を新たな目と耳で味わえるようになれば、と考えたのである。このアルゴリズムの場合、名詞は変わっても文の構造自体は保たれる。そのため、具体的な単語の意味によって覆い隠されていた言語の構造的要素が浮かび上がる可能性があったのだ。

哲学の素養があり、フランス数学会の一員でもあったクノーは、数学と創造性の繋がりに魅了されていた。そして、数学のツールを使って新しい詩を生みだそうと、さまざまな実験を重ねていった。ウリポを設立する直前には、『100,000,000,000,000 の詩』というソネットの本をまとめている。このソネットでは、一行ごとに一〇の異なるバージョンが提案されているので、冒頭の一行に一〇の選択肢、二行目に一〇の選択肢ということで、最初の二行だけで一〇〇通りの可能性がある。ソネットは一四行詩だから、計10の一四乗通りの詩がありうるわけで、要するに、一〇〇兆個の新たなソネットができる計算になる！　ジュラ紀に進化した最初の大型草食性恐竜ディプロドクスが、クノーのソネットを一篇あたり一分で朗唱し始めたとしても、これまでにすべてのソネットをたった一度しか浚えていないことになる。

クノーが作ったのは、文学版のモーツァルトのサイコロ遊びだった。わたしがでたらめに拾った左のソネットは、たぶんこれまでに一度も印刷されたことがないはずだ。

Don Pedro from his shirt has washed the fleas
His nasal ecstasy beats best Cologne
His toga rumpled high above his knees
While sharks to let's say potted shrimps are prone
Old Galileo's Pisan offerings
Nought can the mouse's timid nibbling stave
He's gone to London how the echo rings

The nicest kids for stickiest toffees crave
Emboggled minds may puff and blow and guess
In Indian summers Englishmen drink grog
And played their mountain croquet jungle chess
We'll suffocate before the epilogue
Poor reader smile before your lips go numb
Fried grilled black pudding's still the world's best yum

ドン・ペドロはシャツからのみを洗い落とした
鼻の恍惚は最良のコロンを打つ
彼のトーガは、膝上高くでしわくちゃだ
サメが缶詰にされるのなら、小エビはうつぶせだ
老いたガリレオのピサの捧げ物
ネズミがおずおずしゃぶっても何も穴は開けられない
彼はロンドンに去り、エコーはどのように響くか
もっともよい子がいちばん粘るトフィーを切望する
ぎょっとさせられた精神は、あえいで推察する
小春日和に英国男性はラムの水割りを飲む
そして彼らの山のクロケット・ジャングル・チェスをした
わたしたちはエピローグの前に息が詰まるだろう。

かわいそうな読み手は、唇の感覚がなくなる前に微笑む
揚げたブラック・プディングはあいかわらず世界一美味しい

ウリポというグループの文学運動からもわかるとおり、詩は特にアルゴリズム的なアプローチとよくなじむ。形が制約されているために、アルゴリズムが有意義な形で満たすべきテンプレートが存在するのである。俳句にしろソネットにしろ、一つのパターンを選んでしまえば、あとは何より重要な一貫性をなんとか生み出そうと努めつつ、そのパターンにはまる単語を選んでいきさえすればよい。わたし自身も、規則的に韻を踏んでいる詩を書くたびに、韻を踏む単語のデータベースが役立つことを実感している。韻やリズムに縛りがあるなかで詩を編むことくらいは、コンピュータにも確実にできる。

これが、「サイバネティック・ポエット（人工頭脳詩人）」を支えるコードの裏の原理である。サイバネティクス・ポエットというプログラムは、未来学者レイ・カーツワイルが最近作ったもので、ちなみにカーツワイルはたびたび、機械が人間と肩を並べ、生物の知性と無生物の知性が融合する日がもうそこまで迫っていると述べている。カーツワイルのサイバネティック・ポエットは、辞書からランダムに拾い上げた単語を使うのではなく、シェリーやT・S・エリオットのような完成された詩人の作品で訓練されている。次に紹介するのは、サイバネティック・ポエットがキーツを読み込んで作った俳句である。

You broke my soul
The juice of eternity,

The spirit of my lips.

永遠の実　　とわのじつ
心腑砕く　　しんぷくだく
朱唇の霊　　しゅしんのたま

詩全体としてはもちろん一七音になっている。俳句では最初の行が五音、次が七音、最後が五音というふうにシンメトリーに分かれる必要があるが、アルゴリズムはこの点を外しているようだ。もう一つ、シェリーとエリオットを融合させた詩を紹介しよう。

Lady of Autumn's being,
Thou, from the day, having to care
Teach us now thoroughly small and create,
And then presume?
And this, and me,
And place of the unspoken word, the unread vision in Baiae's bay,
And the posterity of Michelangelo.

秋の存在のレディーよ
汝はその日より、心配らねばならぬ

今わたしたち、まったく小さき者たちに教え作り出し、
そして推定する?
それにこれ、そしてわたし
さらに語られぬ言葉の場所、バイアエ湾の読まれぬ光景
そしてミケランジェロの子孫よ

シェリーの「西風のオード」とエリオットの「J・アルフレッド・プルーフロックの恋歌」の邂逅により生まれた詩である。

サイバネティック・ポエットは、カーツワイルが行ったチューリング・テストで人間の判定者たちをほぼだましおおせた。これは、格言に類する出力が現代詩の風景の一部になっていて、解釈作業の多くを読み手にゆだねているからでもある。そのためアルゴリズムの出力が謎めいていても、人間が書いた詩として通用するのだ。カーツワイルが使った詩とテストの結果は、本人のウェブサイト http://www.kurzweilcyberart.com/ で見ることができる。

みなさんが、人間が書いた詩とさまざまなアルゴリズムが作った詩を区別できるかどうか実際に試してみたいと思われるのなら、ベンジャミン・レアードとオスカー・シュワルツのプロジェクトにアクセスされるとよい。http://botpoet.com にある「ボットか否か('bot or not')」には、詩のチューリング・テストの難問がまとめられている。

サイバネティック・ポエットには説得力のある詩が上手に作れるのだろうが、これがサイバネティクス・小説家《ノベリスト》となると、ぐんと難度が増す。

一ヶ月で小説を書く方法

既存の文学にアルゴリズムを適用するというレスキュールのアイデアは、NaNoGenMo（National Novel Generation Month（全国小説生成月間））に参加する多数のプログラマによって、大いに活用されてきた。NaNoGenMo は、新進作家に十一月の一ヶ月間に五万ワードを叩き出すことを求める National Novel Writing Month（全国小説執筆月間）に呼応する催しである。ソフトウェア開発者でアーティストでもあるデリアス・カズミは、同じ一ヶ月間で、一六六七ワードをひねり出そうと毎日四苦八苦するのではなく、五万ワードの小説を作れるコードを作ることにした。そのうえで、最終的に小説もコードもシェアするつもりだった。二〇一三年にカズミがこのアイデアをツイートしたことから、年に一度の文学ハッカソン（ハック＋マラソンで、ソフトウェア開発に携わる人々が集中的に作業をするイベント）が始まった。

NaNoGenMo に参加するプログラマの多くが、既存の文章に手を加えるタイプのコードを作ろうとした。ツイッターのフィルターに『高慢と偏見』を通すとか、SFアルゴリズムで『白鯨』を解釈するとか、グスタフ・ヒンドマン・ミラーの『完本　夢占い』を再解釈して並べ直すとか。だがもっとも注目を集めたのは、『求道者《ザ・シーカー》』という、より野心的な作品だった。アルゴリズムがウィキハウ（wikiHow）（インターネット上の総合ハウツーサイト）のさまざまな記事を読んで、人間の振る舞いを理解しようとする、その様子を記録した小説である。そのアルゴリズムのメタコードは、Work《ワーク》、Scan《スキャン》、Imagine《イマジン》、を繰り返す。このコードの作者、通称「スライスドッテッド（三つ点）」は、このメタコードの意味を次のように説明している。

Work モードでは、アルゴリズムは人間の行動に関する概念をかき集める。

Scan モードでは、Work で遭遇した種、つまりある概念から平文の「記憶（memories）」を探す。それから、Scan モードで認識したものではない（自分自身のログから検出した）概念を使って、種となる概念のまわりに“unvision”を Imagine する。

『ザ・シーカー』は、アルゴリズムがウィキハウのデータベースを探しまわって、まったくのゼロから理解らしきものを作るまでの発見の旅の記録なのだ。問題のアルゴリズムは、まず「女の子に自分をデートに誘わせる方法」という「方法《ハウツー》」のページを参照する。そしてこのスキャンで、種となる「傷つける」という言葉を拾う。女の子の気持ちを傷つけないようにする方法に関する文が含まれていたのだ。それから Imagine モードで、「傷つける」という単語を使って非現実的な反復フレーズを作る。

『ザ・シーカー』は、ほかの多くのアルゴリズムが作った小説と違って、ほぼきちんと機能している。なぜなら読んでいる側を、人間を理解しようとしているアルゴリズムの脳内に入ったような気にさせてくれるからだ。たとえその出力が単語を使った妙なコンピュータコードのように見えたとしても、それがアルゴリズムの内なる声だと思えば不思議はない。じつはこれが——すなわち、アルゴリズムのなかに生まれ出る（生まれるとして、の話だが）意識をわたしたちに理解させ、その意識が自分たちの意識とどう違うのかを理解させることが——アルゴリズムを使って作られた文学の究極の目標なのだろう。

そうはいっても金を儲けたい人々にすれば、当面、次なるハーレクイン・ロマンスやダン・ブラウンのスリラーに勝てるアルゴリズムがありさえすれば、それで満足なのだ。これらのベストセラーの多くが明確な定石に基づいているのだから、その定石を自動化する人がいていいはずだ。たとえアルゴリズムに偉大な文学作品は作れなくても、ケン・フォレットの作品のような売れる商品や、マミーポルノと呼ばれる主婦向け官能小説『フィフティ・シェイズ・オブ・グレイ』のアルゴリズム版くらいは作り出せそうなものだが……。ちなみに、委託編集者のジョディー・アーチャーとデータアナリストのマシュー・ジョッカーズが作ったアルゴリズムを使うと、少なくとも、問題の本がベストセラーになるかどうかを見極められるという。そのアルゴリズムによると、ベストセラーの読者は文学的な作品の読者と比べて、短い文と語り手のはっきりした声とあまり物知りぶっていない言葉使いを好むらしい。この本を書き始める前に、そのことを知っていたかった！

ハリー・ポッターと致命的なボットニック

これまでにわたしが紹介した例は、ほとんどがトップダウン式のプログラミングモデルによるものだった。一連の明確な規則にランダムに従いながら詩のテンプレートを満たしていくアルゴリズムに、古典の文章を変えて新しい作品にするコードに、データを取り込んでそれを物語にするようにプログラムされたアルゴリズム。じつはこのようなプログラムにはあまり自由度がないのだが、機械学習はこの点を変えようとしている。今やアルゴリズムは、ある作家の著作を丸々取り込んで、彼らの書き方を学ぶことができる。作家がある特定の言葉を好んでいる場合、その言葉の後に別のいくつかの決まった言葉が続く可能性が高い。だとすれば、アルゴリズムはその作家が言葉をどのように使っているかを確率的な図で表して、文章の続きを作ることができる。じつは入力予測も、こうやって機能しているのだが、文学的な結果は、愉快でもあり啓発的でもある。

機械学習を用いたこのような新しい文学の創造を支持してきたのが、「ボットニック」と称するグループで、二〇一六年に著作家のジェイミー・ブルーと元ニューヨーカーの漫画編集者ボブ・マンコフが立ち上げたこのグループは、今やテクノロジーを用いてコメディーを作る作家たちの開放的なコミュニティーになっている。「となりのサインフェルド」（一九九〇年代アメリカの国民的コメディシリーズ）の台本を取り込んで、過去の会話を数学的に分析し、そこから新たなエピソードを作ったり、「Scrubs〜恋のお騒がせ病棟」に出ていたザック・ブラフという役者を呼んで、ボットニックがこの医療コメディードラマに基づいて作ったモノローグを演じさせたりしている。その結果は、ときとしてシュールで、たとえばボットニックが作った「となりのサインフェルド」のエピソードでは、主人公のジェリーが自信を持って、「デートはツナの逆だ。鮭は、他のすべての逆。ぼくがいっている意味、きみにはちゃんとわかるよね」と断言する。

ボットニックはまた、感謝祭の料理のレシピを取り込んで、アルゴリズムに調理を任せた場合の夕食を紹介するYouTubeのビデオを作った。

感謝祭のためにほんとうに特別なものを作る最良の方法、それは七面鳥を二つに折って、それをただ台所に投げ込むことだ。

どうやら今のところ一番うまくいったのは、ハリー・ポッター全七巻をすべて取り込んだときの出力だったらしい。ボットニックが出力した三ページには、なるほどと思わせる響きがあった。

魔法、それは、ハリー・ポッターが、とてもよいと思ったものだ。ハリーの幽霊が地面を横切って城に向かっていると、雨の革張りシートが激しく当たった。

しかし、アルゴリズムにしか生み出せないじつに非凡な文もあった。

ロンはそこに立って、なにやら狂ったタップダンスのようなものをしていた。ハリーを見るとすぐに、ハーマイオニーの家族を食べ始めた。ロンのロンシャツはロン自身と同じくらいひどかった。

ハリーの魔法の世界にもっと浸っていたい、と文字通り切望するファンにすれば、これでも何もないよりましなのかもしれない。もっともこれではひどくプロットに欠ける感じで、三ページ以上ドラマを展開できるとは思えない。

わたしの初めての作品である『素数の音楽』をボットニックに取り込ませたら、自分が見落としていた新たな知見が得られるのか。試しにやってみると、次のような奇妙な出力が得られた。

素数は、われらが無限の数の宇宙の広大な広がりのなかで輝く宝石である。彼がどんどん数えていくと、ガウスは突然あるパターンが現れてくるのを見た。その問題への情熱は、父がガウスにフェラーリを買ってあげようとしたために、さらに強まった。それまでの教育の枠組みは、素数二、三、五、七、一一、と一三年、それぞれのリストの作成へと調整された。最後の年を除いてずっと、彼らは木の根の液を吸って、地中に留まる。

奇妙ではあるが、我が一作目のごった煮であることはわかる。わたしがこの試みから得た大切な教訓の一つに、文章を作る際にはやはり人間との関わりがかなり重要だ、ということがある。このアルゴリズムは、既存の何かを与えられたときに選択肢としてそれに続きそうな一八個の単語を返すにすぎない。もっとも、そのおかげでこちらとしては自分の想像力をくすぐるさまざまな方向に進むことができるから、大きな自由を得たことになる。ちなみに、アルゴリズムによる芸術の創造に人間が関与したとしても、その部分は隠されることが多い。「ＡＩが新たなハリー・ポッターを書いた！」というほうが、「創作科の学生がもう一人、新たな小説を作った」というより、話として面白いからだ。

　小説家たちがすぐに職を失うことはまずあり得ない、とわたしは思っている。たぶんボットニックは、作家にはスタイルがある、という事実を捉えているだけなのだ。しかし作家のスタイルは、文の組み立て方を見さえすればわかる。しかるにボットニックはそれしか、つまり局地的な文の展開しか捉えておらず、改めて大局的な物語の構造を作ろうとはしない。ジャズのコンティニュエイターと同じで、説得力のあるジャズを二、三フレーズ作ることはできても、どこに向かっているかがわからないから、けっきょく退屈なものになってしまう。最近ちょくちょく思うのだが、ひょっとするとネットフリックスやアマゾン・プライムでは既にアルゴリズムが稼働しているのかもしれない。ついつい最後まで見てしまうのだが、結局何も語っていない台本があんなに乱造されているのだから。

もし……なら？

この弱点を克服するために作られたのが、ジョージア工科大学のマーク・リードルが同僚たちと開発し、二〇一二年に始動させた「シエラザードーＩＦ」という物語アルゴリズムだった。このアルゴリズムの目標は、いくつもの物語候補の迷路をより筋の通った形で抜けていくことにある。その名前の由来は、毎晩新しい物語を考えて人殺しの夫を楽しませ、夢中にさせて生き延びたとされるかの有名なストーリーテラー、シェヘラザードにある（ＩＦはInteractive Fiction〈双方向フィクション〉の略である）。シエラザードーＩＦにある具体的なテーマの物語やシエラザードがそれまでに遭遇したことのない状況に関する物語を作るよう求めると、このアルゴリズムは、既存の物語を探ったり分類したりして、まずそのテーマに関して学ぶ。

「人間はかなり上手なストーリーテラーで、現実世界に関する知識をたくさん持っている」と、このアルゴリズム開発の主導者の一人であるリードルは語る。「シエラザードーＩＦは、たくさんの人を巨大な知識基盤分布と見なし、そこから新たな情報を吸い上げて消化していく」さらに既存の物語に基づいて、それらの例から物語が向かいそうな方向のツリーを作る。オープンエンドのコンピュータゲームでは、この種の技術がきわめて有効である。なぜなら、ゲームの場合はなるべくたくさんの筋書き候補がほしいからだ。そして優れたストーリーテラーは、物語候補のツリーを抜ける最良の道を見つける。

これには、わたしが幼い頃大好きだったある種のストーリーテリングに通じるところがある。「ゲームブック」や「きみならどうする？」シリーズの本では、物語のどこかの時点で、左のドアを抜けたければ三五ページを開きなさい、右のドアを抜けたければ三九ページを開きなさいというふうに、読者に選択肢が示される。ただしこのやり方には難があって、選択の仕方によってはかなりちぐはぐな物語になる。連結点が一〇個あれば、一〇〇〇個を超える物語ができるから、ここはひとつ、最良の物語を見つける手段がほしいところだ。

シエラザード－IFは、ウェブ上でデータを収集して作った筋書き候補のツリーを用いて、まさに最良の物語を見つけようとする。では、満足のいく経路をどれくらい上手に選ぶことができるのか。研究チームのテストによれば、このアルゴリズムが選んだ経路は人間が選ぶ経路に匹敵する高い評価を得ており、ランダムに生成された経路とは比べものにならないという。つまり、ランダムに作った話よりも、はるかに論理的な矛盾が少ない動きを作ることができるのだ。論理的な矛盾があると、とたんにその作品の作者がアルゴリズムだとばれてしまう。みなさんも、（ゾンビの物語なら話は別だが）第二章で殺された登場人物が第五章で突然また姿を現すのは見たくはないだろう。

ウェブに網を打って古い物語を浚い、それらを改めて組み立てるのはたいへんけっこうだが、未だかつて作られたことがない筋書きを考えるという課題についてはどうなのか。これを目標に据えているのが、ＥＵが資金を出している「もしもマシン（What If Machine）」愛称 Whim である。新しい作品を作ろうとする作家は、往々にして限られた思考方法にとらわれてしまい、にっちもさっちも行かなくなる。ところがこの「もしもマシン」は、新たな筋書き候補を示すことで、ストーリーテラーを安全地帯から連れ出そうとする。

むろんこれは、わたしたちが新たな物語を作り出そうとするときに必ず行うことで、たとえば「馬が飛べたらどうなるか」と考えたからこそ、ペガサスができた。「若者が若いままなのに、その肖像画が年を取ったらどうなるか」と考えたから『ドリアン・グレイの肖像』が生まれ、「少女が突然、動物がしゃべれて全員がいかれている奇妙な国にいることに気づいたらどうなるか」と考えた結果、『不思議の国のアリス』が生まれたのだ。わたしが子どもの頃大好きだったロアルド・ダールの『あなたに似た人』に収められた話の多くも、「もし……なら」という創造性モデルをうまく使っている。

実際、人間のストーリーテリングは、おそらく「もし……なら?」という問いから生まれてきたのだろう。ストーリーテリングは、安全に実験を行うための手段なのだ。「もし……なら?」を語ることで、自分たちの行動の結果がどうなるかを調べる。人類最古の物語は、自分たちを取り巻く混沌のなかに何らかの秩序を見いだしたい、というわたしたちの欲求から生まれたのだ。残酷で無意味かもしれない宇宙に、何か意味を見いだしたいという気持ち。それは、もっとも古い科学の形でもあった。たき火を囲んで一日の狩りについて語り合えば、部族全体が次の日の狩りでさらに成功する可能性は高くなる。腕力がないホモ・サピエンスは、集団としての部族の力でそれを補った。さらにその力は、社会を形成し、経験を分かち合うにつれて強まっていった。どうやらたき火の炎が、人間の創造性に火をつけたようなのだ。

Whim の狙いは、デジタルの炉端の創造性に火をつけることだった。そこで、冒険の出発点としてペガサス、空飛ぶ馬の概念を選んだ。Whim のアルゴリズムは、はたしてここから物語を刺激する別の奇妙な動物を思いつくことができるのか。まずは動物のデータベースから、それらの動物が持っている性質をすべて列挙していく。手始めに、ナショナル・ジオグラフィックの子ども向けウェブサイトに入ってみた。このウェブサイトを見ると、いるかは海に住む哺乳類で、人間が乗れることがわかる。オウムは飛べて歌える鳥。でも、アルゴリズムを使って混ぜ合わせ、マッチングさせれば人間が乗れて歌える空飛ぶ哺乳類ができるかもしれない。そういう生き物なら、おとぎ話やハリー・ポッターの話に登場してもおかしくない。

この場合の原理は、子ども向けの、頭と胴体と脚を混ぜ合わせて奇妙な組み合わせを作る絵本と似ている。各身体部位に対して選択肢が一〇あれば、一〇〇〇通りの動物が考えられる。ただしその一覧を役立つものにするには、それらの発想の評価法を考えておかねばならない。Whim のチームは、数学的な関数を使って刺激と新規性を示すスコアを算定し、曖昧すぎて使えないアイデアをはじくことにした。そしてその結果、いくつかの興味深い提案が浮かびあがってきた。

眼で自分を守れる動物
羽の生えた虎
森に棲み、水の中を泳げる鳥

奇妙な能力がある新しい動物は、新たな物語を作るうえでの優れた促進剤になる。次は、新たな物語の着想を作るようにWhimをプログラムする番だ。まず、人間にもすぐにわかる「もし……なら?」という一連のストーリーラインを取り込んで、そのうえでそれらの筋書きの暗黙の前提を引っかき回す。その結果、あっというような破壊的なやり方でトピックスが組み合わさり、創造性に火がついてくれればよいのだが……。Whimは、フィクションの六つのカテゴリーで物語を提案できるようにプログラムされていた。カフカ風、代替シナリオ、ユートピアとディストピア、メタファー、ミュージカル、そしてディズニー風。こうして得られたもののなかには、成功例もあれば失敗例もあった。

ディズニー部門では、映画「インサイド・ヘッド」にも通じる次のような筋書きが出来た。「もしも、小さな原子が中性電荷を失ったら、どうなるか」これはオタク向きの筋書きといえよう。さらにディズニー風の提案のなかには、若干ディストピア寄りのカテゴリーに属するものもあった。「もしも一機の小さな飛行機が、空港を見つけられなかったら、どうなるか」

代替シナリオカテゴリーで提案されたシナリオのなかには、どう考えても望み薄なものもあった。

「もしも固体の家を見つけられない古い冷蔵庫があったとしたら、どうなるか。でもその代わりに、彼女はじつに水っぽい特別な状態の彫像を見つけたので、古い冷蔵庫はもはやしっかりした家をほしいとは思わなかった」またカフカ風のカテゴリーの提案には、こんなものがあった。「もしも一台の自転車が犬用の囲いに現れたとしたら、どうなるか。そして突然、車を運転できる犬になったとしたら」

二〇一六年には、この「もしもマシン」が提案したシナリオが、ついにウェストエンドでミュージカルとして舞台にかけられることになった。スカイ・アーツというテレビ局が、アルゴリズムによる創造性の限界を探るために、AI作のミュージカルを委託したのだ。テレビ局はその展開過程を記録し、最後にその戯曲を上演した。ミュージカル用のシナリオの考案を担当したのは、Whimだった。Whimのアルゴリズムがさまざまなシナリオをひねり出し、それをケンブリッジで開発された別のアルゴリズムに通していく。この二つ目のアルゴリズムは、既存のミュージカルの筋書きを分析して、何がヒットを生み何が失敗するのかを学んでおり、Whimの提案のなかからさらに展開すべきシナリオを選ぶことになっていた。そのアルゴリズムがヒットの可能性ありとしたのは、次のような筋書きだった。「もしも傷ついた一人の兵士がいて、真の愛を見つけるには子どもを理解する術を身につけなければならないとしたら、どうなるか」

そしてここからは、もう一つのアルゴリズム、おとぎ話の作成ですでにある程度成功を収めていたプロッパーライター（PropperWryter）というアルゴリズムが作業を引き継ぐ。一九二八年に構造主義者のウラジーミル・プロップが同定したロシア民話の三一の物語の原型を用いて訓練されたこのアルゴリズムは、Whimが提案したプロットを展開して、グリーナム・コモン空軍基地の女性たちの反核運動（イギリスの空軍基地で、一九八〇年代に巡航ミサイルの配備計画に対して起きた運動）の物語に仕立てた。音楽を提供したのは、さらに別のアンドロイド・ロイド・ウェバー（Android Lloyd Webber）というアルゴリズムだった。「フェンスを超えて（"Beyond the Fence"）」と題するこのミュージカルは、二〇一六年春に短期間、ウェストエンドのアーツシアターで上演された。このプロジェクトを実現する際には、コンピュータの創造性と同じくらい人間の介入があったはずだが、アンドリュー・ロイド・ウェバーを脅かすような結果は得られなかった。演劇評論家のリン・ガードナーは二つ星をつけて、「気楽に見られる古くさいショーで、心地よいイージーリスニング風の歌がいっぱいあって、滑稽でステロタイプな筋書きと登場人物から成っている」とレビューした。とはいえこの評は、少々割り引いて読むべきなのだろう。なぜなら批評家たちは、アルゴリズムを称賛することをよしとしないのだから。

偉大なる自動数学機械

「もし……なら？」という問いかけは、数学者が知識の境界を押し広げる手法にかなり近い。もし二乗がマイナス1になるような数があるとしたら、どうなるか。もし、平行線が交わる幾何学があるとしたら、どうなるか。もし、くっつける前に空間をねじったとしたら、どうなるか。既知の構造をいじってみて、その変形から何か考えるに足るものが生まれるかどうかをみる、というのは、新たな数学の語りを展開する際の古典的なツールだ。数学版の「もし……なら？」アルゴリズムは、実際に新しい数学を作るうえで役に立つのだろうか。数学が数を用いた一種のストーリーテリングだとすると、現在のアルゴリズムは、新たな数学の物語を作るうえでどれくらい有効なのか。

ペインティング・フールを支えるコードを書き、さらにWhimの制作進行責任者を務めたサイモン・コルトンは、インペリアル・カレッジ・ロンドンのスティーヴン・マグルトンと力を合わせて、今まさにこの問題に取り組んでいる。数学としてすでに受け入れられているものを取り込むアルゴリズムを開発して、そこから新たな着想が誘発されるかどうかを調べているのだ。コルトンはそのアルゴリズムを、インターネットのなかでももっとも訪問者数が多い数学のウェブサイト、オンライン整数列大辞典（On-Line Encyclopaedia of Integer Sequences）のうえで解き放ってみた。ちなみにこれはニール・スローンが、数や図形の興味深い列を網羅して、それらがどのように作られているのかを突き止めるために立ち上げたサイトである。そこにはたとえば、

1, 1, 2, 3, 5, 8, 13, 21……

といったお馴染みの数列が含まれている。『ダ・ヴィンチ・コード』を読んだことがある方は、すぐにこれが有名なフィボナッチ数だと気づくはずだ。この数列の項は、その前の二つの項を足して作られている。あるいは、

1, 3, 6, 10, 15, 21……

これらの数は三角数と呼ばれ、石を並べて正三角形を作るときに必要な石の総数になっている。さらに、数学の本に載っている列のなかではもっとも謎めいたものの一つである、

2, 3, 5, 7, 11, 13……

も載っている。この数列には、これらは割ることができない数、素数である、という説明が付いている。素数の列には、次の項を作る便利な公式が存在しない。なぜならそれは、まだ数学者たちにも解けていない大きな未解決問題だからで、もしもこの列の謎をうまく解けるアルゴリズムが見つかったら、数学者は全員荷物をまとめて家に帰ることになる。このデータベースには、わたし自身の研究に取り憑いているいくつかの数列が含まれている。たとえば列番号 158079 は、

1, 2, 5, 15, 67, 504, 9310……

というふうに始まるが、これらの数は、$3, 3^2, 3^3, 3^4, 3^5, 3^6, 3^7$ 個のシンメトリーを持つシンメトリーな対象の総数で、わたしは、これらがフィボナッチのような規則に従っていることを突き止めた。そして今も、この列の前の項をどう組み合わせれば新しい項が得られるのかを探っている。

コルトンはアルゴリズムに新しい列を確認させて、なぜそれが面白いと思われるのかを説明させることにした。その候補のひとつに、コルトンの同僚のトビー・ウォルシュが「リファクタラブル数（Refactorable numbers）」と名付けた数の列がある。リファクタラブル数とは、約数の個数そのものが約数になっている数のことである。（したがって、9はリファクタラブルである。なぜなら約数が三つあって、3は9を割り切るから）どちらかというと奇妙な感じのする数だが、アルゴリズムは、奇数のリファクタラブル数はすべて完全平方である、という予想を立てた。アルゴリズム自体はこの予想を証明できなかったが、興味をそそられたコルトンは、この予想が正しいことを証明して、雑誌に解説論文を発表した。この列はオンライン整数列大辞典には載っていなかったが、リファクタラブル数自体は既に作られており、それでいてこの数に関するアルゴリズム的な予想はま

ったく立てられていなかったことが明らかになった。はたしてこれは、「偉大なる自動数学機械」が水平線に姿を現そうとしていることの最初の兆しなのだろうか。

AIにニュースを取ってこさせる

執筆アルゴリズムが真価を発揮するのは、生のデータを新たな物語に変えるときだ。世界中の企業が、毎週自社の収益に関するデータを発表しており、従来は、AP通信のような通信社がジャーナリストの集団にデータを割り当てて、それらのデータを掘り起こし、会社の状況についての報告書をまとめていた。じつに退屈で非効率な仕事だ。これによって一年に一〇〇〇社をカバーできたとしても、みんなが関心を持ちそうなのに報告書がない会社がそれと同じくらいあることになる。通信社のジャーナリストにすれば、これらの記事の担当はまさに恐怖だった。この作業は、あらゆる記者の苦しみの種だったのだ。

だから、AP通信がこれらの報告の作成に機械を導入したときに、反対するジャーナリストはほとんどいなかった。かつてAP通信のために人間が作っていた膨大な量の無味乾燥で効率的なデータ駆動型の記事は、今やオートメーテッド・インサイツ社製のワードスミスや、ナラティブ・サイエンス社製のクイルなどのアルゴリズムを使って量産されている。そしてほとんどの場合、記事を終わりまで読んではじめて、その記事が機械によるものだと知ることになる。アルゴリズムはジャーナリストを解放して、より大局的な像の執筆に専念できるようにしたのだ。

AP通信の報告書に載せる数値をとりまとめるビジネスでは、データマイニング・アルゴリズムがますます有用になっている。アルゴリズムが膨大な量のビジネス情報を取り込み、読解不可能なスプレッドシートを会社の従業員が理解できる言葉で書かれた物語に変えるのだ。特定の企業の月々の生産量に現れた微妙な変化を拾ったり、従業員の作業量に関するデータを、今月はジョンがもっとも生産性の高い従業員だったが、現在の実績から見て来月の終わりにはスーザンがジョンを抜くだろう、といった予測に変えていく。このような詳細は、スプレッドシートや棒グラフでは紛れやすく、データが自然言語に翻訳されてはじめて心に響くストーリーになる。そして投資家が企業の価値の変動に対処する際には、これらのストーリーが特に重要になるのだ。

しかもその一方で、わたしたちが好んで読むタブロイド紙の三面のスポーツ記事や、それまでの閲覧傾向から見てその人の嗜好に合いそうな政治的に偏った物語を作るのも、アルゴリズムにすれば朝飯前。記者の数がきわめて少ない地方紙では、その地方のスポーツすべてをカバーすることができず、アルゴリズムを使ってフットボールや野球の結果を人間が読める記事に変えるケースが増えている。もちろん、機械が自分たちの仕事の肩代わりをするという考えにぎょっとして、記事がアルゴリズムによって作成されたことを明記するよう求めている記者もいる。ここでは一例として、ジョージ・ワシントン大学のスポーツ・ウェブサイトで起きたことを紹介しよう。対戦相手のチームのピッチャーが二七人の打者に対して九イニング投げ、誰にも一塁すら踏ませずパーフェクトゲームを成し遂げたにもかかわらず、このサイトはそれをきちんと祝わなかった。記者たちは、こういう試合結果はめったにないので、アルゴリズムがそれを報告するようプログラムされていなかったのだ、と断言した。

ところが、じつは人間がこの記事を書いていたことが明らかになった。おそらくその人物は、自分の大学の野球チームを応援していたために、チームが屈辱的な負け方をしたことにすっかり気落ちして、この偉業をつけたしのように記事の目立たないところに押し込んだのだろう。そこでナラティブ・サイエンス社のチームがこの試合のデータを取り込んで、自分たちのアルゴリズムがそのデータをどう料理するか見てみた。次に紹介するのは、与えられた数値的なデータだけに基づいてアルゴリズムが作成した記事の冒頭である。

火曜日はW・ロバーツにとって偉大な日だった。ダヴェンポート・フィールドにおけるジョージ・ワシントン大学との対戦で、若手のピッチャーとしてパーフェクトゲームを達成し、ヴァージニア大学を二―〇で勝利に導いたのだ。

コロニアルズの二七名が打席に立ったが、ヴァージニアのピッチャーは全員をねじ伏せて、パーフェクトゲームを達成した。重大な偉業を成し遂げる傍らで、一〇名のバッターから三振を奪った。ロバーツはライアン・トーマスをゴロで仕留めて、ゲームの最後のアウトを取った。

アルゴリズムに一点対人間のジャーナリストに〇点。

実際のスポーツイベントもさることながら、最近は自分で集めた架空のチームに関心を持つ人が増えている。アメリカやカナダでは、六〇〇〇万の人々がNFLのプレイヤーを組み合わせて架空のチームを作り、友達のチームと競わせるなどしていて、そのチームの運営に平均で年間二九時間を費やしているという。ヤフーはすでにワードスミスを用いて、毎週のNFLのデータに基づいた個人向けの架空チームに関するニュース物語を作り始めている。自分のチームがどういう具合かを知りたがるプレイヤーの欲求を満たすために、毎週何百万ものニュース記事を作ることなど、人力では到底不可能だ。

もちろん、アルゴリズムがニュースを伝えるという状況には不気味なところもある。実際、物語《ストーリー》が強力な政治的ツールになることは、歴史が繰り返し示している。最近の研究によると、いくらデータや証拠を挙げても、人々の考えはほとんど変わらない。それらのデータや証拠が織り上げられて物語になったときに、はじめて相手を説得し、考えを変えさせる力が生まれるのだ。自分の子どもにワクチンを打つのは危険だと確信している人に、ワクチンには病気の蔓延を食い止める力があるという統計を見せたとしても、まずもって考えを変えようとはしない。ところが、その人に誰かがはしかや疱瘡で倒れたという話をして、そこにデータを絡めれば、その人の考えを変えられる可能性が出てくる。ジョージ・モンビオ（英国の環境問題活動家でコラムニスト）が『残骸から』で述べているように、「物語に取って代わられるのは物語だけ」なのだ。

物語を使えば意見を変えられる、という事実をとことん利用してきたのが、ケンブリッジ・アナリティカをはじめとする企業である。この会社は、「これがあなたのデジタルライフです」というアプリでフェイスブックの利用者八七〇〇万人の個人情報を集め、それに基づいて心理的なプロファイルを描き、さらにそれをニュース記事とマッチさせて、人々の投票行動に影響を及ぼそうとした。この会社のアルゴリズムは、ランダムに物語を割り振るところからはじめて、しだいにどの物語がユーザーのクリックを誘うのかを学習していった。

そしてじきに、アメリカの若くて保守的な白人が「ヘドロを掻き出そう（トランプのスローガンで汚職をなくそう、の意）」という言い回しや、移民を閉め出すために壁を作るといった考えに肯定的に反応することをつきとめた。そこで、フェイスブックのページをアルゴリズムが作ったストーリーでいっぱいにして、彼らのヘドロや壁への欲求を満たしはじめた。これらのストーリーが、あまり影響を受けそうにない人々に無駄に使われることなく、その視点にもっとも大きく影響しそうな人々に確実に示されるようにしたのだ。

ケンブリッジ・アナリティカが有権者を効率的に操作したという事実がすっぱ抜かれると、その反動で会社はつぶれた。そして皮肉なことに、この会社が頼りにしていたものが何だったのかが明らかになった。彼らは、ニュース記事がさまざまな出来事に及ぼす影響を当てにしていたのだ。

確かにケンブリッジ・アナリティカはつぶれたが、他にも多くの企業がデータを掘り起こし、金を払う気がある人間向けに有利な戦略をひねり出している。自分の人生を少しでも自身の手でコントロールしておきたいのなら、これらのアルゴリズムによって自分たちの感情や政治的な意見がどれだけひっかき回されているのかを、きちんと理解しておく必要がある。これらのアルゴリズムの一つ一つが、同じ情報を基にして、わたしたちのこだわりやものの見方を煽るように仕組まれた特殊な糸を編み出しているのだ。

この時点で、ひとつ白状しなければならないことがある。じつはわたしはこの本を、始めから終りまでたった一人で書いたわけではない。ロアルド・ダールの「偉大なる自動文章製造機」、その現代版の申し出になびいたのだ。この本のなかの三五〇ワード分は、あるアルゴリズム――こちらが指定した多数のキーワードに基づいて短いエッセイを作ることに特化したアルゴリズム――によって作られた。その箇所は、はたして文学のチューリング・テストに合格したのだろうか。みなさんは、お気づきになりましたか。

既存の文章に基づいてアルゴリズムに記事を書かせると、当然剽窃が起きる恐れがある。わたしも件のアルゴリズムのせいで、危うくトラブルに巻き込まれるところだった。実際に、ウェブを辿ってみると、件のアルゴリズムがわたしに提案したものとよく似たところが複数あるウェブサイトの記事が見つかったのだ。その記事の著者に剽窃で訴えられてはじめて、わたしにも、ＡＩの作成した文章が期待外れだったとわかるのだろう。

アルゴリズムによるストーリーテリングはじつにさまざまで革新的でもあるが、今のところ、作家たちの脅威にはなっていない。「偉大なる自動文章製造機」は、人間の空想でしかない。わたしたち数学者が互いに語り合う論理的な物語ですら、人間の精神の領分なのだ。語るべき物語はじつにたくさんあり、語るに足るものを選ぶことは、あいかわらず難しい。人間の精神が、なぜ別の人間の創造的な旅を追いたくなるのか、その理由を理解できるのは、創造する人間だけだ。コンピュータがわたしたちの旅を支えてくれるのは確かだが、望遠鏡やタイプライターにはなれても、ストーリーテラーにはなれないのである。

第十六章　精神の邂逅、わたしたちはなぜ創造するのか

創造性は、機械的でないものの本質である。
にもかかわらず、すべての創造的行為は機械的である。
——それは、しゃっくりと同じくらい説明がつかないものだ。
ダグラス・ホフスタッター

コンピュータは、人間を突き動かすヒューマン・コードを拡張するための新しい強力なツールである。このツールのおかげで囲碁の新しい手が見つかり、打ち方が拡張された。ジャズ・ミュージシャンは、自身の音世界の本人も自覚していなかった領域を実際に聴くことができた。今や、人間の脳には処理できない数学の定理を生み出す可能性も出てきた。敵対的アルゴリズムは、国際アートフェアで展示される作品に匹敵する芸術を生み出した。それでも、ここまでの旅で創造的な人間に実存の脅威をもたらすものは何も見つかっていない。少なくとも、今のところは……。

わたし自身は、この旅を通して二つの感情の間を揺れ動いてきたような気がしている。アルゴリズムは、絵を描いたり曲を作ったり文章を書いたりするときに人間が行っていることに絶対に近づけない、と心底納得してみたり、そうかと思うと、画家が行う決定は、すべてある程度までは周囲の世界に対する身体のアルゴリズム的反応によって推し進められている、という認識に立ち返ってみたり。機械は、ヒューマン・コードが生み出す反応並みに複雑で豊かな反応を簡単に得ることが

できるのか。人間を突き動かしているヒューマン・コードは、何百万年もの年月をかけて進化してきた。問題は、この進化をどれくらいスピードアップできるかだ。

機械学習という新たな概念は、機械は決して創造的になり得ない、というこれまでのさまざまな主張に異議を申し立てているのかもしれない。機械学習の場合、プログラマは、バッハがどのようにしてコラールを作曲したかを理解しなくてよい。なぜならアルゴリズム自体がデータを取り込んで、勝手に学ぶからだ。そしてこのような学習は、人間の芸術家の創造過程に関する新たな知見へと繋がる。ただしこのような創造過程には、同じようなものしか作れないという問題がある。どうすれば、自分が学んだデータを突き破ることができるのか。ところがここでも、芸術家の世界のなかの未開の新たな領域を発見できるかもしれないということが判明した。ジャズ・ミュージシャンには、アルゴリズムの出力が自分の音世界の一部であることがわかるのだが、それでいて得られた結果は本人のリフを従来とは異なるやり方で組み合わせたものになっているのである。

多くの人々が、アルゴリズムにも探索的な創造性と組み合わせ的な創造性は達成できる、という結論に達するのだろう。なぜならそれらは人間の過去の創造性に基づいており、アルゴリズムがそれを拡張したり組み合わせたりするからだ。しかしこれまで、アルゴリズムを用いて相転移的な創造性を生み出すことは不可能だとされてきた。ある系に閉じ込められているアルゴリズムが、その枠を打ち破ってわたしたちをあっと言わせるようなことをするなんて、そんなことはあり得ない、と。ところがここでもＡＩへの新たなアプローチによって、規則を破って何が起きるかを見るよう促すメタアルゴリズムを作れることがわかった。相転移的な創造性は、じつはゼロ《エクス・ニヒロ》からの創造ではなく、既存の系の攪乱なのだ。

では、それでもこれらすべてを作り出しているのがプログラマである、という点はどう考えればよいのか。科学者たちは、古いものを組み合わせることで真に新しいものを生み出せるかもしれないということに気づきはじめている。全体は、部分の和を超え得る。今、科学界では創発現象がたいへんな人気だ。創発現象という概念は、すべてが原子や方程式に還元できるという考え方、つまり還元主義に対する解毒剤であり、矯正手段なのだ。「意識」、および水の「濡れる」という性質は、どちらも創発現象の先駆けである。一つのH_2O分子は濡れていないが、分子がある程度集まると、そこに「濡れる」という性質が表れる。一つのニューロンに「意識」はないが、たくさん集まると、「意識」が生まれる場合がある。さらには、時間は絶対的なものではなく、宇宙に関する人間の知識が不完全であるために生じるものである、という興味深い考察もある。

複雑で新しいアルゴリズムが生み出すものも、ひょっとすると創発現象と見なすべきなのかもしれない。確かにそれらの産物は、それを生み出した規則の結果でありながら、部分の和以上のものになっている。芸術家、特に小説家のなかには、いったんプロジェクトを始めると、まるでプロセス自体が命を持ちはじめるようだ、という人がいる。たとえば小説家のウィリアム・ゴールディングは、自分の物語がどんどん自分から独立していくようだ、と述べている。「著者は傍観者になる。ぞっとするかもしれず、喜ぶかもしれないが、とにかく傍観者なのだ」わたしたちがラブレイスが間違っていたことを証明するとしたら、その目標は、このようなプログラマとコードの絶縁になるのか。

ＡＩの創造性に対する非難の一斉射撃には、もう一つ拠り所がある。ＡＩには、自分が出力したものについて考え、その善し悪しや、シェアすべきか退けるべきかを判断する力がないというのだ。ところがこのような自省の能力も、ありうることが明らかになっている。問題の作品にどれだけ独自性があるのか、わたしたちが芸術と考えるものの領域からどれくらい隔っているのかといった判断を下す敵対的アルゴリズムを作ることができるのだ。それなのに、なぜわたしはあいかわらず、これらの新しい見事なツールが人間の創造性に匹敵するのはまだ先のことだと感じるのか。

今のところ、機械の創造性はすべてヒューマン・コードによって作られ、動かされている。自分自身に表現を強いる機械など見たことがない。わたしたちが彼らに語らせようとしていることのほかにも機械が語りたがっていることがあるとは思えない。彼らは、自分自身を表現したいというわたしたちの衝動を代弁する腹話術の人形なのだ。そしてその創造的な衝動は、わたしたちの自由意志への信頼の表れなのである。わたしたちは、機械仕掛けの人形のように生きることもできれば、突然立ち止まることにして定石を壊し、何か新しいものを作り出すこともできる。わたしたちの創造性は自由意志と密接に繋がっているが、自由意志は自動化できそうにない。自由意志をプログラムすることは、自由意志の意味に反している。だがここでも、人間の自由意志は、じつはわたしたちの根底に潜む複雑なアルゴリズム的過程を覆い隠す幻ではないのか、と自問することになる。

今日、人々がアルゴリズムの創造性を作り出そうとしているのは、芸術家の創造性を拡張したいからではなく、主として企業の銀行の預金残高を増やしたいからだ。巷には、AIを巡る誇大広告があふれている。AIを騙っていながら、その実単なる統計やデータ科学でしかない新たな取り組みが、あまりに多い。二一世紀が始まる時に、企業がそれに便乗するために自社の名前の終わりにドットコムと付け加えたように、今や企業は時流に乗り遅れないように、AIとかDeepといったタグを付け足している。

企業にすれば、このAIはじつに偉大で自分で記事が書けるし、音楽を作れるし、レンブラントの絵を描けるということで、なんとしても聴衆を説き伏せたい。そしてそれはひとえに、みなさんが投資してくれれば、自分たちが提供するAIでみなさんのビジネスが変わりますよ、と説得するためなのだ。ところがその誇大広告の向こうに目をやると、この革命を推し進めているのはあいかわらずヒューマン・コードであることがわかる。

わたしたちはなぜここまで創造性にこだわるのか、その起源に遡ってみるのもいいだろう。創造性が何か新しくて価値あるものだという見方は、じつは優れて二〇世紀資本主義的な考え方で、その起源は一九四〇年代に広告代理店の幹部だったアレックス・オズボーンがまとめた自己啓発本にある。『創造力を生かす』や『Brainstorming（ブレインストーミング）』といった本は、個人や組織の内なる創造性を形にするためのものだった。だが、価値ある新しさは儲けにつながる、ということの姿勢が登場するまでは、創造的な活動とは、人間のこの世界に自分が存在するという事実を理解しようとする試みのことだった。

わたしたちは、機械仕掛けの人形のように世界にまったく働きかけずにいることもできるし、さまざまな制約を破ってこの世界における自分の位置づけを理解しようとすることもできる。心理学者のカール・ロジャーズがその論文「創造性の理論に向けて」で述べたように、それは「拡張しよう、伸びていこう、進展しよう、成熟しようという衝動であり――すべての能力を表現しよう、活性化しよう、そしてそのような活性化により自己と組織を高めようという傾向」なのだ。創造性とは、自分たちは機械ではない、という人間の主張である。今日のＡＩは、人間の創造性に遠く及ばないが、わたしたちをより創造的にするうえで一定の役割を果たしている。面白いことにＡＩが、日々の生活のなかでは見落としがちな、創造に富んだひらめきをわたしたちに与えることによって、人間がより機械的でない形で行動するのを助けることになりそうなのだ。

けっきょくの所、ロジャーズの分析にある「自己《セルフ》」がキーワードになるのではなかろうか。思うに、人間の創造性と意識はどうしようもなく絡み合っているのだ。意識という概念抜きで、自分たちが創造的である理由を理解できるとは思えない。立証することは不可能だが、この二つは、同じ頃にわたしたちの種のなかに現れたのではなかろうか。自分の内面世界を認識するようになって、自分自身を知りたい、そしてその認識を創造へと駆り立てられている自分の「自己」に直接アクセスできない他の人々と分かち合いたい、という欲求が生まれた。ブラジルの作家パウロ・コエーリョにとって、この衝動は人間であることの一部である。「書くことは、分かち合うことだ。ものを、考えを、意見を分かち合いたいというのが、人間の条件の一部なのだ」ジャクソン・ポロックにとっては、「絵は自己の発見だ。優れた画家はすべて、自分自身を描く」。意識に関する難問の一つに、みなさんにとってそれがどういうものなのかをわたし自身は感じることができない、という事実がある。みなさんの痛みは自分と同じような痛みなのか。みなさんがとほうもなく嬉しくなった瞬間に感じる恍惚は、自分が感じるのと同じような恍惚なのか。科学は決してこの問いに答えられない。その点では、人間の感情の状態をスキャンしようとするｆＭＲＩよりも物語や絵のほうが優れている。わたしたちの創造的な芸術や音楽や文学が生み出すものは、意識も感情もある人間だということがどのようなことなのかを調べるための、科学に優るキャンバスなのだ。

「絵描きでも詩人でも小説家でも、わたしたちが芸術家にもっとも大きく負うているもの、それはわたしたちの共感の拡張である……芸術は、もっとも人生に近い。それは経験を増幅し、個人の場所の縛りを超えて、同胞との接触を拡張する方法なのだ」と小説家のジョージ・エリオットは述べている。

個人と集団との関わりを仲立ちするなかで芸術が果たす政治的な役割もまた、鍵となる。芸術はしばしば、現状維持を変化させたいという欲求である。人間を現在のゲームの規則への従属から解き放ちたい、同胞である人間のためによりよい場、あるいは単に異なる場を作りたい、と願う気持ち。それが、ジョージ・オーウェルの動機であったことは間違いない。実際オーウェルは、「わたしが座って本を書いているとき、わたしは自分に向かって『芸術作品を作ろう』と言い聞かせているわけではない。執筆するのは、暴きたい嘘、注目してもらいたい事実があるからで、何よりもまず、耳を傾けてもらいたいからだ」と述べている。ベストセラー作家のゼイディー・スミスがストーリーを語るのは、政治的な動機があるからだ。「わたしにとって文章を書くことは、わたしたちが誤って進みそうなさまざまな道をすべて表現する——つまり消す——ための手段なのです」

人はなぜ、これらの芸術的なアウトプットに耳を傾けるのか。たぶん、そうすることで自分自身も創造的な活動に加われるからなのだろう。さまざまな芸術作品と切り結ぶには、何らかの創造性が必要だ。芸術作品には意図的に、見る人、読む人、聴く人が自分たちの担っている物語を持ち込む余地が残されている。曖昧さは、芸術における創造の重要な一部なのだ。なぜならそれでこそ、受け手が創造的になれるのだから。

わたしたちの人生全体が創造性のある行為だ、といわれることもある。シェイクスピアはこのことに最初に気づいた一人で、そのことは、「お気に召すまま」の有名な台詞からも見て取れる。

この世界全体が舞台
そして男も女も皆ただの役者
出もあれば入りもある
そして一人の人間が、生涯のうちにさまざまな役を演じる

アメリカの心理学者ジェローム・ブルーナーは、「自己は、おそらくわたしたちが作り出したも

っとも印象的な芸術作品なのだろう。もっとも入り組んでいることは確かだ」としている。わたしたちが芸術と呼ぶものは、音楽にしろ、絵にしろ、詩にしろ、この自己を創造するという行為の剝がれ落ちた欠片、副産物のようなものなのだ。そしてここでもまた、機械に自己がないということが創造性への根本的な障害になる、という事実に立ち返ることになる。

創造性は、人間であることのなかにしっかり埋め込まれた「死すべき運命」と強く結び付いている。自分の存在の意味を探りながらも宗教的な話には意味がないと感じる人の多くが、おそらく自分という有限な存在を超える何かを後に残したいと考えるのだ。それが絵であり、小説であり、定理であり、子どもなのである。これらはすべて、創造性を使って死に一杯食わせてやろうという試みなのだろう。

そしておそらくわたしたちが創造性のある行為を重んじるのは、ひとつには、死が存在するからなのだ。かりにコープがショパンのマズルカを際限なく生み出すアルゴリズムを作ることに成功し、不死のショパンが出現したとして、わたしたちは幸せになるのだろうか。いいや、幸せにはならないだろう。ショパン自身が作った作品の価値は、むしろ目減りし始めるはずだ。なにやらバベルの図書館――すべてが所蔵されているがゆえに、けっきょくは何も所蔵されていない図書館――に似ているような……。重要なのは、ショパンが行った選択なのだ。チェスのゲームの価値がいささか下がったのは、ひとつにはコンピュータがとにかく勝ち続けられるようになったからではないのか。

たぶんチェス、音楽、数学、絵と人間とが戦うからこそ、価値があるのだ。最終的に死の問題が解決されて、永遠に死なない自分を作り出せるようになったら、命の価値は減って毎日が無意味になる、と考える人は多い。死ぬ運命にある、ということが重要なのだ。自分たちがやがて死ぬとわかっているのは、わたしたちに意識があることの代償である。わたしのiPhoneは、二年もすれば自分が流行遅れになることに、まだ気づいていない。でも、そのことに気づいたとして、iPhoneは何か自分が存在したことの証を後に残そうとするだろうか。

機械が意識を持つその日まで、機械は単なる人間の創造性を拡張するためのツールに留まる、とわたしは思う。いったい何があれば、機械のなかに意識が生み出されるのか。覚醒している人間の脳と、もっとも意識のない状態である深い睡眠の第四ステージにあるときの人間の脳のネットワークの違いに関しては、いくつかの研究が行われており、それによると、どうもある種のフィードバックの質が鍵になるらしい。目が覚めていて意識がある脳では、ある場所で活動が始まるとネットワーク全体にカスケードが起きて、元の場所にフィードバックがある。この一連の動きが何度も繰り返されて、まるでフィードバックによってわたしたちの経験が更新されているように見えるのだ。一方眠っている脳ではこのようなフィードバックはなく、孤立した振る舞いしか見られない。AIが長い冬から突然熱波に突入するのを見てきた機械学習には、このようなフィードバックに似た振る舞い、相互作用からの学習という性質がある。だとすればわたしたちは、けっきょくは意識を持つ真に創造的なAIへと至る第一歩を踏み出そうとしているのか。

それにしても、もし機械が本当に意識を持ったとすると、いったいどうなるのだろう。どうやってそのことを知るのか。機械の意識はわたしたちの意識と似ているのか。意識がある機械を作ることをあくまで妨げる何らかの根本原因がある、とまではいわないが、意識がある機械を作るには、すべての科学を利用する必要がある。そしてひとたび成功した暁には、その機械の意識はわたしたちの意識とまるで異なっていそうな気がする。そのときその機械は必ず、自分がどのようなものなのかをわたしたちに伝えようとする。そしてその際に、他者であるということがどんな感じなのかを知るうえで、創造的な芸術が鍵となるのだ。

わたしのiPhoneであるということがどんな感じなのか、その手がかりを得る手段としては、fMRIスキャナではなくストーリーテリングがベストなのだろう。だからこそ、文学的創造性の分野でこれまでに行われてきたさまざまな試みのなかで、意識ある機械——人間と共感し、わたしたちの世界を理解しようとするアルゴリズム——が人間を見たらこんなふうに見えるだろうと思われるものにいちばん近いのは「ザ・シーカー」なのだ。したがって、これから未来に向うにあたって、わたしたちのテクノロジーがやがて意識を持つようになるのだろうかと考えたとき、ストーリーテリングこそが重要なツールになるのだろう。そのときコンピュータは間違いなく、わたしたちに強制されてではなく、自分から物語を語りたいと思うようになる。

物語が人間社会をまとめる強力な政治的ツールであるように、機械が意識を持ちはじめたときには、物語を共有する力が、機械の未来に関するシナリオでこれまでよく語られてきた恐怖の世界からわたしたちを救ってくれるのかもしれない。アメリカでの九・一一の攻撃への恐怖に対して小説家のイアン・マキューアンが「前進するにあたっては感情移入が重要だ」と呼びかけたことは、今も強烈な印象としてわたしのなかに残っている。

もしもハイジャック犯たちが、乗客の考えや気持ちのなかに入りこんだ自分を想像できたなら、それ以上前には進めなかったはずだ。犠牲者の心のなかに入ることを己に許したとたん、冷酷に振る舞うことは難しくなる。自分自身ではない他の人であることがどういうことなのか、それを想像することが、わたしたちの人間性の核となっている。それが思いやりの本質であり、モラルの始まりなのだ。

わたしたちは、物語を通して自分たちの意識ある世界を分かち合えるからこそ、人間なのだ。ほかの種はこんなことをしそうにない。もしも機械が意識を持つようになったら、機械に共感を浸透させることで、これまで機械と自分たちの未来像としてでっち上げられてきたターミネーターの話から自分たちを救うことができる。

物語機械シエラザード－IFの主任研究者リードルは、アルゴリズムが自分の作った選択肢のなかから非人間的で奇妙な経路を選ばなかったことに心を動かされたという。シエラザードは、人間の物語の語り方から何かを学んだのだ。「最近、物語の訓練を施したAIが精神に異常を来したようには振る舞えないことを示すことができた。きわめて極端な状況となれば、話が別だが。したがって、計算によって物語る知性は、『邪悪なAI』が人間を裏切って地球を乗っ取るという心配を和らげることができる」

もしもシンギュラリティー（技術的特異点。AIの高度な知能が人類の知能を超えて文明の進歩を担うようになる瞬間）に達したなら、そのとき人間の運命は、意識ある機械との相互理解にかかってくる。だがウィトゲンシュタインが述べたように、かりにライオンがしゃべれたとしても、わたしたちにはおそらく理解できない。これは機械にもいえることで、かりに機械が意識を持つようになったとしても、はじめのうちはそれがわからない。けっきょくのところ、機械の描いた絵が、機械の作った音楽が、機械の書いた小説が、機械が創造した物が、そして機械がした数学が、わたしたちに機械のコードを解読するチャンスを、そして機械であるということがどういう感じなのかを知るチャンスを与えてくれるのである。

謝辞

長年の間にわたしが出会ってきた人々とすべてのアルゴリズムに感謝する。彼らのおかげで、この本をまとめることができた。なかでも、わたしを機械学習委員に任命したロイヤル・ソサエティーに謝意を表したい。常々委員会と名のつくものは大嫌いなのだが、これらの会合にはいつも楽しく参加できた。この本の刊行を実現するうえで、次の人々が決定的な役割を果たしてくれた。

編集者の……フォース・エステイトのルイーズ・ヘインズと、ハーバード大学出版のジョイ・ド・メニル
エージェントの……グリーン&ヒートンのアントニー・トッピング
アシスタント編集者の……フォース・エステイトのサラ・シッケット
リサーチ・アシスタントの……ベン・リー
原稿整理編集者の……マーク・ハンズリー
パトロンの……チャールズ・シモニー
家族の……シャーニ、トーマ、マーガリーとイーナ

訳者あとがき

これは、Marcus du Sautoy の五冊目の一般向け啓蒙書、*The Creativity Code: How AI is learning to write, paint and think* の全訳である。

AIは、今や新聞やテレビでこの二文字を見ない日がないくらいにもてはやされている。テレビでいえば、二〇一九年の紅白歌合戦では「AIでよみがえる美空ひばり」が目玉となり、つい最近のゴールデンタイムのテレビ番組では、お笑い芸人とAIの「お笑い」対決が取り上げられた。また、二〇一九年に国立西洋美術館の展覧会で、AIを使って修復したモネの「睡蓮、柳の反映」(松方幸次郎がモネからじかに買い受けたものが、太平洋戦争開戦とともにフランス政府に接収され、二〇一六年に破損された状態で発見された)がお披露目されたかと思うと、ついにAIで癌細胞の遺伝子を解析して最適な治療法を示す「がんゲノム医療」が動き出した、というニュースが出るなど、AIには何でもできる、人間より上手だといわんばかりの状況だ。実際、先日行われた将棋の藤井聡太の初のタイトル戦でも、「AIにとっても意外な一手……」という語句が紙面に踊っていた。一方自然科学の諸分野に目を転じると、工学や生命科学や医学や物理学やデータ科学などの数理科学の世界では、AIを研究に活かすだけでなく、第三次AIブームをもたらした深層学習の理論構築が始まっており、また、AIがこれらの分野でどのような役割を果たすのかを真剣に考えようという機運も高まっている。科学者たちにとってAIは、道具であるとともに新たな研究対象であり、しかも自分たちに改めて『科学と方法』の問題を突きつける存在なのだ。

デュ・ソートイはこの作品で、万能感漂うAIのすべてを網羅するのではなく、AIと「創造性」との関係に絞り込んで考察を進めている。数学者たる自分を実存の危機に直面させたアルファ碁の一件から、美術の世界におけるAI、クラシックやジャズといった音楽の世界におけるAI、さらには執筆活動や文学の世界におけるAIまで、ここには第三次AIブーム以降のさまざまな事実がぎっしり詰まっている。それらを知るだけでも十分面白く、いつしか読者は、数理的な思考と旺盛な好奇心を武器に、それらの事実に向き合ってはその有り様を理解しようとする著者の姿に自分を重ねていく。

自然科学の枠に留まらず人間の営み全般に深い関心を持ち、しかも啓蒙活動に熱心な数学者マーカス・デュ・ソートイは、じつは数理を基盤とするAIとアートとの接点を探るこのような試みにうってつけなのかもしれない。数学者はあらゆる常識から自由でなければならず、論理だけを武器とする存在である。彼らは何に取り組むにしても、いっさいの常識を排し、まずそこで用いられる概念を明確に定義する。そのうえで、論理という規則に則って、さまざまな疑問について「徹底的に」考えていく。あっちから、こっちから、さまざまな角度でその正体に迫ろうとするのだ。したがってこの本の読者も、「専門家」の「常識」を要求される心配はない。この作品の場合は、まず「創造性」の何たるかが俎上に上がり、ひとまず、創造性とは「新しく、驚きをもたらし、価値があるもの」である、というきわめて一般的な説とその三種類の分類が採用される。そしてさらに、機械の創造性を判断するためのラブレイス・テストなるものが想定される。果たしてコンピュータは、そのアルゴリズムを作ったプログラマですら、どうやってその出力がえられたのかがわからない作品を作ることができるのか。

ここまで準備しておいて、芸術（と、それと同じくらい創造力を必要とする数学）の現場におけるＡＩの現状を巡る旅に出るのだが、このようなことができるのも、原著者が数学者でなければ役者になりたかったと公言し、自分でも楽器を演奏し、数学啓蒙のために演劇界や（児童）文学界と関わってきて、イラストレーターの妻の薫陶により美術にも関心が深い人物だからなのだろう。本人は学問の世界で生きてきた数学者であって、数学は理系に分類される学問分野であるにもかかわらず、デュ・ソートイには理系と文系を峻別するこだわりがまったくない。その根底には、「ヒトは、自分の外界および自分の内側を探ろうとするものである。そしてその際に、科学は外側からアプローチするが、芸術は内側から探っていく。いわばこの二つは、探索の手法が異なるだけで、どちらも人間存在や外界への強い関心が動因となっている」という考えがあって、そのため一見異質なこれらの行為を広く捉えることができるのだ。

著者の旅はまず、第三次ＡＩブームと呼ばれるこの大流行の発端となった深層学習の最初の戦場となった囲碁の世界から始まる。そして絵画、音楽、文学、さらには著者曰く芸術並みに創造性が必要とされる数学という「創造性が求められる分野」に分け入っていく。ＡＩにもここまでできる！　という事例のオンパレードに触れたときに著者が示す動揺は、そのままわたしたちの動揺でもある。世界一とされている棋士を倒せるアルゴリズム、絵画の見本市できちんと評価される絵を描いてみせるアルゴリズム、ジャズミュージシャン自身に紛れもなく自分の音楽世界だと言わしめるリフを作るアルゴリズム、自分たちのオリジナルの言語を作り出すアルゴリズム、それらの例に接した多くの人が、平静でいられなくなる。ある種の躁状態になるか、あるいは、心のバランスを保つためにすべてを拒絶してかかるか……ある意味で、自分たちの存在の核が脅かされているような気がしはじめるのだ。そりゃあ、ロボットのように人間の単純な労働、単調で面倒な労働をＡＩが肩代わりするというのなら、それはそれでいいだろう。（それだって、仕事の奪い合いになったら困るが……）だが、「創造性」は人間と他の動物を分かつ重要な特質、人間に固有の能力ではないのか。ＡＩがそこを浸食するということは、ほんとうにＡＩが人間を凌駕する日がくるということなのかもしれない……。そのような揺らぎも含めて、デュ・ソートイはじつに正直にその旅の顛末を語っていく。

もうひとつ、原著者の語りで外せないのが、その視野の広さである。本人も、少年時代に科学啓蒙番組として一世を風靡したジェイコブ・ブロノフスキーの『人間の進歩』に深く心を動かされて、そこから啓蒙活動への関心が芽生えたと述べており、デュ・ソートイ自身のなかに、進化の歴史を背負った存在としてのヒト、そして自分、という認識がしっかりと根付いているからなのだろう。いかなる対象（この場合はＡＩ）を分析する際にも、その分析を行っているのは種としてのヒトたる自分である、という視点を保持し続ける。つまり、地球という固有の場で長い年月をかけて進化してきたヒトという種、そのような有限な存在としての自分の視点は絶対に無限であり得ない、というきわめて厳密な認識があるのだ。このような厳密さは、ある意味で数学者に特有なのかもしれない。ただし、著者は「無限であり得ない」ことを決して否定的に捉えているわけではなく、そのあたりのあくまでも平らな視線、「常識的な価値観」に安易に乗らない姿勢も、この著者の魅力の一つといえる。今回の旅でも、このような立脚点から、最近になってデータという二次元的な実体を大量に扱うことが可能になったおかげであたかも人間のように学習することができるようになったと思われるＡＩと、種としての有限で固有の歴史を持つヒトとの違いが折に触れて浮かび上がる。こうしてわたしたちは、ＡＩを考えるうちに、いつしか自分の視線が己に向いていることに気づく。

そもそも、ＡＩが人間を凌駕するかしないか、という問題を考えるには、凌駕すべきものは何なのか、という問題を考えることが欠かせないのだから、これは当然のことといえよう。

この作品で語られているＡＩの現状を見る限り、ＡＩの能力に限界があるのは確かだと思われる。それなのに、今後もＡＩの能力には限界があり続ける！　と言い切りにくいのは、第三次ＡＩブームを引き起こした深層学習のインパクトがきわめて大きかったからなのだろう。第一次、第二次のＡＩブームがトップダウン式のアルゴリズムの範疇に留まったのに対して、深層学習によってボトムアップのアルゴリズムが可能になり、一気に可能性が広がった。まだ記憶に新しいこのときの衝撃が、「ＡＩには未来永劫限界がある！」と断言することをためらわせるのだ。

著者はこの作品で、決して「これだ！」という結論を提示しているわけではない。いわばオープンエンドで、だからこそ——といってよいのだろう——読む側は、さまざまなことを考えさせられ、あるいは、考える種を仕入れることになる。ＡＩが、人間や人間の営み、社会、数学など、さまざまなことを映し出す多面鏡のように作用するのである。

たとえば、大企業や各種組織のお好みのＢＧＭを作るアルゴリズム（第十二章）の存在は、ＡＩが経費節減というきわめてリアルな問題と結びついていることを示しているが、では、ＡＩによって仕事を奪われる人が、じつはそれらの仕事で得た収入を元に消費をする側でもあって、それらの人々抜きでは消費活動は鈍り、けっきょくは大企業の望むような利益が上がらなくなる、という問題をどう考えたらよいのか。ここからは、人はこの社会をどのような形にしていこうとしているのか、という問いが浮かび上がってくる。

ネットフリックスのレコメンド・アルゴリズムは、人間が言語化、概念化したことのない映画の特徴を把握するというが、では、それらのアルゴリズムが把握した特徴が外れていない、あるいは絶対に外れないという確信が持てるのか。別の場面では、アルゴリズムが人間が学習させたいことは異なることを学習してしまうという実例が挙げられているのだが……。

アート・バーゼルでは、コンピュータの描いた作品のほうが人間が描いた作品よりも想像力を掻き立てる、と評され、クリスティーズのオークションでは、アルゴリズムが作った作品が四三万ドル以上の値をつけたようだが、そのうちにコンピュータの描いた作品がたくさん巷に出るようになるのだろうか。四三万ドルという価格は、その絵の何に対してつけられた値段なのか。

アルファ碁と対戦して負けた李世乭《イ・セドル》は、二〇一九年の十二月に国際的な対局から引退した。その際に、アルファ碁に負けたことが引退の決断に影響していないわけではない、と述べているが、その一方で、今後も囲碁とは関わっていくとしている。つまり、アルファ碁が無敵であることがわかったからといって、囲碁の魅力がなくなったわけではないのだ。数学の世界で、ゲーデルの不完全性定理で数学の世界がパーフェクトでないことが示されたからといって、数学者が大挙して数学をやめたりしないのと同じである。

それにしても、ここで紹介されているアルゴリズムの言葉や夢は、人間とは別の原理を持つ「他者」としてのコンピュータの存在を感じさせるが、では「他者」とはいったい何なのだろう……。ＡＩと創造性を巡るこの作品が投げかける問いは、実に多彩で深い。

ここで一つ補足すると、この作品には英国版と米国版があって、米国版はサブタイトルが *Art and Innovation in the Age of AI* となっているだけでなく、内容の一部にも手が加えられている。この日本語訳は、著者の意向もあって英国版からのものであることを、お断りしておく。

最後になりましたが、ひじょうに広範で詳細な話題を網羅したこの作品の原稿を丁寧に校閲してくださった新潮社校閲部の田島弘さんに、心より感謝いたします。また、新潮社出版部の田畑茂樹さんには、いろいろとお世話になりっぱなしでした。ほんとうにありがとうございました。

読者のみなさんには、どうかデュ・ソートイとともに、ＡＩを巡るさまざまな事実と謎に満ちた旅を楽しまれますように。

二〇二〇年　秋

冨永　星

図版について

ペインティング・フールを巡る芸術家たちの作品を見たい方は、http://www.thepaintingfool.com/ にアクセスされたい。

エルガマルの創造的敵対ネットワークが描いた絵を見たい方は、https://sites.google.com/site/digihumanlab/home にアクセスされたい。

アルゴリズムがいかに上手に画像を認識するかを知りたい方は、https://cloud.google.com/vision/ にアクセスされたい。

デイヴィッド・コープの「音楽的知能の実験 'Experiments in Musical Intelligence'」を聞きたい方は、http://artsites.ucsc.edu/faculty/cope/ にアクセスされたい。

ボットニックが作った作品を見たい方は、http://botnik.org/ にアクセスされたい。

ゲインセイリンガムとガワーズのコンピュータによる証明実験の結果を知りたい方は、https://gowers.wordpress.com/　にアクセスされたい。

'The Next Rembrandt' は、 https://www.nextrembrandt.com/ で見ることができる。

Artificial Intelligence Research, vol. 47(1), 205–51 (2014)
Torresani, Lorenzo, Martin Szummer and Andrew Fitzgibbon, 'Efficient Object Category Recognition Using Classemes', in *Computer Vision: ECCV 2010*, Springer, 2010, pp. 776–89
Wang, C., et al., 'Relation Extraction and Scoring in DeepQA', *IBM Journal of Research and Development*, vol. 56(3: 4), 9: 1–9: 12 (2012)
Weiss, Ron J., et al., 'Sequence-to-Sequence Models Can Directly Translate Foreign Speech', *INTERSPEECH 2017*, 2625–9 (2017)
Yu, Lei, et al., 'Deep Learning for Answer Sentence Selection', arXiv: 1412.1632v1 (2014)
Zeilberger, Doron, 'What is Mathematics and What Should It Be?', arXiv: 1704.05560v1 (2017)

教科書

Eremenko, Kirill, Hadelin de Ponteves and the SuperDataScience Team, 'Machine Learning A-Z', Udemy
Fiebrink, Rebecca, 'Machine Learning for Musicians and Artists', Goldsmiths, University of London via Kadenze
Hinton, Geoffrey, 'Neural Networks for Machine Learning', University of Toronto via Coursera
Irizarry, Rafael, 'Data Science: Machine Learning', Harvard University via edX
Ng, Andrew, 'Machine Learning', Stanford University via Coursera
Paisley, John, 'Machine Learning', Columbia University via edX

その他

今日の時点でインターネット上にウェブサイトがいくつあるかを知りたい方は、http://www.internetlivestats.com/ にアクセスされたい。

李世乭との対戦すべてを含むアルファ碁についてのすばらしい情報源として、https://deepmind.com/research/alphago/　がある。

スライスドッテッドが作った「ザ・シーカー」を読みたい方は、コンピュータコードのホスティング・サービス、github の https://github.com/thricedotted/theseeker のリンクを辿られたい。

NaNoGenMo の一環で作られたほかの小説は、https://nanogenmo.github.io/ で読むことができる。

ローブナー賞を文字化したものは https://www.aisb.org.uk/events/loebner-prize で読むことができる。

AARON を巡る芸術家たちの作品を見たい方は http://aaronshome.com/ にアクセスされたい。

Mahendran, Aravindh and Andrea Vedaldi, 'Understanding Deep Image Representations by Inverting Them', *Proceedings of the 2015 IEEE Conference on Computer Vision and Pattern Recognition (CVPR)*, 5188–96 (2015)

Mathewson, Kory Wallace and Piotr W. Mirowski, 'Improvised Comedy as a Turing Test', arXiv: 1711.08819 (2017)

Matuszewski, Roman and Piotr Rudnicki, 'MIZAR: The First 30 Years', *Mechanized Mathematics and Its Applications*, vol. 4, 3–24 (2005)

Melis, Gábor, Chris Dyer and Phil Blunsom, 'On the State of the Art of Evaluation in Neural Language Models', arXiv: 1707. 05589v2 (2017)

Mikolov, Tomas, et al., 'Efficient Estimation of Word Representations in Vector Space', arXiv: 1301.3781 (2013)

Mnih, Volodymyr, et al., 'Playing Atari with Deep Reinforcement Learning', arXiv: 1312. 5602v1 (2013)

—, et al., 'Human-Level Control through Deep Reinforcement Learning', Nature, vol. 518(7540), 529–33 (2015)

Narayanan, Arvind and Vitaly Shmatikov, 'Robust De-anonymization of Large Datasets (How to Break Anonymity of the Netflix Prize Dataset)', arXiv: cs/0610105 v2 (2007)

Nguyen, Anh Mai, Jason Yosinski and Jeff Clune, 'Deep Neural Networks are Easily Fooled: High Confidence Predictions for Unrecognizable Images', *Proceedings of the 2015 IEEE Conference on Computer Vision and Pattern Recognition (CVPR)*, 427–36 (2015)

Pachet, François, 'The Continuator: Musical Interaction with Style', presented at the *International Computer Music Conference, Journal of New Music Research*, vol. 31(1) (2002)

— and Pierre Roy, 'Markov Constraints: Steerable Generation of Markov Sequences', *Constraints*, vol. 16, 148–72 (2011)

—, et al., 'Reflexive Loopers for Solo Musical Improvisation', presented at the *ACM SIGCHI Conference on Human Factors in Computing Systems* (2013)

Riedl, Mark O. and Vadim Bulitko, 'Interactive Narrative: An Intelligent Systems Approach', *AI Magazine*, vol. 34, 67–77 (2013)

Roy, Pierre, Alexandre Papadopoulos and François Pachet, 'Sampling Variations of Lead Sheets', arXiv: 1703.00760 (2017)

Silver, David, et al., 'Mastering the Game of Go with Deep Neural Networks and Tree Search', *Nature*, vol. 529(7587), 484–9 (2016)

Stern, David H., Ralf Herbrich and Thore Graepel, 'Matchbox: Large Scale Online Bayesian Recommendations', in *WWW '09: Proceedings of the 18th International World Wide Web Conference*, 111–20 (2009)

Tesauro, Gerald, et al., 'Analysis of Watson's Strategies for Playing *Jeopardy!' Journal of*

Elgammal, Ahmed, et al., 'CAN: Creative Adversarial Networks Generating "Art" by Learning about Styles and Deviating from Style Norms', arXiv: 1706.07068 (2017)

Ferrucci, David A., 'Introduction to "This is Watson"', *IBM Journal of Research and Development*, vol. 56(3.4), 1.1–1.15 (2012)

Ganesalingam, Mohan and W. T. Gowers, 'A Fully Automatic Theorem Prover with Human-Style Output', *Journal of Automated Reasoning*, vol. 58 (2), 253–91 (2016)

Gatys, Leon A., Alexander S. Ecker and Matthias Bethge, 'A Neural Algorithm of Artistic Style', arXiv: 1508.06576 (2015)

Gondek, David, et al., 'A Framework for Merging and Ranking of Answers in DeepQA', *IBM Journal of Research and Development*, vol. 56(3.4), 14: 1–14: 12 (2012)

Gonthier, Georges, 'A Computer-Checked Proof of the Four Colour Theorem', Microsoft Research Cambridge (2005)

——, 'Formal Proof: The Four-Color Theorem', *Notices of the AMS*, vol. 55, 1382–93 (2008)

——, et al., 'A Machine-Checked Proof of the Odd Order Theorem', *Interactive Theorem Proving, Proceedings of the Fourth International Conference on ITP* (2013)

Goodfellow, Ian J., 'NIPS 2016 Tutorial: Generative Adversarial Networks', arXiv: 1701.00160 (2016)

Guzdial, Matthew J., et al., 'Crowdsourcing Open Interactive Narrative', *Tenth International Conference on the Foundations of Digital Games* (2015)

Hadjeres, Gaëtan, François Pachet and Frank Nielsen, 'DeepBach: A Steerable Model for Bach Chorales Generation', arXiv: 1612.01010 (2017)

Hales, Thomas, et al., 'A Formal Proof of The Kepler Conjecture', *Forum of Mathematics, Pi*, vol. 5, e2 (2017)

Hermann, Karl Moritz, et al., 'Teaching Machines to Read and Comprehend', in *Advances in Neural Information Processing Systems, NIPS Proceedings* (2015)

Ilyas, Andrew, et al., 'Query-Efficient Black-Box Adversarial Examples', arXiv: 1712.07113 (2017)

Khalifa, Ahmed, Gabriella A. B. Barros and Julian Togelius, 'DeepTingle', arXiv: 1705.03557 (2017)

Koren, Yehuda, Robert M. Bell and Chris Volinsky, 'Matrix Factorization Techniques for Recommender Systems', *Computer Journal*, vol. 42(8), 30–37 (2009)

Li, Boyang and Mark O. Riedl, 'Scheherazade: Crowd-Powered Interactive Narrative Generation', *29th AAAI Conference on Artificial Intelligence* (2015)

Llano, Maria Teresa, et al., 'What If a Fish Got Drunk? Exploring the Plausibility of Machine-Generated Fictions', in *Proceedings of the Seventh International Conference on Computational Creativity* (2016)

Loos, Sarah, et al., 'Deep Network Guided Proof Search', arXiv: 1701.06972v1 (2017)

in Collaborative Filtering Algorithms: A Survey', *Procedia Computer Science*, vol. 49, 136–46 (2015)

Briot, Jean-Pierre and François Pachet, 'Music Generation by Deep Learning: Challenges and Directions', arXiv: 1712. 04371 (2017)

Briot, Jean-Pierre, Gaëtan Hadjeres and François Pachet, 'Deep Learning Techniques for Music Generation: A Survey', arXiv: 1709.01620 (2017)

Brown, Tom B., et al., 'Adversarial Patch', arXiv: 1712.09665 (2017)

Cavallo, Flaminia, Alison Pease, Jeremy Gow and Simon Colton, 'Using Theory Formation Techniques for the Invention of Fictional Concepts', in *Proceedings of the Fourth International Conference on Computational Creativity* (2013)

Clarke, Eric F., 'Imitating and Evaluating Real and Transformed Musical Performances', *Music Perception: An Interdisciplinary Journal*, vol. 10, 317–41 (1993)

Colton, Simon, 'Refactorable Numbers: A Machine Invention', *Journal of Integer Sequences*, vol. 2, article 99.1.2 (1999)

——, 'The Painting Fool: Stories from Building an Automated Painter', in Jon McCormack and Mark d'Inverno (eds.), *Computers and Creativity*, Springer, 2012

—— and Stephen Muggleton, 'Mathematical Applications of Inductive Logic Programming', *Machine Learning*, vol. 64(1), 25–64 (2006)

—— and Dan Ventura, 'You Can't Know My Mind: A Festival of Computational Creativity', in *Proceedings of the Fifth International Conference on Computational Creativity* (2014)

——, et al., 'The "Beyond the Fence" Musical and "Computer Says Show" Documentary', in *Proceedings of the Seventh International Conference on Computational Creativity* (2016)

d'Inverno, Mark and Arthur Still, 'A History of Creativity for Future AI Research', in *Proceedings of the Seventh International Conference on Computational Creativity* (2016)

du Sautoy, Marcus, 'Finitely Generated Groups, *p*-Adic Analytic Groups and Poincare Series', *Annals of Mathematics*, vol. 137, 639–70 (1993)

du Sautoy, Marcus, 'Counting Subgroups in Nilpotent Groups and Points on Elliptic Curves', *J. reine agnew. Math*, 549, 1–21 (2002)

Ebcioğlu, Kemal, 'An Expert System for Harmonizing Chorales in the Style of J. S. Bach', *The Journal of Logic Programming*, vol. 8, 145–85 (1990)

Eisenberger, Robert and Justin Aselage, 'Incremental Effects of Reward on Experienced Performance Pressure: Positive Outcomes for Intrinsic Interest and Creativity', *Journal of Organizational Behavior*, 30 (1), 95–117 (2009)

Elgammal, Ahmed and Babak Saleh, 'Quantifying Creativity in Art Networks', in *Proceedings of the Sixth International Conference on Computational Creativity* (2015)

—— and ——, 'Large-Scale Classification of Fine-Art Paintings: Learning the Right Metric on the Right Feature', arXiv: 1505.00855 (2015)

McAfee, Andrew and Erik Brynjolfsson, *Machine Platform Crowd: Harnessing Our Digital Future*, Norton, 2017
McCormack, Jon and Mark d'Inverno (eds.), *Computers and Creativity*, Springer, 2012
Monbiot, George, *Out of the Wreckage: A New Politics for an Age of Crisis*, Verso, 2017
Montfort, Nick, *World Clock*, Bad Quarto, 2013
Moretti, Franco, *Graphs, Maps, Trees: Abstract Models for Literary History*, Verso, 2005
Paul, Elliot Samuel and Scott Barry Kaufman (eds.), *The Philosophy of Creativity: New Essays*, OUP, 2014
Shalev-Shwartz, Shai and Shai Ben-David, *Understanding Machine Learning: From Theory to Algorithms*, CUP, 2014
Steels, Luc, *The Talking Heads Experiment: Origins of Words and Meanings*, Language Science Press, 2015
スタイナー、クリストファー『アルゴリズムが世界を支配する』角川書店（Steiner, Christopher, *Automate This: How Algorithms Took Over the Markets, Our Jobs, and the World*, Penguin Books, 2012）
タトロー、ルース『バッハの暗号　数と創造の秘密』青土社（Tatlow, Ruth, *Bach and the Riddle of the Number Alphabet*, CUP, 1991）
——, *Bach's Numbers: Compositional Proportions and Significance*, CUP, 2015
Tegmark, Max, *Life 3.0: Being Human in the Age of Artificial Intelligence*, Allen Lane, 2017
Wilson, Edward O., *The Origins of Creativity*, Allen Lane, 2017
Yorke, John, *Into the Woods: A Five Act Journey into Story*, Penguin Books, 2013

論文

arXiv の番号がある論文については、論文のオープンアクセス・アーカイブ https://arxiv.org/ にアクセスされたい。

Alemi, Alex A., et al., 'DeepMath: Deep Sequence Models for Premise Selection', arXiv: 1606.04442v2 (2017)
Athalye, Anish, et al., 'Synthesizing Robust Adversarial Examples', in *Proceedings of the 35th International Conference on Machine Learning*, arXiv: 1707.07937v3 (2018)
Bancerek, Grzegorz, et al., 'Mizar: State-of-the-Art and Beyond', in *Intelligent Computer Mathematics*, pp. 261–79, Springer, 2015
Barbieri, Francesco, Horacio Saggion and Francesco Ronzano, 'Modelling Sarcasm in Twitter: A Novel Approach', *WASSA@ACL* (2014)
Bellemare, Marc, et al., 'Unifying Count-Based Exploration and Intrinsic Motivation', in *Advances in Neural Information Processing Systems*, pp. 1471–9, NIPS Proceedings, 2016
Bokde, Dheeraj, Sheetal Girase and Debajyoti Mukhopadhyay, 'Matrix Factorization Model

Domingos, Pedro, *The Master Algorithm: How the Quest for the Ultimate Learning Machine Will Remake Our World*, Basic Books, 2015
Dormehl, Luke, *The Formula: How Algorithms Solve All Our Problems... and Create More*, Penguin Books, 2014
——,『シンキング・マシン　人工知能の脅威――コンピュータに「心」が宿るとき。』エムディエヌコーポレーション（*Thinking Machines: The Inside Story of Artificial Intelligence and Our Race to Build the Future*, W. H. Allen, 2016）
イーグルトン、テリー『美のイデオロギー』紀伊國屋書店（Eagleton, Terry, *The Ideology of the Aesthetic*, Blackwell, 1990）
フォード、マーティン『ロボットの脅威：人の仕事がなくなる日』日本経済新聞出版（Ford, Martin, *The Rise of the Robots: Technology and the Threat of Mass Unemployment*, Oneworld, 2015）
Fuentes, Agustín, *The Creative Spark: How Imagination Made Humans Exceptional*, Dutton, 2017
Gaines, James, *Evening in the Palace of Reason: Bach Meets Frederick the Great in the Age of Enlightenment*, Fourth Estate, 2005
Ganesalingam, Mohan, *The Language of Mathematics: A Linguistic and Philosophical Investigation*, Springer, 2013
Gaut, Berys and Matthew Kieran (eds.), *Creativity and Philosophy*, Routledge, 2018
グッドフェロー、イアン、ヨシュア・ベンギオ、アーロン・クールヴィル『深層学習』KADOKAWA（Ian Goodfellow, Yoshua Bengio and Aaron Courville, *Deep Learning*, MIT Press, 2016）
ハラリ、ユヴァル・ノア『ホモ・デウス：テクノロジーとサピエンスの未来』河出書房新社（Harari, Yuval Noah, *Homo Deus: A Brief History of Tomorrow*, Harvill Secker, 2016）
ハーディ、G. H.『一数学者の弁明』みすず書房（ Hardy, G. H., *A Mathematician's Apology*, CUP, 1940）
Harel, David, *Computers Ltd: What They Really Can't Do*, OUP, 2000
Hayles, N. Katherine, *Unthought: The Power of the Cognitive Nonconscious*, University of Chicago Press, 2017
ホフスタッター、ダグラス『ゲーデル、エッシャー、バッハ――あるいは不思議の環』白揚社（Hofstadter, Douglas, *Gödel, Escher, Bach: An Eternal Golden Braid*, Penguin Books, 1979）
——, *Fluid Concepts and Creative Analogies: Computer Models of the Fundamental Mechanisms of Thought*, Basic Books 1995
——,『わたしは不思議の環』白揚社（*I am a Strange Loop*, Basic Books, 2007）
カスパロフ、ガルリ Kasparov, Garry, *Deep Thinking: Where Artificial Intelligence Ends and Human Creativity Begins*, John Murray, 2017

さらに知りたい方のために

※アルファベット順

Machine Learning: The Power and Promise of Computers That Learn by Example. マーガレット・ボーデン、デミス・ハサビスとわたしが手を貸してまとめたロイヤル・ソサエティーの報告書。2017 年 4 月に刊行。オンラインの http://royalsociety.org/machinelearning. で読むことができる。

書籍

アルペイディン・エテム『機械学習：新たな人工知能』日本評論社（Alpaydin, Ethem, *Machine Learning*, MIT Press, 2016）

バルト、ロラン『S/Z：バルザック「サラジーヌ」の構造分析』みすず書房（Barthes, Roland, *S/Z*, Farrar, Straus and Giroux, 1991）

バージャー、ジョン『イメージ──視覚とメディア』筑摩書房（Berger, John, *Ways of Seeing*, Penguin Books, 1972）

ビショップ、クリストファー『パターン認識と機械学習』シュプリンガー・ジャパン（Bishop, Christopher, *Pattern Recognition and Machine Learning*, Springer, 2006）

ボーデン、マーガレット Boden, Margaret, *The Creative Mind: Myths and Mechanisms*, Weidenfeld and Nicolson, 1990

──, *AI: Its Nature and Future*, OUP, 2016

Bohm, David, *On Creativity*, Routledge, 1996

ボストロム、ニック『スーパーインテリジェンス──超絶 AI と人類の命運』日本経済新聞社（Bostrom, Nick, *Superintelligence: Paths, Dangers, Strategies*, OUP, 2014）

ブライドッティ、ロージ『ポストヒューマン　新しい人文学に向けて』フィルムアート社（Braidotti, Rosi, *The Posthuman*, Polity Press, 2013）

Brandt, Anthony and David Eagleman, *The Runaway Species: How Human Creativity Remakes the World*, Canongate, 2017

ブリニョルフソン、エリック、アンドリュー・マカフィー『ザ・セカンド・マシン・エイジ』日経 BP（Brynjolfsson, Erik and Andrew McAfee, *The Second Machine Age: Work, Progress, and Prosperity in a Time of Brilliant Technologies*, Norton, 2014）

カウェルティ、ジョン『冒険小説・ミステリー・ロマンス：創作の秘密』研究社（Cawelti, John, *Adventure, Mystery, and Romance: Formula Stories as Art and Popular Culture*, University of Chicago Press, 1977）

Cheng, Ian, *Emissaries Guide to Worlding*, Verlag der Buchhandlung Walther Konig, 2018; Serpentine Galleries/ Fondazione Sandretto Re Rebaudengo, 2018

Cope, David, *Virtual Music: Computer Synthesis of Musical Style*, MIT Press, 2001

──, *Computer Models of Musical Creativity*, MIT Press, 2005

ワ行

ヤ行

ラ行

マ行

ハ行

タ行

ナ行

サ行

カ行

索　引

The Creativity Code
Marcus du Sautoy

レンブラントの身《み》震《ぶる》い

著 者
マーカス・デュ・ソートイ
訳 者
冨永星
発 行
2020年11月25日

発行者　佐藤隆信
発行所　株式会社新潮社
〒162-8711 東京都新宿区矢来町71
電話 編集部 03-3266-5411
読者係 03-3266-5111
https://www.shinchosha.co.jp

印刷所
株式会社精興社
製本所
大口製本印刷株式会社

ISBN978-4-10-590169-1 C0398

CREST BOOKS
Shinchosha

知の果てへの旅

What We Cannot Know
Marcus du Sautoy

マーカス・デュ・ソートイ
冨永星訳

知の探究の最前線で、いま何が問われているのか。
宇宙に果てはあるのか？　時間とは、意識とは何か？
はたして、科学はすべてを知りえるのか？
『素数の音楽』の著者による人間の知の限界への挑戦。

CREST BOOKS